Pour comprendre Jean Piaget

DU MÊME AUTEUR

Diderot, Politique et Education,
Vrin, Paris, 1973

Jean-Marie Dolle

Pour comprendre Jean Piaget

Privat, éditeur

La photographie de Jean Piaget figurant en page 1 de couverture a été réalisée par Jean-Pierre Landenberg de Genève

14, rue des Arts Toulouse

Pour Yvette, Emmanuèle et Valérie Dolle

Liste des abréviations utilisées

B.P.	Bulletin de psychologie
C.P.	La causalité physique chez l'enfant
C.R.	La construction du réel chez l'enfant
C.V.P.	Cahiers Vilfredo Pareto
D.Q.P.	Le développement des quantités physiques chez l'enfant
D.R.	Le diagnostic du raisonnement chez les débiles mentaux
D.T.	Le développement de la notion de temps chez l'enfant
E.D.P.	Entretiens sur le développement psychobiologique de l'enfant
E.E.G.	Etudes d'épistémologie génétique
l'E.G.	L'épistémologie génétique
E.L.O.	Essai de logique opératoire
E.U.	Encyclopaedia Universalis
F.S.	La formation du symbole chez l'enfant
G.N.	La genèse du nombre chez l'enfant
G.S.	La géométrie spontanée de l'enfant
G.S.L.E.	La genèse des structures logiques élémentaires
I.E.G.	Introduction à l'épistémologie génétique
J.R.	Le jugement et le raisonnement chez l'enfant
L.C.S.	Logique et connaissance scientifique
L.E.L.A.	De la logique de l'enfant à la logique de l'adolescent
L.P.	Le langage et la pensée chez l'enfant
M.P.	Les mécanismes perceptifs
N.I.	La naissance de l'intelligence chez l'enfant
P.E.	La psychologie de l'enfant
P.E.G.	Psychologie et épistémologie génétique, thèmes piagétiens
P.I.	Psychologie de l'intelligence
P.P.	Psychologie et pédagogie
P.P.G.	Problèmes de psychologie génétique
P.S.P.E.	La pensée symbolique et la pensée de l'enfant. (Archives de psychologie)
R.E.	La représentation de l'espace chez l'enfant
R.M.	La représentation du monde chez l'enfant
S.I.P.	Sagesse et illusions de la philosophie
T.P.E.	Traité de psychologie expérimentale

Introduction

« ... Mais rendre la lumière
« Suppose d'ombre une morne moitié »

Paul VALÉRY, *Le cimetière marin*

PIAGET est à l'intelligence ce que FREUD est à l'affectivité. Et pourtant FREUD est plus connu, malgré les apparences, que ne l'est le psychologue de l'intelligence. Beaucoup en parlent, quelques-uns le citent, peu l'ont compris. Quoi de moins étonnant si l'on considère et l'ampleur de son œuvre et la difficulté de sa pensée. Bien des lecteurs de bonne volonté ont renoncé après quelques livres parce que ceux-ci en impliquaient d'autres, beaucoup trop... peut-être pas, mais beaucoup trop qui les perdaient dans les dédales d'une recherche sans cesse ouverte à d'autres horizons. Il leur manquait peut-être, afin de profiter à plein de leurs lectures, un fil conducteur, un ouvrage de références qui leur donnât les cadres et les points de repère nécessaires pour baliser le champ de leurs investigations.

C'est en partie pour répondre à un tel besoin que ce livre est né. Mais il ne constitue pas un résumé de l'œuvre du grand psychologue ; beaucoup trop de choses en sont absentes : le temps, le mouvement et la vitesse, la causalité, l'image mentale, la perception, l'apprentissage, la notion de force, etc. Et si elles s'y trouvaient, elles seraient inutiles et sans intérêt. Il ne constitue pas non plus la somme de tout ce qu'il n'est pas permis d'ignorer de PIAGET. Il n'est pas non plus destiné aux esprits pressés ou superficiels qui cherchent autant à se donner une teinture de psychologie qu'à se prévaloir d'un savoir et de compétences devant les esprits crédules.

Nous le répétons, PIAGET est un auteur difficile. Toute sa vie, il a cherché une réponse à la question : « Comment s'accroissent nos connaissances », ce qui l'a conduit à se demander comment elles naissent, quels sont leurs instruments, comment ceux-ci se constituent, etc. Nous avons donc cherché, dans un premier chapitre, à suivre l'histoire de sa démarche scientifique, de ses premières intuitions jusqu'aux synthèses les plus récentes. Pour ce faire, nous avons relaté les phases de l'élaboration de sa problématique, de sa méthodologie en rapport avec son activité universitaire et ses découvertes successives. Chemin faisant, nous avons fait le point en essayant de montrer les changements et les affinements de l'orientation générale des recherches. Dans cette optique, il nous a paru nécessaire de dresser le bilan des données épistémologiques qui se dégagent de la genèse du savoir. Le chapitre deuxième constitue, tout à la fois, l'introduction et la conclusion, sur le plan épistémologique, de l'appréhension de la connaissance. Il peut être lu avant, après ou (et) pendant les trois suivants qui sont la relation suivie de l'étude de la genèse des structures logiques de la pensée. Autrement dit, malgré la division en chapitres, cet ouvrage comporte trois points. Le premier insiste sur la genèse de l'œuvre, de la problématique et de la méthodologie ; le deuxième fournit les données épistémologiques qui nous paraissent essentielles ; les trois autres suivent la genèse de la construction des structures logiques, de la naissance à l'âge adulte. En tout point nous nous sommes efforcé d'être aussi clairs qu'il nous était possible de l'être.

Si ce livre n'est ni une somme, ni un résumé, encore qu'il puisse en présenter tous les aspects, qu'est-il alors ?

Il se présente, d'une part, comme notre démarche de psychologue ayant voulu comprendre l'œuvre de PIAGET. C'est pourquoi nous en avons effectué une lecture qui répond en grande partie aux interrogations que nous nous posions au départ. A ce titre, il correspond à une lecture particulière qui n'épuise pas, tant s'en faut, toutes les lectures possibles. D'autre part, et en conséquence de ce qui vient d'être dit, il constitue une approche dont la démarche essentielle peut être reprise par chacun. En ce sens, il permet de baliser le champ psychologique balayé par PIAGET et de donner des repères pour une approche plus cohérente et plus structurée. Pour autant donc que ce livre constitue une voie d'approche, il peut servir comme tel à quiconque voudra lui aussi tenter d'appréhender la psychologie génétique piagétienne. C'est dans cette optique qu'il justifie son titre : pour comprendre...

Enfin, s'il est évident que l'approche de l'esprit dans ses structures et son fonctionnement tend, chez PIAGET, asymptotiquement à le saisir dans sa vérité, notre approche n'est qu'asymptotique de celle de PIAGET. Nous ne faisons qu'ajouter à ses propres zones d'incertitude les nôtres propres. Mais une telle trahison dûe à nos incompréhensions s'avère après tout inévitable. Le vrai, disait BACHELARD, n'est jamais qu'au terme de la rectification d'une longue erreur. C'est pourquoi, plus les reconstitutions du genre de la nôtre seront nombreuses, mieux PIAGET sera connu, partant, plus la psychologie et la pédagogie en tiendront compte dans leur pratique. Cet objectif n'est pas exclu de notre horizon.

Lucien JERPHAGNON fut l'instigateur de ce travail avec l'amitié dont il nous honore et Georges HAHN nous a soutenu de ses encouragements pendant son exécution. Que tous deux trouvent ici l'expression de notre reconnaissance et de notre amitié.

Besançon, 1er août - 15 octobre 1973

CHAPITRE I

Histoire et Méthode

1. Les années de formation (1896-1920)

C'est à Neuchâtel, en Suisse, que naît Jean Piaget, le 9 août 1896. Son père « a consacré ses écrits principalement à la littérature médiévale et dans une moindre proportion à l'histoire de Neuchâtel ». (c.v.p., p. 129). Sa mère « était intelligente, énergique, et quant au fond, d'une réelle bonté » ; mais, ajoute Piaget, son tempérament plutôt névrotique rendit notre vie familiale assez difficile » (*id.*, p. 130). De son père il a « appris la valeur d'un travail systématique, même lorsqu'il porte sur des détails » (*ibidem*). L'instabilité de sa mère eut pour conséquence, dit Piaget, que « très tôt je négligeai le jeu pour le travail sérieux, tant pour imiter mon père que pour me réfugier dans un monde à la fois personnel et non fictif » et que ses premiers intérêts pour la psychologie le conduisirent vers « les problèmes de la psychanalyse et de la psychologie pathologique » (*ibidem*). Mais, précise-t-il, « bien que cet intérêt m'ait aidé à prendre du recul et à élargir le cercle de mes connaissances, je n'ai jamais ressenti le désir d'aller plus loin dans cette direction particulière, préférant toujours l'étude des cas normaux et du fonctionnement de l'intellect, à celle des malices de l'inconscient » (*ibidem*).

Contrairement à une opinion assez répandue, Piaget s'est beaucoup intéressé à la psychanalyse, plus qu'il ne le laisse entendre. « Notez que j'ai passé par une psychanalyse didactique pour voir ce que c'était. J'ai été très vivement intéressé » (*Express*, p. 94). Bien des textes de lui témoignent de cet intérêt. Peut-être un des premiers en France, il écrit dans le *Bulletin de la société*

Alfred Binet, en 1920, *La psychanalyse et ses rapports avec la psychologie de l'enfant.* En 1933 la *Revue française de psychanalyse* publie de lui un article intitulé *La psychanalyse et le développement intellectuel.* Entre ces deux dates, en 1922, il fait une communication au Congrès de psychanalyse de Berlin en présence de FREUD et en publie, en 1923, un texte enrichi dans les *Archives de psychologie* sous le titre *La pensée symbolique et la pensée de l'enfant.* Si les textes citant explicitement la psychanalyse sont peu nombreux, l'inspiration psychanalytique (et le parallélisme entre leur contenu et celle-ci) n'est pas absente de ses premiers ouvrages : *Le langage et la pensée chez l'enfant, Le jugement et le raisonnement chez l'enfant, La représentation du monde chez l'enfant, Le jugement moral chez l'enfant.* On retrouvera cette inspiration et des critiques sévères, notamment à l'égard de la censure et de la mémoire inconsciente, dans *La formation du symbole chez l'enfant,* écrit entre 1935 et 1940, mais dont la publication a été différée jusqu'en 1946. Critique, il le fut de plus en plus. Une interview accordée à *l'Express* en 1968 est significative à cet égard : « Ce qui lui manque (à la psychanalyse), c'est le contrôle. Je ne pense pas que ce soit entièrement une science. Les psychanalystes sont encore groupés en chapelles, c'est très compliqué, et en chacune, les chercheurs se croient immédiatement les uns les autres : ils ont une vérité commune. Tandis qu'en psychologie la première réaction est de chercher à se contredire. Les psychanalystes se réfèrent à une vérité qui doit, plus ou moins, être conforme aux écrits de FREUD, ça me paraît très gênant.
- Pensez-vous que la psychanalyse puisse devenir une science ?
- Dans la mesure où il y aura plus d'hérétiques, certainement » (*L'Express,* p. 94).

Mais, quelque sévères que soient souvent ces critiques (cf. *La formation du symbole*), il marque son attitude ambivalente à l'égard de la psychanalyse. N'a-t-il pas donné, en séance plénière de la Société américaine de psychanalyse, en 1971, une conférence dont le seul titre, *Inconscient affectif et inconscient cognitif,* est plein d'enseignements ?...

Si la réaction à « l'instabilité maternelle » et le modèle du père ont contribué à faire de lui ce chercheur doublé du penseur que nous connaissons, PIAGET déclare lui-même : « Fondamentalement, je suis un anxieux que seul le travail soulage. Il est vrai que je suis sociable et que j'aime enseigner ou participer à des réunions de toutes sortes, mais je ressens un besoin contraignant de solitude et de contact avec la nature. Après une matinée passée avec les autres, je commence chaque après-midi par une promenade pendant laquelle je rassemble tranquillement mes idées et les coordonne, après quoi je retourne à ma table de travail chez moi à la campagne. Aussitôt que viennent les vacances, je me réfugie dans les montagnes dans les régions sauvages du Valais et j'écris pendant des semaines sur des tables improvisées et après d'agréables promenades. C'est cette dissociation entre moi en tant qu'être social et en tant qu'homme de la nature (en qui l'excitation dionysiaque s'achève en activité intellectuelle) qui m'a permis de surmonter un fond permanent d'anxiété et de le transformer en besoin de travail » (C.V.P., p. 147, note).

Et si l'étude de l'intelligence était le contrepoids d'une affectivité trop anxiogène ?

Piaget fut un enfant précoce. Très tôt, entre sept et dix ans, il s'intéressa « successivement, à la mécanique, aux oiseaux, aux fossiles des couches secondaires et tertiaires, et aux coquillages marins » (*id.*, p. 130). En 1907, il observe un moineau partiellement albinos et envoie un article d'une page à un journal d'histoire naturelle de Neuchâtel. Fort intéressé par ces questions il obtint la permission du Directeur du Musée d'Histoire naturelle, Paul Godet, spécialiste des mollusques, de venir deux fois par semaine et l'aida « à coller des étiquettes sur ses collections de coquillages terrestres et d'eau douce » (*id.*, p. 130). Ce travail qui dura quatre ans le conduisit à rechercher par lui-même des mollusques. A la mort du directeur, en 1911, il publia une série d'articles sur les mollusques de Suisse, de Savoie, de Bretagne, de Colombie. Plusieurs spécialistes cherchèrent à le voir, mais, à cause de son trop jeune âge, il dut décliner ces invitations.

Entre quinze et vingt ans, Piaget subit des crises « dues à la fois aux conditions familiales et à la curiosité intellectuelle caractéristique de cet âge si productif » (C.V.P., p. 131). Crise religieuse, en rapport avec un enseignement religieux intensif de six semaines vers quinze ans ; crise philosophique provoquée par son parrain qui l'invita à passer des vacances au bord du lac d'Annecy et lui fit découvrir Bergson. « Le choc fut immense » écrit Piaget : émotif, en ce sens qu'il eut la révélation de l'identité de Dieu et de la Vie ; intellectuel, pour autant que le problème de la connaissance - l'épistémologie - lui apparut d'une façon nouvelle et qu'il résolut de consacrer sa vie « à l'explication biologique de la connaissance » (*id.*, p. 132).

De 1914 à 1918 ses lectures sont très abondantes et disparates : KANT, SPENCER, COMTE, FOUILLÉE, GUYAU, LACHELIER, BOUTROUX, LALANDE, DURKHEIM, TARDE, LE DANTEC, JAMES, RIBOT, JANET, etc. Il exprime en outre ses idées personnelles dans des cahiers et publie, en 1916, un roman philosophique, *La mission de l'Idée,* suivi de *Recherche* en 1918 où « se reflètent les préoccupations à la fois scientifiques et métaphysiques, intellectualistes et sentimentales du jeune homme face aux problèmes du temps : la science et la foi, la paix et la guerre, le christianisme traditionnel et le socialisme naissant ; mais ces diverses inquiétudes s'inscrivent dans un projet très fortement articulé, qui trace le programme d'une vaste étude du progrès (le progrès biologique aussi bien que le progrès des connaissances) et où l'on trouve déjà marqués les concepts cardinaux qui seront développés, approfondis et précisés à travers tout l'œuvre ultérieur ; l'action comme source de connaissance, le relativisme génétique, et, surtout, la dialectique de l'assimilation et de l'accommodation dans les processus d'équilibration qui assure à la fois le progrès et la stabilité » (E.U., 13, p. 22). PIAGET reconnaît lui-même qu'il y développait l'idée que « l'action comporte en soi une logique (...) et que par conséquent la logique a sa source dans une sorte d'organisation spontanée des actions » (C.V.P., p. 133), mais aussi il comprenait « qu'à tous les niveaux (...) on retrouve le même problème des relations entre la partie et le tout » (*id.*, p. 134).

Après des études de sciences naturelles, PIAGET présente en 1918 une thèse de doctorat publiée en 1921 sous le titre *Introduction à la malacologie valaisane.* Il part alors pour Zurich dans le but de travailler dans un laboratoire de psychologie. Il passe de LIPPS à WRESCHNER, fréquente chez BLEULER. En 1919, il se rend à Paris où, pendant deux ans, il suit les cours de la Sorbonne et assiste aux présentations de malades à Sainte-Anne. DUMAS, JANET, PIÉRON, DELACROIX sont ses maîtres. Il fréquente la Bibliothèque Nationale où, entre autres, il lit la logique de COUTURAT. Mais en même temps il est chargé par le Docteur SIMON de standardiser les tests de raisonnement de BURT. Ceux-ci, qui comprennent les fameuses questions : « Edith est plus claire (ou plus blonde) que Suzanne ; Edith est plus foncée que Lili, laquelle est la plus foncée (ou la plus claire) », sont essentiellement verbaux. Il a à sa disposition le laboratoire de BINET - vide alors - à l'école de la rue Grange-aux-Belles. Là, dit-il, dans son discours de réception du prix ERASME, « j'eus (...) l'impression d'une véritable vocation » (p. 27) et ailleurs : « Je remarquai que bien que les tests de BURT eussent des mérites certains quant au diagnostic, fondés qu'ils étaient sur le nombre de succès et d'échecs, il était beaucoup plus intéressant de tenter de découvrir les raisons des échecs. Ainsi j'engageais avec mes sujets des conversations du type des interrogatoires cliniques, dans le but de découvrir quelque chose sur les processus du raisonnement qui se trouvaient derrière les réponses justes, et avec un intérêt particulier pour ceux qui cachaient les réponses fausses. Je découvris avec stupéfaction que les raisonnements les plus simples impliquant l'inclusion d'une partie dans le tout ou l'enchaînement des relations, ou encore la « multiplication » de classes (trouver la partie commune de deux entités), présentaient jusqu'à douze ans pour les enfants normaux, des difficultés insoupçonnées de l'adulte » (C.V.P., pp. 136-137).

En conversant ainsi librement avec les enfants à propos des questions-types que comporte le test de BURT, PIAGET invente déjà ce que sera la méthode originale - la méthode clinique - qu'il utilisera toute sa vie et qui lui est inspirée par la méthode expérimentale et la méthode de l'interrogation clinique des psychiatres. Mais il découvre surtout que la logique n'est pas innée, qu'elle se développe au contraire peu à peu, fait d'observation en accord avec ses idées théoriques antérieures. Partant, il possédait un champ expérimental susceptible de lui permettre de découvrir une sorte d'embryologie de l'intelligence, ce qui était en rapport avec sa formation de biologiste : « dès le début, j'étais convaincu que le problème des relations entre organisme et milieu se posait aussi dans le domaine de la connaissance, apparaissant alors comme le problème des relations entre le sujet agissant et pensant et les objets de son expérience. L'occasion m'était donnée d'étudier ce problème en termes de psychogenèse » (C.V.P., p. 137).

PIAGET écrivit trois articles sur ses observations et envoya l'un d'eux à CLAPARÈDE alors Directeur de l'Institut Jean-Jacques ROUSSEAU à Genève. Cet article fut d'ailleurs publié dans les *Archives de Psychologie* et valut à son auteur en 1921 le poste de « Chef de travaux » à ce même Institut. A ce moment, l'intention de PIAGET était de consacrer « deux à trois ans à l'étude de la pensée enfantine » puis de revenir « aux origines de la vie mentale, c'est-à-dire à l'étude de l'émergence de l'intelligence au cours des deux premières années » (C.V.P., p. 138). Ce qui l'intéresse surtout, c'est

« la genèse des structures logiques fondamentales (inclusion et multiplication des classes, composition des relations, structures d'ordre, etc.) et l'élaboration des catégories de pensée (nombre, espace, temps) » (E.U., p. 23). Les quelques années que PIAGET voulait consacrer à l'étude de la pensée enfantine lui prendront plus de cinquante ans.

2. Les premières recherches sur la pensée enfantine (1920-1930)

La production de Jean PIAGET est considérable ; la cadence d'apparition de ses livres (compte non-tenu des articles, notamment ceux où il précise sa pensée ou en développe un aspect, leur nombre est très important), est surprenante. Dans la perspective qu'il s'est tracée il aborde l'étude du développement de la pensée ; mais « en commençant, dira-t-il plus tard, par les facteurs les plus périphériques (milieu social, langage), tout en gardant présent à l'esprit mon but qui était d'atteindre le mécanisme psychologique des opérations logiques et du raisonnement causal. A cet effet, je repris aussi avec les élèves des classes primaires de Genève le type d'investigation que j'avais inauguré à Paris » (C.V.P., p. 138). Cinq ouvrages rassemblent donc les observations, interprétations et conclusions de ces entretiens : *Le langage et la pensée chez l'enfant* (1923), *Le jugement et le raisonnement chez l'enfant* (1924), *La représentation du monde chez l'enfant* (1926), *La causalité physique chez l'enfant* (1927), *Le jugement moral chez l'enfant* (1932). Ceux-ci furent bien accueillis par le public à la surprise de leur auteur qui pensait ne pas avoir encore organisé ses idées et avoir à peine commencé les travaux préliminaires. Mais ils lui valurent de nombreuses invitations (France, Belgique, Hollande, Grande-Bretagne, U.S.A., Espagne, Pologne, etc.). Mais PIAGET sera toujours, sinon sévère, du moins critique à leur endroit : « Ces livres, un peu adolescents, ne contenaient pas encore de théorie d'ensemble des opérations, quoique dès le premier fut entrevu le rôle de la réversibilité » (B.P., p. 10). Ils comportaient, à son avis, deux défauts : le premier est qu'ils se limitent au langage et à la pensée exprimée. Le langage possède en quelque sorte sa propre logique qui fait écran à la logique réelle de l'enfant. Toutes choses égales, il n'est qu'un instrument d'expression et de communication, inapte à rendre compte des structures de la pensée enfantine qui y président. Soit en avance, soit en retard sur celles-ci, il est, chez l'enfant, comme un prisme déformant. Le second défaut, découlant du premier, est qu'il n'est pas possible de trouver des structures de totalité caractéristiques des structures logiques sans en chercher la source dans les opérations concrètes. On ne retrouve dans les formes d'échange fondées sur la réciprocité que des formes d'équilibre reposant sur la contrainte sociale. Elles attestent simplement d'une certaine forme de réversibilité due à la réciprocité des échanges sociaux absente des propos d'enfants plus jeunes en vertu de leur égocentrisme intellectuel.

Cependant, l'intérêt de ces travaux est d'avoir, dans un langage descriptif, défini les aspects les plus apparents de la structure mentale de l'enfant dont l'égocentrisme est la manifestation centrale, et montré le passage d'une pensée centrée sur le sujet et incommunicable à une pensée socialisée tenant compte de l'interlocuteur.

Les premières grandes recherches de PIAGET s'inscrivent dans une problématique concernant la pensée logique - ou la logique de l'enfant - et mettent en œuvre une méthodologie originale appelée *méthode clinique*. Celle-ci, élaborée dans un contexte historique défini, celui des premiers travaux de PIAGET, se modifiera pour s'affiner mais restera liée à tout l'œuvre scientifique de l'école de Genève. Par conséquent, elle se confond avec l'histoire des recherches de PIAGET.

a) *La méthode clinique*

Nous savons que les préoccupations de PIAGET ont été tôt définies et que l'on peut les ramener à quelques grandes interrogations du type : Quelle est la genèse des structures logiques de la pensée de l'enfant, comment fonctionnent-elles, partant, quels sont les procédés de la connaisance que l'enfant met en œuvre, ce qui pose le problème de l'épistémologie génétique dans le cadre de l'épistémologie générale.

L'idée qu'il y a une genèse des formes logiques de la pensée conduit à se demander quelles sont les étapes de sa constitution et quel en est le fonctionnement. Or, pour aborder ce problème des structures logiques, quelles étaient, au moment où PIAGET commençait ses travaux, les méthodes dont il pouvait disposer en psychologie ? La première était la méthode des tests. Or, en quoi consiste-t-elle ? « A soumettre, dit PIAGET, l'enfant à des épreuves organisées de manière à satisfaire aux deux conditions suivantes : d'une part, la question reste identique pour tous les sujets, et se pose toujours dans les mêmes conditions ; d'autre part, les réponses données par les sujets sont rapportées à un barême ou à une échelle permettant de les comparer qualitativement ou quantitativement » (R.M., p. 6). En ce qui concerne le diagnostic individuel, cette méthode présente de gros avantages ; mais s'il s'agit de découvrir quels sont les mécanismes de la pensée, elle offre de gros inconvénients. D'abord les tests ne permettent pas une analyse suffisante des résultats, du moins pour la perspective où se place PIAGET, ensuite ils risquent de fausser l'orientation d'esprit des enfants qu'on veut interroger notamment parce qu'on leur suggère certains types de réponses. Par exemple, si l'on demande : « Qu'est-ce qui fait avancer le soleil ? », on suggère l'idée d'une œuvre extérieure et on provoque le mythe. « En demandant « comment avance le soleil ? », on suggère peut-être au contraire un souci du « comment » qui n'existait pas non plus et on provoque d'autres mythes » (*id.*, p. 7). C'est pourquoi, « le seul moyen d'éviter ces difficultés est de faire varier les questions, de faire des contre-suggestions, en bref, de renoncer à tout questionnaire fixe » (*id.*, p. 7).

PIAGET fait observer que l'on rencontre la même situation en pathologie mentale. « Un dément précoce peut avoir une lueur ou une réminiscence suffisante pour dire qui est son père, bien qu'il se croie habituellement issu d'une souche plus illustre. Mais le vrai problème est de savoir comment la question se posait dans son esprit et si elle se posait. L'art du clinicien consiste, non à faire répondre, mais à faire parler librement et à découvrir les tendances spontanées au lieu de les canaliser et de les endiguer. Il consiste à situer tout symptôme dans un contexte mental, au lieu de faire abstraction du contexte » (*id.*, p. 7). Le test, en revanche, risque « de passer à côté des questions essentielles, des intérêts spontanés et des démarches primitives » (*id.*, p. 8). Son utilité est ailleurs ; ici, il risque de fausser l'orientation d'esprit de l'enfant.

Nous savons déjà qu'en faisant passer les tests de raisonnement de BURT aux petits parisiens, PIAGET se demandait pourquoi ils répondaient juste et pourquoi faux. Cette attitude clinique permet de dépasser le pur et simple constat pour entrer dans le fonctionnement même de la pensée.

La seconde méthode était celle de l'observation pure. Certes, c'est de l'observation qu'il faut partir, à elle qu'il faut revenir, car si l'on veut savoir quels sont les intérêts spontanés des enfants, c'est bien à l'examen détaillé du contenu et de la forme de leurs questions qu'il faut se livrer. Le contenu des questions révèle les intérêts aux différents âges ; leur forme indique les solutions implicites que les enfants se donnent « car toute question contient sa solution par la manière dont elle est posée » (*id.*, p. 8). Partant, pour revenir à l'observation, c'est à partir de ces questions spontanées posées dans leur forme même à des enfants de même âge, ou plus jeunes, qu'il faut diriger la recherche. De là on peut tirer quelques contre-épreuves. « On se rend compte alors si les représentations que l'on prête aux enfants correspondent ou non à des questions qu'ils posent et à la manière même dont ils posent ces questions » (*id.*, p. 8).

Cependant, certains obstacles limitent l'usage de cette méthode. D'une part, elle est laborieuse et la qualité des résultats est au détriment de leur quantité car il est impossible d'observer un grand nombre d'enfants dans les mêmes conditions. D'autre part, elle présente deux inconvénients majeurs. Le premier tient à la structure égocentrique de la pensée de l'enfant, pensée non socialisée, c'est-à-dire non fondée sur l'échange, la réciprocité des points de vue et qui de ce fait contient, en tant qu'elle est implicite, des attitudes d'esprit, des schémas syncrétiques qu'ils soient visuels ou moteurs, des préliaisons logiques, etc. Le second tient à la difficulté qu'il y a de distinguer chez l'enfant, à cause du symbolisme de sa pensée, le jeu de la croyance.

PIAGET voulait donc éviter et les inconvénients du test et ceux de la méthode de pure observation, mais en conservant les avantages de l'une et de l'autre. « Dépasser la méthode de pure observation, et, sans retomber dans les inconvénients du test, (...) atteindre les principaux avantages de l'expérimentation » (*id.*, p. 10). C'est pourquoi il emploie une méthode nouvelle déjà entrevue, *la méthode clinique* inspirée de la méthode pratiquée par les psychiatres comme moyen de diagnostic et d'investigation. Ceux-ci, en effet, peuvent converser avec le malade, le suivre dans ses réponses mêmes « de manière à ne rien perdre de ce qui pourrait surgir en fait d'idées délirantes », mais aussi, « le conduire doucement vers les zones critiques (sa naissance, sa race, sa fortune, ses titres militaires, politiques, ses talents, sa vie mystique, etc.) sans savoir naturellement où l'idée délirante affleurera mais en maintenant constamment la conversation sur un terrain fécond » (*id.*, p. 10). L'examen clinique tient à la fois de l'expérience pour autant que l'interrogateur fait des hypothèses, fait varier les conditions en jeu, contrôle par les faits chaque hypothèse, etc., et à la fois de l'observation directe dans la mesure où « le bon clinicien se laisse diriger tout en dirigeant ». Si cette méthode est féconde pour les psychiatres, pourquoi ne pas l'employer en psychologie de l'enfant ? Si elle rend d'aussi grands services ailleurs, pourquoi s'en priver ?

La méthode clinique de PIAGET est donc une méthode de conversation libre avec l'enfant sur un thème dirigé par l'interrogateur qui suit les réponses de l'enfant, lui demande de justifier ce qu'il dit, d'expliquer, de dire pourquoi, qui lui fait des contre-suggestions, etc. « En suivant l'enfant dans chacune de ses réponses, puis, toujours guidé par lui, en le faisant parler de plus en plus librement, on finit par obtenir, dans chacun des domaines de l'intelligence (logique, explications causales, fonction du réel, etc.) un procédé clinique d'examen analogue à celui que les psychiatres ont adopté comme moyen de diagnostic » (P.S.P.E., p. 276).

Cette méthode n'est pas sans inconvénients. Elle est d'abord difficile à pratiquer. Pour bien la maîtriser, il faut plusieurs années d'exercices quotidiens. « Il est si difficile de ne pas parler lorsqu'on questionne un enfant, surtout si l'on est pédagogue ! Il est si difficile de ne pas suggestionner ! Il est si difficile, surtout, d'éviter à la fois la systématisation due aux idées préconçues et l'incohérence due à l'absence de toute hypothèse directrice ! Le bon expérimentateur doit, en effet, réunir deux qualités souvent incompatibles : savoir observer, c'est-à-dire laisser parler l'enfant, ne rien tarir, ne rien dévier, et, en même temps, savoir chercher quelque chose de précis, avoir à chaque instant quelque hypothèse de travail, quelque théorie, juste ou fausse, à contrôler. Il faut avoir enseigné la méthode clinique pour en comprendre la vraie difficulté. Ou bien les élèves qui débutent suggèrent à l'enfant tout ce qu'ils désirent trouver, ou bien ils ne suggèrent rien, mais c'est parce qu'ils ne cherchent rien, et alors ils ne trouvent rien non plus.

« Bref, les choses ne sont pas simples, et il convient de soumettre à une critique serrée les matériaux ainsi recueillis. Aux incertitudes de la méthode d'interrogation, le psychologue doit, en effet, suppléer en aiguisant sa finesse d'interprétation. Or, ici de nouveau, deux dangers contraires menacent le débutant : c'est d'attribuer à tout ce qu'a dit l'enfant, soit la valeur *maxima*, soit la valeur *minima*. Les grands ennemis de la méthode clinique sont ceux qui prennent pour bon argent tout ce que répondent les enfants, et ceux qui refusent créance à n'importe quel résultat provenant d'un interrogatoire. Ce sont naturellement les premiers qui sont les plus dangereux, mais tous deux procèdent de la même erreur : c'est de croire que ce que dit un enfant, pendant le quart-d'heure, la demi-heure ou les trois quarts d'heure durant lesquels on converse avec lui, est à situer sur un même plan de conscience : le plan de la croyance réfléchie, ou le plan de la fabulation, etc. L'essence de la méthode clinique est au contraire de discerner le bon grain de l'ivraie et de situer chaque réponse dans son contexte mental. Or, il y a des contextes de réflexion, de croyance immédiate, de jeu ou de psittacisme, des contextes d'effort et d'intérêt ou de fatigue et surtout il y a des sujets examinés qui inspirent d'emblée confiance, qu'on voit réfléchir et chercher, et des individus dont on sent qu'ils se moquent de vous ou qu'ils ne vous écoutent pas » (R.M., p. 12).

Il faut donc savoir tenir compte des réactions de l'enfant. Celui-ci peut répondre n'importe quoi parce que la question l'ennuie ou ne provoque aucun travail d'adaptation ; il peut également inventer une histoire, fabuler, sans réfléchir. Mais aussi la question peut être suggestive et déclencher une croyance suggérée. L'interrogation peut également déclencher une croyance qu'il invente pour les besoins de la cause mais qu'il tire de son propre fonds. Enfin la question n'est pas nouvelle pour l'enfant et la croyance spontanée s'exprime en vertu d'une réflexion antérieure originale.

Quelles que soient les règles que PIAGET se donne pour l'interprétation des réponses, celles-ci ne présentent qu'un intérêt historique lié à l'intelligence exprimée dans et par le langage et dont PIAGET a abandonné l'étude par la suite, c'est pourquoi nous les laisserons de côté.

Retenons donc que *la méthode clinique* consiste à converser librement avec l'enfant sur un thème dirigé, à suivre par conséquent les détours empruntés par sa pensée pour la ramener au thème, et, pour en obtenir des justifications et éprouver la constance, et à faire des contre-suggestions. Opposée aux questions standardisées, elle préfère, à partir d'idées directrices préalables, adapter, et les expressions, et le vocabulaire et les situations elles-mêmes, aux réponses, aux attitudes et au vocabulaire du sujet lui-même.

La méthode clinique telle qu'elle vient d'être décrite ne s'est pas élaborée d'un seul coup mais en plusieurs étapes. On remarque en effet, que pour ses deux premiers ouvrages : *Le langage et la pensée* et *Le jugement et le raisonnement* groupés sous le thème *Etudes de la logique de l'enfant*, PIAGET ne l'utilise pas encore totalement. Il recourt plutôt à l'observation pure. « On note, un mois durant, les propos spontanés de deux enfants de six ans au cours des classes du matin de la Maison des Petits, et sur ces 2 900 observations on met à part les réponses fournies à des questions posées par la maîtresse ou les camarades, pour calculer un coefficient d'égocentrisme et ses fluctuations (*Langage et pensée,* chap. I). On relève et on classe de même toutes les manifestations verbales d'une vingtaine d'enfants de quatre à sept ans quand ils se trouvent dans une salle d'école où ils ont toujours libre accès (*ibid.,* chap. III, 2e éd., 1930)... Il en va de même pour l'étude portant sur les 1 125 questions spontanées posées par le jeune DEL., entre six et sept ans, à une observatrice, au cours d'entretiens journaliers de deux heures.

« Pour l'étude du jugement et du raisonnement, le « matériel » est surtout constitué par des épreuves verbales, empruntées aux tests de BURT, BINET-SIMON, CLAPARÈDE, ou construites de même façon : test des frères, de gauche et de droite, définitions, critique de « phrases absurdes », situations verbales, inclusions ou multiplications logiques (épreuves de BURT : Edith, Lili et Suzanne ; tous et quelques ; âne, cheval et mulet, etc.). A l'occasion de ces épreuves toutefois s'instaurent déjà ces dialogues à la fois libres et plus fouillés, qui sont le propre de la méthode clinique » (P.E.G., p. 69-70).

Si les dénombrements, les calculs statistiques, les corrélations sont présentes, elles vont disparaître au profit d'une analyse plus qualitative. On « écoutera parler », selon le mot de CLAPARÈDE, par fidélité à la clinique, mais en abordant la conversation avec une idée préconçue, une hypothèse directrice. *La représentation du monde chez l'enfant* (1926) et *La causalité physique chez l'enfant* (1927) sont marquées davantage au sceau de la méthode clinique qualitative. Pour savoir par exemple quelles sont les représentations des enfants relatives au rêve, PIAGET mène son interrogation selon quatre points : l'origine du rêve, le lieu du rêve, l'organe du rêve, le pourquoi des rêves. « Engl. (8 1/2) :« D'où ça vient les rêves ? - J'sais pas. - Dis ce que tu crois. - Du ciel. - Comment ça ? - ... - Où ils arrivent ? - Dans la maison. - Pendant qu'on rêve où est le rêve ? - A côté de nous. - Tu as les yeux fermés quand tu rêves ? - Oui. - Où est le rêve ? - Au-dessus. - On peut le toucher ? - Non. - Le voir ? - Non. - Quelqu'un à côté de toi pourrait le voir ? - Non. - Avec quoi on rêve ? - Avec les yeux. » (R.M., p. 83).

Cependant, c'est dans *La causalité physique chez l'enfant* que l'on voit s'amorcer une modification, un infléchissement, de la pratique de la méthode clinique pourtant inchangée pour l'essentiel, en ce sens que l'on passe d'une « *méthode toute verbale* » à une « *méthode mi-verbale, mi-concrète* » : « on énumère à l'enfant un certain nombre de mouvements (celui des nuages, des ruisseaux, des pièces d'une machine, etc.) et l'on demande le pourquoi et le comment de ces mouvements. On obtient ainsi une vue plus directe sur la dynamique de l'enfant, mais cette vue est encore entachée de verbalisme, faute de manipulations possibles » (C.P., p. 3-4). Pour finir, on voit apparaître une troisième méthode appelée « *méthode directe* », procédant toujours de la méthode clinique, mais s'appliquant à un matériel concret et non plus verbal cette fois, et telle qu'on « institue devant l'enfant quelques petites expériences de physique et l'on demande le pourquoi de chaque événement. On obtient ainsi des renseignements de première main sur l'orientation d'esprit des enfants » (C.P., p. 3-4).

La méthode clinique demeure bien une méthode de libre conversation dirigée sur un thème, mais elle passe d'un « matériel » purement verbal à un « matériel » constitué par des expériences : placer les enfants devant un verre d'eau, leur donner des cailloux, des morceaux de bois, de liège, de cire, etc., et leur demander ce qui se passera si on les met dans l'eau, d'expliquer ce qui se passe en fait quand un gros morceau de liège flotte alors qu'un caillou plus petit et moins lourd va au fond, pourquoi le caillou ne flotte pas alors que le bois flotte, etc., ou encore d'expliquer le mécanisme de la bicyclette par un dessin. On conserve encore le langage, mais celui-ci ne constitue plus le seul support de l'expérience ; il commence à n'intervenir que pour justifier des actions concrètes réellement effectuées.

Il y a donc, au cours de cette période, d'abord une prise de conscience de l'inadéquation de la méthode des tests à l'objet d'étude que se propose PIAGET. De là il conçoit peu à peu une méthode appropriée qu'il met en œuvre et rectifie par approximations successives et au fur et à mesure qu'il cerne davantage son champ expérimental. Dans *Le langage et la pensée* et dans *Le jugement et le raisonnement* on voit ce glissement insensible s'opérer pour parvenir, avec *La représentation du monde* à une explicitation nette. Puis, avec *La causalité physique*, les choses changent et l'on assiste à un infléchissement dans le sens de la manipulation comme base et support de tout entretien. Ainsi se traduit le changement de perspective où PIAGET va se situer progressivement, c'est-à-dire le passage d'une appréhension de la logique enfantine dans le langage à une appréhension de la logique enfantine dans l'action, sans que le langage soit exclu (mais il n'interviendra plus au même titre) et sans que l'essentiel de la méthode clinique soit modifié. Mais nous reviendrons sur ce point.

b) *La description de la pensée enfantine*

Les acquisitions de Piaget concernant cette première partie de son œuvre sont trop connues pour que nous les décrivions en détail. Non seulement ses premiers ouvrages sont d'un accès relativement facile, mais ils ne sont pas exactement représentatifs de ses recherches. Bien à tort, beaucoup de psychologues et d'éducateurs ne connaissent qu'eux. Nous nous contenterons donc d'un bref rappel pour situer quelques concepts.

L'égocentrisme est l'aspect central de la pensée enfantine de 2-3 ans à 7-8 ans. L'egocentrisme est « un fait intellectuel » (L.P., p. 69), « un fait de connaisance » (*id.*, p. 67). Piaget donne au terme - « sans aucun doute un terme mal choisi » (C.V.P., p. 140) - un sens différent du sens courant : « pour le langage courant, l'égocentrisme consiste à tout ramener à soi, c'est-à-dire à un moi conscient de lui-même, tandis que nous appelons égocentrisme l'indifférenciation du point de vue propre et de celui des autres, ou de l'activité propre et des transformations de l'objet » (L.P., p. 67). L'égocentrisme est essentiellement un phénomène inconscient : il n'est « en sa source ni un phénomène de conscience (la conscience de l'égocentrisme détruit l'égocentrisme), ni un phénomène de comportement social (le comportement manifeste indirectement l'égocentrisme, mais ne le constitue pas), mais une sorte d'illusion systématique et inconsciente de perspective » (L.P., p. 68). Pour préciser encore, ajoutons ces deux autres définitions que donne Piaget :
- « l'égocentrisme est une absorption du moi dans les choses et dans les personnes, avec indifférenciation du point de vue propre et des autres points de vue » (L.P., p. 63).
- « l'égocentrisme enfantin est la confusion inconsciente du point de vue propre avec ceux d'autrui » (*Cahiers internationaux de sociologie*, X, 1951, p. 39).

Phénomène inconscient, l'égocentrisme est ainsi la manifestation d'une pensée centrée sur le point de vue propre du sujet, par conséquent incapable de le relier et de le coordonner à des points de vue différents. « Qu'est-ce donc que l'égocentrisme intellectuel, demande PIAGET ? C'est une attitude spontanée commandant l'activité psychique de l'enfant à ses débuts et subsistant toute la vie dans les états d'inertie mentale. Du point de vue négatif, cette attitude s'oppose à la mise en relation de l'univers et à la coordination des perspectives, c'est-à-dire en bref à l'activité impersonnelle de la raison. Du point de vue positif, cette attitude consiste en une absorption du moi dans les choses et dans le groupe social, absorption telle que le sujet s'imagine connaître les choses et les personnes elles-mêmes, alors qu'en réalité il leur attribue, en plus de leurs caractères objectifs, des qualités provenant de son propre moi ou de la perspective particulière dans laquelle il est engagé » (L.P., p. 69-70).

Cela dit, qu'impliquera chez l'enfant le fait de se libérer de cet égocentrisme qui le ferme en partie aux êtres et aux choses et lui bouche la connaissance objective ? « Sortir de son égocentrisme consistera donc pour le sujet, non pas tant à acquérir des connaissances nouvelles sur les choses ou le groupe social, ni même à se tourner davantage vers l'objet en tant qu'extérieur, mais à se décentrer et à dissocier le sujet ou l'objet : à prendre conscience de ce qui est subjectif en lui, à se situer parmi l'ensemble des perspectives possibles, et par là-même à établir entre les choses, les personnes et son propre moi un système de relations communes et réciproques. Egocentrisme s'oppose donc à objectivité, dans la mesure où objectivité signifie relativité sur le plan physique et réciprocité sur le plan social » (L.P., p. 69-70).

L'égocentrisme se manifeste dans tous les secteurs de l'activité de l'enfant. Mais c'est dans le jeu symbolique qu'il apparaît le mieux, au point que PIAGET a pu dire que le jeu symbolique est la pensée égocentrique à l'état presque pur, tout au plus dépassé par le rêve ou la rêverie. En effet, le jeu symbolique, manifestation de l'activité imitative intériorisée, est le domaine où l'enfant agit « comme si... », c'est-à-dire transforme le réel au gré de sa fantaisie et de ses désirs. Il y exprime autant son besoin de recréer le monde selon les exigences de son imagination ludique, ses conflits affectifs avec les êtres qu'il revit en les jouant, que ses désirs profonds (désir d'éloignement du petit frère devenant éloignement d'une poupée, agressivité se déversant sur une poupée, etc.). Ainsi, le jeu symbolique est l'assimilation du monde extérieur et des personnes aux exigences du moi et à ses points de vue. Comme par ailleurs le langage intervient dans le jeu symbolique, ce qu'il véhicule au plan des signifiés, ce ne sont pas des concepts, au sens strict du terme, mais des symboles constitués essentiellement par des significations individuelles et incommunicables et par des images mentales particulières, « vues » et reconnues par le sujet seul au moment où il les évoque, d'où la prédominance de l'intuition intérieure et l'expression de pensée intuitive. Aussi la pensée symbolique est-elle essentiellement constituée d'images et de significations individuelles incommunicables malgré le langage qui l'exprime. Pour nous faire comprendre, nous donnerons un exemple qui nous paraît significatif. Le fils d'un de nos étudiants parisiens, âgé de trois ans, nous dit : « Moi, j't'ai vu à la télé. - Ah ?... Et quand tu m'as vu ? - J't'ai vu à la télé, tu disais des choses à la télé. T'as d'la barbe, Papa il a pas d'barbe, comme ça (! ?) - Et qu'est-ce que je disais à la télé ? - Oh, des bêtises va ! ». Quelques jours après nous nous étions réunis dans un café avec les étudiants pour boire aux vacances et marquer la fin d'une année de travail intense. Les enfants des étudiants sont avec nous, les maris et les femmes. Je relance : « Alors tu m'as vu à la télé ? - Oui, avec ta barbe. - Comment c'était à la télé quand tu m'as vu ? - C'est comme ça, dit-il, en montrant une carte de France fixée au mur ».

Sur une remarque d'une étudiante, nous avons pu comprendre qu'il nous assimilait au présentateur de l'information météorologique qui se trouve porter la barbe lui aussi et qui parle en précisant son propos sur une carte murale. Autrement dit, nous X sommes Y vu à la télévision, le même et un autre, mais situé dans le contexte d'une émission évoquée en image et vue mentalement en même temps qu'énoncée verbalement. D'où la difficulté qu'il y a à comprendre la signification véritable de chaque propos enfantin en dehors des proches (et encore !).

Cette pensée symbolique essentiellement assimilatrice et centrée sur le point de vue du sujet, donc égocentrique, prend d'autres aspects. En particulier les notions ne sont pas relativisées, la gauche, la droite, sont toujours référées au point de vue propre érigé en point de vue absolu. Si moi j'ai un frère, celui-ci n'en a pas, etc. Cette non-relativité par absence de décentration (jusque vers 8-9 ans) se traduit par la difficulté de passer du jugement d'appartenance (« nous sommes trois frères ») au jugement de relation (« j'ai deux frères », ou « X un de mes frères a deux frères »). De même les Français, pour les enfants de Genève, sont des étrangers, même en France, pas les Suisses : caractère absolu de la notion d'étranger.

L'égocentrisme se manifeste également par l'absence de mise

en relation des perspectives. Dans une expérience fameuse, expérience des trois montagnes, on demande à l'enfant de dire ce que verrait une poupée placée à droite d'une plaque de un mètre carré, carrée de forme et sur laquelle figurent trois montagnes avec leurs vallées, puis à gauche, puis à l'arrière ou à l'opposé du sujet. Or, l'enfant, avant sept ans, non seulement est incapable de dire ce que verrait la poupée, mais ne sait pas reconnaître sur des figures à choix quelle serait sa perspective. Il exprime sa perspective à lui comme si les montagnes ne pouvaient être vues que de son point de vue à lui. Ce n'est qu'après 7-8 ans que la différenciation des points de vue commence à s'opérer et après 9 ans que la coordination d'ensemble des points de vue sera effective.

Une telle expérience illustre bien la décentration indispensable pour parvenir à la coordination des points de vue nécessairement différents et l'on remarquera que l'âge de neuf ans correspond à la période du développement des jeux de règle, des jeux collectifs, à l'apparition des groupes enfantins.

L'égocentrisme révèle encore, ainsi que nous avons pu le pressentir, ce que PIAGET nomme les « illusions phénoménistes », ou, si l'on veut, le réalisme qui consiste à confondre l'apparence avec la réalité et admet « l'existence des choses telles qu'elles apparaissent ». Ainsi la lune nous suit au cours de nos déplacements, de même le Salève vu du funiculaire n'est pas le même que celui qu'on voit depuis Genève, etc., autre aspect de cette absorption du moi dans les choses dont il a été parlé plus haut.

Enfin, l'égocentrisme se manifeste dans la représentation que l'enfant se fait du monde. Celle-ci est calquée sur le modèle du moi et repose sur « une assimilation déformante de la réalité à l'activité propre. L'enfant conçoit les choses comme étant, tout à la fois telles qu'elles lui apparaissent et douées de qualités semblables aux siennes propres ». D'où le finalisme, l'artificialisme, l'animisme. Le finalisme s'exprime par la recherche du pourquoi dans l'explication des phénomènes et des événements et par la croyance selon laquelle « il n'y a pas de hasard dans la nature, parce que tout est fait pour les hommes et pour les enfants, selon un plan dont l'être humain constitue le centre » (*Six études de psychologie*, p. 34). Tout a donc sa raison d'être qui s'exprime par une intention. La bille sait qu'elle roule vers le bas de la pente. C'est pourquoi elle est douée d'intentions : animisme. Partant, tout ayant sa raison d'être, tout est le produit d'une activité fabricatrice : Dieu, les hommes : artificialisme. Les rivières ont été creusées par les hommes, etc. Il y a deux Salève, le grand pour les grandes personnes, le petit pour les enfants, etc.

Nous n'insisterons pas sur le réalisme nominal, le réalisme du rêve dont nous avons déjà dit un mot, non plus que sur la définition de la vie par l'activité. Nous renvoyons le lecteur à ces ouvrages et l'invitons à confronter ce qu'il en recueillera avec l'ouvrage de WALLON sur *Les origines de la pensée chez l'enfant* (Paris, P.U.F., nombreuses rééditions).

Nous ajouterons simplement que l'égocentrisme apparaît sur le plan social où il est la réplique des relations avec le monde physique. Sur le plan du langage, il s'exprime par le monologue. Les enfants de l'Ecole des Petits ne communiquent pas réellement entre eux. Chacun parle pour lui-même devant et en présence d'autrui, d'où l'existence de ces « monologues collectifs ». Par ailleurs, sur le plan des jeux, on retrouve cette impossibilité de décentration qui fait que chacun joue pour soi dans un cadre collectif. Les conduites morales attestent de l'*hétéronomie morale,* c'est-à-dire du fait que l'enfant reçoit ses règles de conduite de l'extérieur, ce qui entraîne le respect, à la lettre, de la consigne, etc.

La notion d'égocentrisme a donné lieu à de nombreux malentendus, non seulement parce qu'on l'a confondue avec l'égocentrisme de l'adulte, mais parce qu'il a été comparé à l'autisme dont font preuve en particulier les schizophrènes. Pour PIAGET, « on peut désigner sous le nom d'*égocentrisme* de la pensée de l'enfant ce caractère intermédiaire entre l'autisme intégral d'une rêvasserie incommunicable et le caractère social de l'intelligence de l'adulte » (P.S.P.E., p. 284). Il n'y a donc rien de commun entre l'égocentrisme et l'autisme, rien de commun entre l'égocentrisme et la pensée adulte. Intermédiaire signifie que la pensée de l'enfant se situe entre ces deux extrémités, ce qui ne veut pas dire qu'elle n'oscille pas de l'une à l'autre selon les moments. Mais cet égocentrisme a une signification génétique en ce sens qu'il est l'étape nécessaire du passage à la pensée adulte socialisée. Par lui nous pouvons suivre les progrès vers la socialisation de la pensée, ce qui n'exclut pas que la socialisation des conduites soit déjà acquise.

Pour nous résumer nous dirons que l'égocentrisme est la manifestation d'une pensée centrée sur elle-même. En ce sens elle n'est pas socialisée si la pensée socialisée est celle qui se fonde sur la réciprocité des points de vue et implique, au niveau des conduites sociales, la coopération. Une telle pensée est essentiellement symbolique, c'est-à-dire « un début, une des formes primitives, de la pensée logique » (P.S.P.E., p. 275). De ce fait elle est essentiellement prélogique, prélogique ne signifiant ni antilogique, ni alogique, ni paralogique, mais au contraire que « l'on doit trouver entre elle et la pensée logique toutes les formes intermédiaires » (*id.*, p. 275). Autrement dit, dans la perspective génétique où PIAGET se place, on remarque, à partir de 3-4 ans, qu'une certaine forme de pensée apparaît, différente de celle de l'adulte, la pensée symbolique, dont l'égocentrisme intellectuel est un des caractères essentiels. Ce qui lui manque, du point de vue logique, c'est la réversibilité. Lorsque, après sept ans, la réversibilité logique sera acquise, on assistera à des modifications radicales des conduites intellectuelles, sociales, etc., dans le sens de la réciprocité et de la coopération et à une diminution progressive et relativement rapide de la pensée symbolique. D'autres progrès s'effectueront par la suite. Retenons donc que la décentration nécessaire pour l'accès à une pensée socialisée s'effectuera lorsqu'une modification de structure de la pensée dont la réversibilité est l'indicateur s'opèrera. Pour saisir cette modification de structure, PIAGET va tenter de pénétrer au cœur même de la pensée en mettant à jour les structures logiques qui la constituent. Mais cela implique un changement du point d'application de la méthode qui entraînera une nécessaire modification de celle-ci.

Les acquisitions de cette première période de recherche sont considérables. La mise en évidence de l'égocentrisme d'une pensée essentiellement symbolique est une découverte remarquable qui permet de mieux comprendre le comportement de l'enfant. Néanmoins, le mode d'appréhension de la pensée enfantine s'effectue par la pensée exprimée, c'est-à-dire par le langage. Or, le langage avec sa logique propre, masque les possibilités logiques réelles de la pensée qui en use et ne les révèle pas par conséquent. Ce sont les structures logiques de la pensée, indépendamment du langage autant que possible, que PIAGET voudra saisir dans les années qui suivront. De plus, à cette limite que constitue le langage en soi s'ajoutent quelques difficultés. Nous les ramènerons à deux essentiellement : d'abord le langage n'étant accessible qu'à l'enfant parlant, il est impossible d'étudier l'enfant qui ne parle pas ;

ensuite, par « la méthode de libre conversation (méthode clinique) (...) il est à peu près impossible d'interroger des sujets de trois ans, faute de suite dans les idées au cours du dialogue ; dès quatre ans, au contraire, il est possible de poursuivre un interrogatoire, ce qui ne signifie naturellement pas qu'il vaille ceux d'après sept ou huit ans » (F.S., p. 143). Changer de mode d'approche pour saisir les structurations logiques de la pensée s'avérait donc nécessaire.

Jusqu'en 1925, PIAGET a enseigné la psychologie en tant que Chef de travaux à l'Institut Jean-Jacques ROUSSEAU de Genève ; mais dès cette date, il devient professeur de psychologie, de sociologie et de philosophie des sciences à l'Université de Neuchâtel. En outre, en 1925, naît sa première fille, en 1927 la seconde, suivie, en 1931, d'un garçon. Ces heureux événements familiaux vont être pour le chercheur l'occasion d'observations et de recherches déterminantes pour l'étude de la genèse des structures logiques.

3. L'INTELLIGENCE AVANT LE LANGAGE (1930-1940)

Les activités et les responsabilités professionnelles que PIAGET assume au cours de cette période deviennent plus importantes. En 1929, il est revenu à l'Université de Genève comme professeur d'Histoire de la pensée scientifique. Il assume en même temps les fonctions de directeur-adjoint de l'Institut Jean-Jacques ROUSSEAU dont il deviendra Co-directeur avec CLAPARÈDE et BOVET en 1932. En 1936, il enseigne la psychologie expérimentale à Lausanne un jour par semaine. Parallèlement, il a accepté en 1929 la charge de Directeur du Bureau International de l'Education (Institution travaillant actuellement en collaboration étroite avec l'UNESCO).

Plusieurs faits sont à retenir sur le plan de son activité scientifique. En premier lieu « le cours d'Histoire de la pensée scientifique que je donnais à la Faculté des Sciences de Genève me permit d'avancer plus énergiquement dans la direction d'une épistémologie fondée sur le développement mental tant ontogénétique que phylogénétique. Pendant dix années consécutives j'étudiai intensivement l'émergence et l'histoire des principaux concepts de la mathématique, de la physique et de la biologie (C.V.P., p. 144).

En second lieu, des recherches importantes sont entreprises avec A. SZEMINSKA et B. INHELDER sur les problèmes du nombre et des quantités physiques qui seront publiées à partir de 1940.

Enfin, PIAGET découvre les structures de totalité opératoire : « J'analysai chez les enfants de quatre à sept ou huit ans la relation de partie à tout (en leur demandant d'ajouter des perles à des groupes de grandeur prédéterminée), les séries de relations asymétriques (en leur faisant construire des sériations dont l'ordre était prédéterminé) et les correspondances terme à terme (en faisant construire deux ou plusieurs rangées correspondantes), etc. Ces travaux me firent comprendre pourquoi les opérations logiques et mathématiques ne pouvaient se former indépendamment les unes des autres : l'enfant ne peut appréhender une certaine opération que s'il est capable simultanément de coordonner des opérations en les modifiant de diverses manières bien déterminées - par exemple en les inversant. Ces opérations présupposent, comme toute conduite intelligente primitive, la possibilité de faire des détours (ce qui correspond à « l'associativité » des logiciens) et des retours (la « réversibilité »). Ainsi les opérations présentent toujours des structures réversibles qui dépendent d'un système total qui en soi peut être entièrement additif » (C.V.P., p. 144).

Mais toutes ces recherches, dont l'exposé sera donné plus loin, constituent l'ensemble des travaux en cours et dont les résultats seront publiés dans des ouvrages ultérieurs. Pour le moment, c'est-à-dire depuis cinq ans déjà et pendant la première partie de cette décade, PIAGET observe ses propres enfants en collaboration avec sa femme et publie essentiellement deux ouvrages qui dominent cette période : *La naissance de l'intelligence chez l'enfant* (1936) et *La construction du réel chez l'enfant* (1937).

« PIAGET, écrit Vinh BANG, s'est essentiellement consacré à l'étude des premières manifestations de l'intelligence, depuis les schèmes sensorimoteurs jusqu'aux formes élémentaires de la représentation, de l'imitation et de la pensée symbolique » (P.E.G., p. 71).

Pour le lecteur familiarisé avec ces deux livres, ou pour celui qui en entreprend (ou en entreprendra) la lecture, il peut paraître que PIAGET recoure à la méthode de simple observation et que, de ce fait, sa réflexion méthodologique antérieure soit en quelque sorte, sinon évacuée, du moins mise en réserve. Dans le fait, il n'en est rien ; simplement, le psychologue, devenu père, tente de voir comment, chez ses jeunes enfants, apparaissent les premières manifestations de l'intelligence. Le recours au langage, ne serait-ce qu'à titre d'explication de la conduite effectuée n'étant pas possible, PIAGET observe les comportements à l'état natif, recueille une masse considérable d'observations, et comme Jacqueline, Lucienne et Laurent se suivent, ce qu'il a remarqué chez l'aînée lui permet de constituer un « corpus » de situations expérimentales systématiques pour les cadets. Autrement dit, puisque les observations effectuées ne sont pas contemporaines, ce qui a été noté chez l'aînée peut être repris chez le plus jeune, tel type de résolution de problème en situation-type peut être réexpérimenté, mais aussi, telle conduite repérable fortuitement peut être le prétexte à une recherche systématique chez le plus jeune, etc.

« Outre cette sorte d'expérimentation interne que peut constituer une étude longitudinale bien conduite, les notations relevées sur l'aînée ont déterminé les situations offertes ultérieurement aux plus jeunes. Ce n'est pas sans une intention précise qu'on attache un cordon au toit du berceau de Laurent. Et quand Lucienne, à quinze mois, dit *ha* en désignant un chat, on lui présente d'autant plus systématiquement une poule, un cheval ou un éléphant en peluche qu'on a, quelques années plus tôt, noté chez Jacqueline l'extension fluctuante du schème verbal *vouaou* désignant initialement un chien.

« Bien plus, la lecture de ces observations montre à quel point la plupart d'entre elles sont conduites comme de véritables expériences, avec hypothèse explicite, variation systématique des conduites, etc. La présentation à l'enfant du biberon à l'envers n'est évidemment pas une simple plaisanterie paternelle ayant révélé par hasard des conduites intéressantes : le père avait lu POINCARÉ, et n'observait la motricité préhensive que pour y suivre la construction progressive des groupes de déplacements. Une observation fortuite, celle par exemple d'un neveu qui va chercher sous un fauteuil accessible la balle qu'il a vu pourtant disparaître sous un inaccessible canapé, suggère aussitôt une série de situations expérimentales pour étudier méthodiquement la genèse du schème de l'objet permanent » (P.E.G., p. 72).

Ces observations concernant le premier âge illustrent la souplesse de la méthode clinique. On y trouve en effet une appréhension des conduites enfantines selon un ensemble d'hypothèses précises suivant les secteurs que l'on veut appréhender : conduites relatives à la construction de l'espace, du temps, de l'objet permanent, conduites de l'imitation, etc., avec contre-expériences (la contre-suggestion de la méthode verbale). « On y voit conjuguées la souplesse de l'observation ouverte et la rigueur du contrôle expérimental. La présentation en est, d'autre part, fort instructive à cet égard. Ce n'est pas un inventaire que l'on commente ; c'est un dossier d'arguments factuels systématiquement classés et produits pour démontrer un corps d'hypothèses. Bien que la statistique n'y apparaisse pas, il n'y manque ni la recherche méthodique des contre-exemples, ni le relevé des cas défavorables. Et si les « idées centrales occupent un nombre restreint de pages, le reste n'est pas seulement dévolu à une documentation anecdotique, mais à la démonstration par le raisonnement expérimental » (P.E.G., p. 73).

Sur le plan épistémologique, la période sensori-motrice (de la naissance à l'âge de deux ans approximativement) élabore les structures logiques fondamentales de toute activité. Celles-ci se reconstitueront aux étapes ultérieures mais à des niveaux supérieurs et avec des moyens nouveaux. Mais aussi, elle met en évidence comment le sujet se constitue tout en constituant le monde qui l'entoure.

Si PIAGET a abordé l'étude de l'intelligence avant le langage ce n'est pas seulement parce qu'il possédait des enfants qui se prêtaient ainsi plus facilement à ses investigations. Outre qu'il savait parfaitement ce qu'il devait observer, il vérifiait en quelque sorte, ou il expérimentait une idée importante, à savoir que l'intelligence est la forme qu'a pris l'adaptation biologique au niveau de l'espèce. Chez l'homme, en plus de cette continuité biologique, se remarque un élargissement de l'adaptation par les formes de plus en plus hiérarchisées et de plus en plus complexes qu'elle prend. Si l'intelligence est adaptation, il y a loin de l'adaptation de l'intelligence enfantine à celle de l'adulte. Mais cette dernière est l'héritière de celle-là. Il fallait donc voir comment se constitue la première forme que prend l'intelligence chez l'enfant en faisant l'inventaire au jour le jour de ses acquisitions. Bien entendu, l'intelligence sensori-motrice n'est jamais que la forme la plus humble - bien que fondamentale en ce sens que non seulement les autres en dépendent mais aussi qu'elles ne seraient pas sans elle - que prend l'intelligence humaine. Elle est essentiellement une intelligence sans pensée, sans représentation, sans langage.

4. Epanouissement de la méthode et formalisation (1940-1950)

En 1939, Piaget est nommé professeur de Sociologie à l'Université de Genève ; en 1940, après la mort de Claparède, la chaire de Psychologie Expérimentale lui est attribuée et il devient directeur du Laboratoire de Psychologie. Avec Lambercier et Rey, il dirige les *Archives de Psychologie.* Il devient aussi président de la société suisse de psychologie et participe à la formation d'une nouvelle *Revue suisse de psychologie.* Au sein du laboratoire de psychologie, et avec l'aide de Lambercier, Piaget entreprend une longue étude sur le développement de la perception chez l'enfant qui donnera lieu à de nombreuses publications et dont il reprendra le contenu pour un livre paru en 1961, *Les mécanismes perceptifs,* dans le but « de mieux comprendre les relations entre la perception et l'intelligence » (c.v.p., p. 146).

Les activités de Piaget au Bureau International de l'Education deviennent de plus en plus pressantes surtout avec la fondation de l'u.n.e.s.c.o. Il est nommé président de la Commission suisse pour son gouvernement et envoyé en mission à Beyrouth, Paris, Florence, Rio de Janeiro. L'u.n.e.s.c.o. lui confie l'édition de la brochure intitulée *Le droit à l'éducation.* Il devient en outre membre du Conseil exécutif de l'u.n.e.s.c.o.

Reçu Docteur *Honoris causa* de la Sorbonne - il l'était déjà de Harvard depuis 1936 -, il le fut de Bruxelles en 1949 et de Rio de Janeiro. Enfin, il devient membre de l'Académie des Sciences de New-York.

« Mais les activités de l'après-guerre ne me firent pas négliger pour autant mon travail. Au contraire, j'ai été un peu plus vite de peur de ne pouvoir terminer à temps si la situation internationale venait à se troubler à nouveau. Cela explique le nombre de mes publications. Cette augmentation de ma production n'implique cependant pas une improvisation hâtive : j'ai déjà travaillé sur chacune de ces publications depuis fort longtemps » (c.v.p., p. 147).

La liste de ces travaux est longue. Nous n'avons donc retenu que les titres les plus saillants :

1941 : *La genèse du nombre chez l'enfant* (avec A. Szeminska) ; *Le développement des quantités physiques chez l'enfant* (avec B. Inhelder) ; *Le mécanisme du développement mental et les lois du groupement des opérations. Esquisse d'une théorie opératoire de l'intelligence.* Article publié dans les *Archives de psychologie,* (1941-28 - p. 215-285).

1942 : *Classes, relations et nombres* (*Essai sur les groupements de la logistique et sur la réversibilité de la pensée*).

1943 : Préface à l'ouvrage de B. INHELDER, *Le diagnostic du raisonnement chez les débiles mentaux.*

1946 : *La formation du symbole chez l'enfant, Le développement de la notion de temps chez l'enfant, Les notions de mouvement et de vitesse chez l'enfant.*

1947 : *La psychologie de l'intelligence.*

1948 : *La représentation de l'espace chez l'enfant* (avec B. INHELDER) ; *La géométrie spontanée de l'enfant* (avec A. SZEMINSKA et B. INHELDER).

1949 : *Traité de logique, Essai de logistique opératoire.*

Chacun de ces ouvrages demanderait un long commentaire tant le contenu en est riche. Remarquons simplement que les perspectives s'élargissent de plus en plus au fur et à mesure que la problématique s'ouvre et que les faits expérimentaux la nourrissent. En nous servant de distinctions établies plus tard par PIAGET, nous remarquerons que ses investigations portent tant sur les aspects figuratifs de la connaissance (perception, espace, temps, mouvement, vitesse) que sur les aspects opératifs (nombre, quantités), que la réflexion se formalise en une logique opératoire qui se veut logique de l'action avec le *Traité de logique* dont l'importance est considérable. Avec ce livre sont formalisées les opérations logico-mathématiques concrètes concernant les classes additives et multiplicatives, les relations, les opérations formelles de combinatoire, soit, en termes plus techniques, les opérations intrapropositionnelles et les opérations interpropositionnelles. Grâce à cet effort considérable pour tenter de catégoriser en termes logiques les opérations effectives de la pensée de l'enfant et de l'adolescent, PIAGET va pouvoir se livrer à des investigations plus systématiques sur les classes, les relations, les inclusions et leur quantification, etc.

Enfin, par l'ouvrage sur *La psychologie de l'intelligence,* écrit d'après les conférences qu'il donna au Collège de France en 1942 à la demande de Henri Piéron, Piaget fait le bilan des acquisitions concernant et les opérations et la théorie de l'intelligence. Ce petit ouvrage tant de fois réimprimé, et peut-être tant lu, constitue une mise au point, mais datée. Qui croirait y trouver le dernier mot de la pensée piagétienne se tromperait lourdement ; tout au plus n'est-il, à l'heure actuelle, qu'une introduction où les grands axes et les grands cadres sont donnés, mais encore comme des approximations.

Reste *La formation du symbole chez l'enfant* dont l'importance est grande. Cet ouvrage constitue une reprise des problèmes concernant la pensée enfantine de la première période mais revue au travers des acquisitions de la seconde. Il s'occupe principalement de montrer comment l'enfant passe d'une intelligence sensori-motrice - sans langage et sans représentation - à une intelligence représentative essentiellement symbolique. La genèse de la représentation y est étudiée à partir de l'imitation dans les conduites ludiques. La pensée symbolique est décrite comme une pensée reposant surtout sur des images mentales symboliques, c'est-à-dire individuelles et pratiquement incommunicables. Pensée intuitive elle est caractérisée par le primat de l'assimilation sur l'accommodation. Par elle s'explique l'égocentrisme et ses corrélats, le finalisme, l'artificialisme, etc. On y voit naître, peu à peu, par les conduites de jeu, la socialisation de la pensée dans le jeu de règles. Mais aussi, les liens entre l'intelligence et l'affectivité sont appréhendés au travers d'une lecture critique des écoles psychanalytiques. Vieux problème et qui ne laisse d'être entier.

La méthode clinique a pris son aspect à peu près définitif, mais demeure, pour le moment du moins, surtout une méthode d'investigation et pas encore tout à fait un méthode de diagnostic, encore que B. Inhelder ait ouvert largement la voie avec *Le diagnostic du raisonnement chez les débiles mentaux.* En renonçant « à la méthode de pure et simple conversation, à la suite de (...) recherches sur les deux premières années du développement » (J.R., p. 7) pour s'être rendu compte que « la logique formelle liée au langage est la dernière en date des formes d'évolution de la logique réelle » (J.R., p. 6) et que de ce fait « l'étude de la pensée verbale de l'enfant fournit l'un des aspects seulement du problème de la construction des structures logiques » (*ibidem*), car « pour dominer la question dans son ensemble, il s'agissait d'analyser l'ensemble des paliers de développement, et non pas exclusivement le dernier - même si celui-ci finit par devenir chez l'adulte le plus important, du moins au point de vue logico-mathématique » (*ibidem*), PIAGET adopte une forme nouvelle de la méthode déjà amorcée, mais en suspens, dans *La causalité physique chez l'enfant*. Cette méthode réformée ou « méthode critique » - mais l'appellation n'a pas prévalu - « consiste toujours à converser librement avec le sujet, au lieu de se borner à des questions fixes et standardisées, et elle conserve ainsi tous les avantages d'un entretien adapté à chaque enfant et destiné à lui permettre le *maximum* possible de prise de conscience et de formulation de ses propres attitudes mentales ; mais elle s'astreint à n'introduire questions et discussions qu'à la suite, ou au cours même, de manipulations portant sur des objets suscitant une action déterminée de la part du sujet. C'est ainsi que pour étudier les rapports de partie à tout, nous ne nous contentons plus du bouquet de fleurs mélangées suggéré par un test de BURT et au sujet duquel les petits parisiens de 9-10 ans encore nous disaient que « une partie de mes fleurs » signifie « (toutes) mes quelques fleurs », etc. ; nous donnerons, de façon bien visible, des perles dans une boîte ouverte et interrogerons l'enfant sur les qualités de couleur, de matière, etc., caractérisant ce tout et ces parties, en lui laissant regarder et palper ces objets, en les faisant dessiner, mettre en collier, etc. De même, au lieu de faire raisonner l'enfant sur la couleur des cheveux d'Edith, qui est à la fois plus blonde que Suzanne et plus foncée que Lili, nous lui ferons sérier des bâtons, des poids, des volumes, etc., au moyen d'objets réels selon les manipulations les plus libres et les plus actives, et c'est à ce propos que nous observerons la connexion des rapports $B > A$ et $B < C$, avec ou sans perles ! Bref, au lieu d'analyser d'abord les opérations symboliques de la pensée, nous partirons d'opérations effectives et concrètes, de l'action elle-même. Nous ne nous priverons pas du langage, mais ne le ferons intervenir, chez les petits, qu'en fonction de l'action entière, et la plus spontanée possible » (J.R., p. 7).

Clinique, la méthode le demeure, dans son esprit et dans sa pratique, même si elle se veut critique en ce sens qu'elle demande toujours à l'enfant de justifier ses actions et ses interprétations, qu'elle tente de suivre les méandres de sa pensée mais dans un contexte plus étroitement défini car portant sur un matériel concret et destiné à révéler une conduite logique précise. Ainsi des coquetiers et des œufs, des prés et des vaches, des bonshommes et des cannes, des boules d'argile, des trois montagnes, etc. Au point que, selon le mot de Vinh BANG, « désormais l'emploi du matériel lui-même devient « clinique » ou critique, et non plus la seule conversation orale » (P.E.G., p. 74). Voici par exemple la relation de ce que dit et fait un enfant dans la situation suivante : pour étudier la correspondance terme à terme dans le cadre de l'étude des débuts de la quantification, PIAGET et ses collaborateurs placent en ligne devant l'enfant des coquetiers et tiennent à sa disposition de petits œufs. La consigne est la suivante : « Prends juste assez d'œufs pour les coquetiers, pas plus et pas moins, un œuf pour chaque coquetier ». « Zu (4 ; 9) (...) commence par mettre devant les coquetiers une rangée serrée d'œufs, mais de même longueur. Puis il met les œufs dans les coquetiers en écartant le surplus. Après quoi il sort lui-même les œufs qu'il place devant les coquetiers, en tas : « C'est la même chose d'œufs et de coquetiers ? - Non, il y a beaucoup de coquetiers et moins d'œufs - Il y a assez d'œufs pour les coquetiers ? - Non ». On enlève alors tous les œufs et (pour 7 coquetiers) on en remet quatre seulement, en ligne très espacée : « Est-ce qu'il y a assez d'œufs pour ces coquetiers ? - Oui (la longueur des rangées est la même) - Mets-les toi-même, pour voir - (Il les met et paraît très surpris qu'il en manque) - Et maintenant y a-t-il la même chose ? (On a enlevé les quatre œufs et placé devant les sept coquetiers une rangée de même longueur mais formée de douze œufs) - Oui. - Tout à fait ? - Oui. - Si on les met dans les coquetiers, est-ce qu'il en restera ? - Non, ils vont tous dedans. - Essaie. - (Il est à nouveau très surpris). Il y en a encore qui restent ! « Avec trois œufs seulement très espacés, pour sept coquetiers, Zu répond bien : « Il restera des vides coquetiers », mais avec cinq œufs espacés, il croit à nouveau qu'il y aura correspondance exacte ! » (*Genèse du nombre,* éd. 1964, p. 71).

La modification de la méthode clinique (critique cette fois) ne tient pas seulement au fait que l'on fait surtout manipuler ou que l'on fait parler à propos d'un matériel concret. - « Comme il avait été possible de l'entrevoir, écrit PIAGET, mais sans développements suffisants, en certains chapitres de *La causalité physique chez l'enfant,* la conversation avec le sujet est à la fois beaucoup plus sûre et beaucoup plus féconde lorsqu'elle a lieu à l'occasion d'expériences effectuées au moyen d'un matériel adéquat et lorsque l'enfant, au lieu de réfléchir dans le vide, agit d'abord et ne parle que de ses propres actions » (*Genèse du nombre,* p. 6-7), - mais aussi et surtout au fait que la conversation porte sur un matériel constitué spécialement pour révéler telle ou telle conduite, telle ou telle structure logique. Ainsi la comparaison de boules de pâte à modeler d'égale grosseur dont on a déformé l'une en galette, en saucisse, en spaghetti, en petits bouts, est précisément conçue pour savoir si l'enfant est capable de dire que ces deux boules dont on a établi initialement l'égale quantité de matière, conservent cette égalité ou non par-delà les déformations successives. Cela signifie que, plus que la méthode, c'est la problématique qui a changé. « Après avoir étudé jadis divers aspects verbaux et conceptuels de la pensée de l'enfant (*Le langage et la pensée, Le jugement et le raisonnement, La représentation du monde,* et *La causalité physique chez l'enfant*), nous avons tenté ensuite d'analyser les sources pratiques et sensori-motrices de son développement (*La naissance de l'intelligence* et *la construction du réel*). Il importe maintenant, pour dépasser ces deux étapes préliminaires et pour atteindre les mécanismes formateurs de la raison elle-même, de chercher comment les schèmes sensori-moteurs de l'assimilation intelligente s'organisent sur le plan de la pensée en systèmes opératoires » (*Genèse du nombre,* p. 6). Autrement dit, ce qui constitue l'objet d'étude, ce sont les constructions logiques qui s'élaborent entre la période sensori-motrice et la logique formelle. Ce qui est visé, c'est la logique concrète ou mieux, la logique que révèle l'enfant dans la manipulation d'un matériel concret et qui est caractéristique de cette période. Après la logique sensori-motrice, logique de l'action, la logique concrète. Comment celle-là se reconstitue-t-elle au niveau supérieur c'est-à-dire lors de son intériorisation en logique des opérations concrètes ?

Il nous faut revenir maintenant sur la méthode. Clinique, disions-nous, elle le demeure, dans son esprit et dans sa pratique ; mais elle est aussi « critique » en ce sens que l'on ne se contente pas d'enregistrer purement et simplement la réponse de l'enfant quand par exemple il dit qu'il y a « plus de pâte dans le boudin parce qu'il est plus long ». Vinh Bang écrit à ce propos : « On va contester, critiquer ce jugement, non pas en montrant qu'il est faux et comment il fallait répondre, mais en invoquant des avis différents : « Un petit garçon de ton âge croyait qu'il y en avait moins dans le boudin parce qu'on l'a aminci, qu'en penses-tu ? » ou même : « Je connais quelqu'un qui disait que c'était toujours la même chose de pâte, parce qu'on n'avait rien ajouté, rien enlevé. Est-ce que tu crois qu'il avait raison ? ». Ou bien, on ne fera pas d'objection ou de suggestion verbales, mais on demandera au sujet d'amincir encore le boudin jusqu'à obtenir un long serpent pour voir s'il continue de juger des quantités d'après la longueur ou si au contraire l'exagération de l'allongement va déplacer l'attention sur l'excessif amincissement qui en résulte. Quant aux suggestions et contre-suggestions verbales, il va de soi qu'on ne les tirera pas de la logique adulte, mais des inférences et des expressions relevées chez les enfants de même âge ou d'âge immédiatement voisin. Critique donc, la méthode l'est par cette mise en question systématique des affirmations du sujet, non pour mesurer la solidité de ses convictions, mais pour saisir son activité logique profonde, non pas seulement ses performances fonctionnelles et ses croyances spontanées, mais la structure caractéristique d'un certain stade de développement » (P.E.G., p. 74-75).

Si nous rapportons la méthodologie aux formalisations effectuées parallèlement aux recherches sur le nombre, les quantités, etc., nous remarquons, comme nous le laissions entendre, qu'une convergence (pour le dire comme Vinh BANG) s'établit de façon systématique entre « une méthode expérimentale et une méthode déductive fondée sur un algorithme précis » (P.E.G., p. 75). Ce faisant, « les hypothèses que l'interrogation critique mettra à l'épreuve ne seront plus le produit d'intuitions ou de spéculations habiles, elles seront engendrées à partir d'un modèle, à tout le moins heuristique, c'est-à-dire qui en fixe à tout le moins la plausibilité, et permet de donner aux faits un sens non contingent » (P.E.G., p. 76).

L'extraordinaire fécondité de cette période a été marquée par l'affinement de la méthode et par la formalisation conjointe. Autrement dit, les recherches commencent à s'effectuer dans le contexte d'un modèle logique et prennent ainsi un tour de plus en plus systématique. Dès lors la méthode va prendre deux aspects, d'une part elle sera méthode de découverte, d'autre part, méthode de diagnostic pour l'examen du développement opératoire, dans l'un et l'autre cas en référence au modèle et à la théorie qui prend corps. Mais avant qu'elle ne prenne cette physionomie, d'autres recherches et théorisations seront nécessaires.

5. La marque de l'épistémologie génétique (depuis 1950)

La vie universitaire et scientifique de Piaget est toujours aussi chargée que précédemment. Quelques faits parmi les plus saillants nous le montreront.

Piaget est nommé professeur à la Sorbonne en 1952 où il enseigne régulièrement la psychologie génétique jusqu'en 1963 (il a raconté dans *Sagesse et illusions de la philosophie* les circonstances de cette nomination et l'atmosphère dans laquelle se mouvait la psychologie en France). En 1956, il crée, à la Faculté des Sciences de Genève, le Centre International d'Epistémologie Génétique où « en des recherches communes, des spécialistes de disciplines très différentes (logiciens, mathématiciens, physiciens, biologistes, psychologues et linguistes), et en unissant constamment l'examen théorique à l'analyse expérimentale » (C.V.P., p. 150), s'attachent à un problème précis. Cette recherche interdisciplinaire permettra peu à peu de répondre à la vieille question : « Comment s'accroissent les connaissances ? » (*Sagesse et illusion de la philosophie*, p. 43).

Piaget voit se multiplier les tâches internationales qui lui incombent, à l'U.N.E.S.C.O., au Bureau International de l'Education, à l'Union Internationale de psychologie scientifique dont il est le Président entre 1954 et 1957.

La production scientifique de Piaget est toujours aussi abondante pendant cette période que pendant les autres. Outre les articles qu'il écrit pour des revues diverses et pour les *Etudes d'Epistémologie génétique* qui relatent les expériences annuelles du Centre (trente volumes parus en 1973), il écrit :

1950 - *Introduction à l'épistémologie génétique* en trois tomes (1 - La pensée mathématique, 2 - La pensée physique, 3 - La pensée biologique, la pensée psychologique et la pensée sociologique).

1951 - *La genèse de l'idée de hasard chez l'enfant* (avec B. Inhelder)

1952 - *Essai sur les transformations des opérations logiques.*

1954 - Son cours de Sorbonne portant sur *Les relations entre l'affectivité et l'intelligence dans le développement mental de l'enfant* est diffusé ronéotypé par le C.D.U.

1955 - *De la logique de l'enfant à la logique de l'adolescent* (avec B. INHELDER).

1958 - *La genèse des structures logiques élémentaires, classifications et sériations* (avec B. INHELDER).

1961 - *Les mécanismes perceptifs. Modèles probabilistes, analyse génétique, relations avec l'intelligence.*

1965 - *Sagesse et illusions de la philosophie.*

1966 - *La psychologie de l'enfant* (avec B. INHELDER) ; *L'image mentale* (avec la participation de nombreux collaborateurs).

1967 - *Logique et connaissance scientifique ; Biologie et connaissance.*

1968 - *Le structuralisme.*

1970 - *L'épistémologie génétique*, etc.

Enfin, entre 1963 et 1965, sous sa direction et celle de Paul FRAISSE, paraît le *Traité de psychologie expérimentale* qui comprend huit tomes.

Si la méthode clinique (ou critique) n'a pas varié pour l'essentiel, il n'en demeure pas moins qu'elle n'est plus tout à fait la même, dans la façon d'interroger les enfants, qu'auparavant. Ce fait est dû, en très grande partie, à la confrontation constante des psychologues genevois avec des savants et chercheurs de toutes disciplines, y compris des psychologues d'écoles différentes. Par ailleurs, la psychologie genevoise dispose désormais d'un contexte théorique (fondé, il va sans dire, sur un modèle logique et sur l'expérimentation), qui permet d'une part aux chercheurs d'envisager l'appréhension des processus cognitifs dans des cadres bien définis et donc de savoir aussi précisément que possible ce qu'ils cherchent, d'autre part aux psychologues praticiens, de procéder, en plus des tests classiques - et plus finement sans doute possible - à des investigations cliniques pour aboutir au diagnostic opératoire. L'ensemble des épreuves utilisées pour l'étude de la genèse d'une structure ou d'une autre constitue en même temps un moyen d'appréhension et d'appréciation (diagnostic opératoire) du développement de l'intelligence dans la pratique psychologique et pédagogique.

Bien entendu, l'essentiel des préoccupations piagétiennes - nous rappelions son propos en début de chapitre - se maintient dans le cadre de l'épistémologie. Mais un nombre important de chercheurs ont poussé leurs investigations dans la direction de la défectologie ou de la pathologie. Citons pour mémoire les travaux de B. INHELDER sur les débiles mentaux, ceux d'Oléron sur les sourds et muets, d'Yvette HATWELL sur les aveugles, d'Elsa SCHMID-KITSIKIS en psychopathologie de l'enfant dans le cadre des services de recherche de AJURIAGUERRA à Genève. Il existe, bien entendu, une foule d'autres recherches en cours dans les domaines les plus divers (en gérontologie par exemple), mais nous ne pouvons pas les citer toutes.

Si maintenant nous voulions caractériser l'épistémologie, nous dirions qu'elle concerne l'étude de la connaissance, avec, comme questions principales : comment se forment nos connaissances, comment s'accroissent-elles ? Vieux problème qui a toujours occupé la philosophie, mais qu'elle a toujours abordé avec les seuls moyens de la réflexion. C'est pourquoi l'épistémologie a toujours été - et est encore en grande partie - l'objet de la spéculation pure. Or, le mérite de PIAGET est de l'avoir située sur le terrain de l'expérience scientifique. Remarquant d'abord qu' « il existe de multiples formes de la connaissance, dont chacune soulève un nombre indéfini de questions particulières » (I.E.G., p. 12), PIAGET renonce à étudier ce qu'est la connaissance ou à prendre parti sur la nature de l'esprit, et pose d'emblée la question plurale : Comment s'accroissent les connaissances ?, se situant non seulement au niveau interdisciplinaire, mais tout autant au niveau génétique. Autrement dit, « la théorie des mécanismes communs à ces divers accroissements, étudiés inductivement à titre de faits s'ajoutant à d'autres faits, constituerait une discipline s'efforçant, par différenciations successives, de devenir scientifique » (I.E.G., p. 12). Question de droit sans doute, mais bien posée si l'on considère les problèmes de méthode. Autrement dit, « la méthode génétique revient à étudier les connaissances en fonction de leur construction réelle, ou psychologique, et à considérer toute connaissance comme relative à un certain niveau du mécanisme de cette construction » (I.E.G., p. 13).

Si donc l'épistémologie traditionnelle ne connaît que les états supérieurs de la connaissance, l'épistémologie génétique veut remonter aux sources, donc appréhender la genèse de la connaissance dans la perspective où il n'y a pas de connaissance prédéterminée, ni dans les structures du sujet puisqu'elles sont le résultat d'une construction effective et continue, « ni dans les caractères préexistants de l'objet » (l'E.G., p. 5) puisqu'ils ne sont connus que par la médiation de ces structures. C'est donc dans le contexte d'une interaction (interactionnisme piagétien) entre le sujet et l'objet que se situe la problématique. « Le propre de l'épistémologie génétique est ainsi de chercher à dégager les racines des diverses variétés de connaissance dès leurs formes les plus élémentaires et de suivre leur développemnt aux niveaux ultérieurs jusqu'à la pensée scientifique inclusivement » (l'E.G., p. 6). Par conséquent, le problème de l'épistémologie génétique est bien celui de l'accroissement des connaissances tant chez l'enfant que chez l'adulte puisqu'il est celui « du passage d'une connaissance moins bonne ou plus pauvre, à un savoir plus riche (en compréhension et en extension) » (l'E.G., p. 8), et de ce fait celui de la conquête de l'objectivité.

Jean PIAGET a quitté l'enseignement après l'année universitaire 1972-73 pour la retraite. Cela ne signifie en rien qu'il a renoncé à la recherche, au contraire ! Tous les lundis il anime les réunions du Centre d'Epistémologie. En dehors, il écrit, continue à participer à des congrès ou à des Colloques, observe les plantes et les variations d'espèce de celles-ci dans son jardin. Parti de bonne heure sur le chemin de la découverte, PIAGET a eu l'extraordinaire chance de pouvoir apporter quelques réponses, au cours d'une vie d'un labeur sans égal, aux questions qu'il se posait au départ. Peut-être était-ce qu'il les avait bien posées ? Sans doute a-t-il été aidé par des hommes et des femmes exceptionnels. Il le reconnaît bien volontiers d'ailleurs : « Après avoir passé des années à questionner des enfants seul ou avec de petits groupes d'étudiants, j'ai été aidé pendant ces dernières années par des équipes d'assistants et de collègues qui ne se bornaient pas à la collection des faits, mais qui prenaient une part de plus en plus active dans la conduite de la recherche » (C.V.P., p. 147, note).

Mais cette prescience de ce que devait être la connaissance dont le problème le hanta de si bonne heure a quelque chose de surprenant : « En relisant quelques vieux papiers qui datent de mon adolescence, j'ai été frappé par deux faits apparemment contradictoires et qui pris ensemble offrent quelque garantie d'objectivité. Le premier est que j'avais totalement oublié le contenu de ces productions juvéniles quelque peu naïves ; le deuxième est que malgré leur manque de maturité, elles anticipaient d'une manière frappante ce que j'ai tenté de faire pendant trente ans.

« Il y a donc probablement quelque chose de vrai dans le mot de BERGSON selon lequel un esprit philosophique est généralement dominé par une seule idée personnelle qu'il tente d'exprimer de multiples manières au cours de son existence, sans jamais y parvenir entièrement » (C.V.P., p. 129).

L'œuvre de PIAGET a exercé, exerce, et exercera longtemps encore une influence considérable sur la vie et la pensée scientifique et sur le développement de la psychologie en particulier. Puisse-t-elle échapper à l'emprise des hommes de système pour ne pas sombrer dans les querelles de chapelle comme ce fut le cas, hélas !, de la postérité freudienne. Mais cela dépend entièrement de la qualité des hommes qui se réclameront d'elle.

BIBLIOGRAPHIE DU CHAPITRE I

a) *Biographie*

Cahiers Vilfredo Pareto, DROZ, Genève, n° 10, 1966, Jean PIAGET, *Autobiographie,* pp. 129-159 (abrégé : C.V.P.).

Bulletin de Psychologie, 1959-1960, pp. 9-13, Jean PIAGET, *Les modèles abstraits sont-ils opposés aux interprétations psycho-physiologiques dans l'explication en psychologie ? Esquisse d'autobiographie intellectuelle* (abrégé : B.P.).

PIAGET J., *Sagesse et illusions de la philosophie,* Paris, P.U.F., 1965 (abrégé : S.I.P.).

Psychologie et épistémologie génétique, thèmes piagétiens (Hommage à Jean PIAGET), Paris, Dunod, 1966 (abrégé : P.E.G.).

Le Monde, 21/XII/72, *Jean Piaget, ce psychologue de l'intelligence,* articles de B. INHELDER, Y. HATWELL, J. DE AJURIAGUERRA (à l'occasion de l'attribution du prix Erasme à Jean PIAGET).

L'Education, 04/01/73, Jean PIAGET, *Discours de réception du prix Erasme,* pp. 26-28.

Encyclopaedia Universalis, vol. 13, pp. 22-25, *Jean Piaget* par Pierre GRECO (abrégé : E.U.).

L'Express, n° 911 - 23-29/XII/68, pp. 86-94.

Raison présente, n° 19, Paris, Editions rationalistes, 1971, Jean PIAGET, *Inconscient affectif et inconscient cognitif.*

b) *La méthode clinique*

PIAGET (J.), *La représentation du monde chez l'enfant,* Paris, Alcan 1926, rééd. Paris, P.U.F., 1947 et 1972 (abrégé : R.M.), Intr. pp. 5-30.

PIAGET (J.), *La pensée symbolique et la pensée de l'enfant, Archives de Psychologie,* tome XVIII, n° 72, mai 1923, pp. 277-304 (abrégé : P.S.P.E.).

PIAGET (J.), *Le jugement et le raisonnement chez l'enfant,* Delachaux et Niestlé, éd. 1947, Avant-propos de Jean PIAGET (sur la méthode critique).

PIAGET (J.), *La formation du symbole chez l'enfant,* Delachaux et Niestlé, 1945, note sur la méthode clinique, p. 143 (abrégé : F.S.).

PIAGET (J.), *La causalité physique chez l'enfant,* Paris, Alcan, 1927, pp. 3-4 (abrégé : C.P.).

PIAGET (J.), *Le développement des quantités physiques chez l'enfant,* Delachaux, 2e éd., 1962, Intr. p. XXIV (abrégé : D.Q.P.).

PIAGET (J.) et SZEMINSKA (A.), *La genèse du nombre chez l'enfant,* Delachaux et Niestlé, 3e éd. 1964, avant-propos de la 1re édition, pp. 5-6.

PIAGET (J.), *Psychologie et épistémologie,* Paris, Médiations, 1970.

c) *Epistémologie*

PIAGET (J.), *Introduction à l'épistémologie génétique,* Paris, P.U.F. 1950, trois tomes (I, Introduction).

PIAGET (J.), (sous la direction de...), *Logique et connaissance scientifique,* Paris, La Pleïade, 1967.

PIAGET (J.), *L'Epistémologie génétique*, Paris, P.U.F., 1970.

PIAGET (J.), *Psychologie et épistémologie*, Paris, Médiations, 1970.

PIAGET (J.), *Etudes d'Epistémologie génétique*, Volume I, Epistémologie génétique et recherche psychologique, *Programme et méthodes de l'épistémologie génétique*, Paris, P.U.F., 1957, pp. 13-84 (abrégé : E.E.G.I.).

PIAGET (J.), *Etudes d'Epistémologie génétique*, vol. XVI, *Implication, formalisation et logique naturelle*, 1962. Projet : *Défense de l'épistémologie génétique, pp.* 165 à 191, XVI (abrégé : E.E.G.).

CHAPITRE II

Données épistémologiques

1. Assimilation et accommodation

Entre la biologie et l'intelligence de nombreuses analogies et de nombreux parallèles ne laissent de frapper tout esprit curieux. Mais pour les saisir, ou pour les expliquer, deux attitudes au moins sont possibles : la première consiste à attribuer l'intelligence à la vie elle-même, ce qui revient à dire qu'il y a un psychisme biologique, primaire pour parler comme R. Ruyer (*Eléments de psychobiologie*, Paris, P.U.F., 1946) ; la seconde consiste à dire que si la vie est adaptation à des conditions de milieu changeantes - et si l'on suit la ligne d'évolution d'une même espèce (la limnea stagnalis observée par le jeune Piaget) on se rend compte de la plasticité étonnante du vivant - l'intelligence humaine est une des formes d'adaptation qu'a prise la vie dans son évolution. La première attitude considère que l'esprit sort de la matière vivante parce que, toutes choses égales d'ailleurs, il y était ; la seconde considère que l'esprit n'est qu'une des formes prises par l'adaptation biologique.

Piaget adopte résolument dans la seconde attitude et définit l'intelligence comme une des formes de l'adaptation. « L'intelligence, écrit-il, est une adaptation » (N.I., p. 10). Par conséquent elle s'inscrit bien dans le mouvement général de la vie à travers toutes les formes d'adaptation qu'elle a prises. « En effet, la vie est une création continue de formes de plus en plus complexes et une mise en équilibre progressive entre ces formes et le milieu. Dire que l'intelligence est un cas particulier de l'adaptation biologique, c'est donc supposer qu'elle est essentiellement une organisation et que sa fonction est de structurer l'univers comme l'organisme structure le milieu immédiat » (N.I., p. 10). Mais l'analogie entre biologie et intelligence ne peut ête saisie qu'en retenant les invariants fonctionnels qui leur sont communs. Toute forme vivante s'affirme dans son rapport avec les choses ; de même l'intelligence. « L'organisme s'adapte en construisant matériellement des formes nouvelles pour les insérer dans celles de l'univers, tandis que l'intelligence prolonge une telle création en construisant mentalement des structures susceptibles de s'appliquer à celles du milieu » (N.I., p. 10).

Dans le vivant, comme dans l'intelligence, il y a des éléments variables et des éléments invariables, « de même entre l'enfant et l'adulte on assiste à une construction continue de structures variées quoique les grandes fonctions de la pensée soient constantes » (N.I., p. 11).

Ces fonctionnements invariants sont à situer dans le cadre des deux fonctions biologiques les plus générales : l'organisation et l'adaptation.

L'adaptation définie par « la conservation et la survie, c'est-à-dire l'équilibre entre l'organisme et le milieu » (N.I., p. 11), prête à confusion, d'où la distinction piagétienne entre adaptation-état et adaptation-processus. Dans l'adaptation-état, rien n'est clair ; mais si l'on suit le processus, on peut dire qu' « il y a adaptation lorsque l'organisme se transforme en fonction du milieu, et que cette variation a pour effet un accroissement des échanges entre le milieu et lui favorables à sa conservation » (N.I., p. 11). C'est pourquoi il convient de dire qu'un ensemble structuré entre en relation avec le milieu. Deux cas sont à considérer : 1) des éléments du milieu sont incorporés par l'ensemble structuré qui les transforme en lui-même, 2) le milieu se transforme et l'organisation s'adapte à ce changement en se transformant elle-même. On a là deux processus ou invariants fonctionnels. D'une part « le rapport qui unit les éléments organisés a, b, c, etc., aux éléments du milieu x, y, z, etc., est donc une relation d'*assimilation*, c'est-à-dire que le fonctionnement de l'organisme ne le détruit pas, mais conserve le cycle d'organisation et coordonne les données du milieu de manière à les incorporer à ce cycle » (N.I., p. 12), d'autre part « supposons (...) que dans le milieu, une variation se produise qui transforme x en x'. Ou bien l'organisme ne s'adapte pas, et il y a rupture de cycle, ou bien il y a adaptation, ce qui signifie que le cycle s'est modifié en se refermant sur lui-même » (N.I., p. 12). D'une part, assimilation, c'est-à-dire incorporation d'éléments du milieu à la structure, d'autre part modification de cette structure en fonction des modifications du milieu, ou, en d'autres termes, accommodation.

« Si nous appelons *accommodation* ce résultat des pressions exercées par le milieu extérieur (...), nous pouvons donc dire que *l'adaptation est un équilibre entre l'assimilation et l'accommodation* » (N.I., p. 12).

Une telle définition convient aussi bien pour l'organisation biologique que pour l'intelligence. Celle-ci est assimilation pour autant qu'elle « incorpore à ses cadres tout le donné de l'expérience ». Quelle que soit la forme d'intelligence considérée (sensori-motrice ou réflexive) « dans tous les cas l'adaptation intellectuelle comporte un élément d'assimilation c'est-à-dire de structuration par incorporation de la réalité extérieure à des formes dues à l'activité du sujet » (N.I., p. 12). Evidemment, l'intelligence est aussi accommodation au milieu et à ses variations. Toutefois, l'assimilation ne peut jamais être pure parce que « en incorporant les éléments nouveaux dans les schèmes antérieurs, l'intelligence modifie sans cesse ces derniers pour les ajouter aux nouvelles données. Mais, inversement, les choses ne sont jamais connues en elles-mêmes, puisque ce travail d'accommodation n'est jamais possible qu'en fonction du processus inverse d'assimilation » (N.I., p. 13).

Ainsi, l'adaptation intellectuelle est une « mise en équilibre progressive entre un mécanisme assimilateur et une accommodation complémentaire » et « l'adaptation n'est achevée que lorsqu'elle aboutit à un système stable, c'est-à-dire lorsqu'il y a équilibre entre l'assimilation et l'accommodation » (N.I., p. 13).

L'*organisation*, ce faisant, est inséparable de l'adaptation, biologiquement. On a là deux processus complémentaires d'un mécanisme commun, « le premier étant l'aspect interne du cycle dont l'adaptation constitue l'aspect extérieur » (N.I., p. 13). On retrouve ce double phénomène : totalité fonctionnelle et interdépendance entre l'organisation et l'adaptation. « Pour ce qui est des rapports entre les parties et le tout qui définissent l'organisation, on sait assez que chaque opération intellectuelle est toujours relative à toutes les autres et que ses propres éléments sont eux-mêmes régis par la même loi. Chaque schème est ainsi coordonné à tous, et constitue lui-même une totalité à parties différenciées. Tout acte d'intelligence suppose un système d'implications mutuelles et de significations solidaires. Les relations entre cette organisation et l'adaptation sont donc les mêmes que sur le plan organique : les principales « catégories » dont use l'intelligence pour s'adapter au monde extérieur - l'espace, le temps, la causalité et la substance, la classification et le nombre, etc. - correspondent chacune à un aspect de la réalité, comme les organes du corps sont relatifs chacun à un caractère spécial du milieu, mais, outre leur adaptation aux choses, elles sont impliquées les unes dans les autres au point qu'il est impossible de les isoler logiquement. L' « accord de la pensée avec les choses » et « l'accord de la pensée avec elle-même » expriment ce double invariant fonctionnel de l'adaptation et de l'organisation. Or, ces deux aspects de la pensée sont indissociables : c'est en s'adaptant aux choses que la pensée s'organise elle-même et c'est en s'organisant elle-même qu'elle structure les choses » (N.I., p. 13-14).

Les conséquences de cette prise de position de départ sont considérables. D'une part l'intelligence cesse d'être la fonction mystérieuse et quasi-métaphysique de la théorie classique. Bien qu'il reste beaucoup d'obscurités, PIAGET s'est donné les moyens d'aborder son étude en considérant deux aspects en interaction : l'organisation et le fonctionnement, soit, la structure et le fonctionnement. Mais comme sa perspective est génétique il appréhendera les faits de structuration. D'autre part, PIAGET situe le problème épistémologique, celui de la connaissance, au niveau d'une interaction entre le sujet et l'objet. Cette dialectique résout tous les conflits nés des théories, associationnistes, empiristes, génétiques sans structures, structuralistes sans genèse, etc., et permet de suivre les phases successives de la construction progressive de la connaissance. Mais nous reviendrons sur ce point.

L'assimilation et l'accomodation sont - nous le savons maintenant - les deux invariants fonctionnels décelables dans tout acte d'intelligence. Mais encore faut-il considérer *ce* qui s'adapte, autrement dit, les problèmes de structure et les éléments entrant dans la composition de ces structures. Comme par ailleurs, dans la perspective génétique où se place PIAGET, il n'y a pas de structure sans genèse ni non plus de genèse sans structure, et puisqu'il y a continuité du biologique au psychologique, il faut bien commencer par un bout et suivre la chaîne des développements ultérieurs jusqu'à l'état d' « équilibre final ». C'est pourquoi PIAGET s'est attaché à étudier, à partir des structures initiales du nouveau-né, les structurations successives.

2. Les stades

On discerne ainsi, dans le développement des structures de l'intelligence, un ensemble d'étapes caractéristiques, appelées stades, que l'on peut ramener à quatre principaux :

1 - Stade de l'intelligence sensori-motrice (jusqu'à deux ans).
2 - Stade de l'intelligence symbolique ou pré-opératoire (de 2 à 7-8 ans).
3 - Stade de l'intelligence opératoire concrète (de 7-8 à 11-12 ans).
4 - Stade de l'intelligence opératoire formelle (à partir de 12 ans, avec palier d'équilibre vers 14-15 ans).

Cette division en stades n'est pas arbitraire ; elle correspond à des critères définis, contrairement aux stades des autres écoles psychologiques (Freud, Wallon, Gesell) ou d'autres perspectives de développement (physiologique, poids, taille, etc.).

3. Critères de délimitation des stades

Quels sont donc les critères de définition et de délimitation d'un stade ? Piaget en retient cinq.

a) L'ordre de succession des acquisitions doit être constant. Bien noter que « l'ordre de succession » ne signifie pas « la chronologie », car celle-ci est variable ; elle dépend de l'expérience antérieure du sujet et pas seulement de sa maturation, du milieu social qui peut « accélérer ou retarder l'apparition d'un stade, ou même en empêcher la manifestation » (P.P.G., p. 55). Les âges qui sont donnés sont donc relatifs aux populations étudiées, mais ce qui est le plus important c'est l'ordre de succession, en ce sens qu'un caractère n'apparaîtra pas avant un autre chez un ensemble de sujets et après chez un autre ensemble.

b) Les stades ont un caractère intégratif, ce qui signifie que les structures construites à un niveau donné sont intégrées dans les structures du niveau suivant. Ainsi, les structures sensori-motrices sont partie intégrante des structures opératoires concrètes ; celles-ci le sont à leur tour des opérations formelles.

c) Chaque stade doit se caractériser par une structure d'ensemble. « Une structure, ce sera, par exemple, au niveau des opérations concrètes, un groupement, avec les caractères logiques du groupement qu'on trouve dans la classification ou la sériation » (P.P.G., p. 56). Par exemple, le groupement additif des classes comprendra une opération directe, une opération inverse, une opération associative, une opération identique, (une opération identique spéciale, ou tautologie : « toute classe additionnée à elle-même et à une classe de rang supérieur et de même signe laisse celle-ci invariante : A + A = A ; A + B = B ; A + C = C, etc. ». *Essai de logique opératoire*, DUNOD, 1972, p. 104). On peut donc caractériser les structures par leurs lois de totalité.

d) Chaque stade comporte « à la fois un niveau de préparation, d'une part, et d'achèvement, de l'autre » (P.P.G., p. 57). Exemple, au niveau des opérations formelles, la période allant de 12-13 ans à 14-15 ans sera considérée comme le niveau de préparation et le palier d'équilibre qui suit sera l'état d'achèvement.

e) « Mais comme la préparation d'acquisitions ultérieures peut porter sur plus d'un stade (avec des chevauchements divers entre certaines préparations plus courtes et d'autres plus longues), et comme, en second lieu, il existe des degrés divers de stabilité dans les achèvements, il est nécessaire de distinguer en toute suite de stades, les processus de *formation* ou de genèse et *les formes d'équilibre finales* (au sens relatif) : les dernières seules constituent les structures d'ensemble dont il a été question sous 3, tandis que les processus formateurs se présentent sous les aspects de différenciations successives de telles structures (différenciation de la structure antérieure et préparation de la suivante » (P.P.G., p. 57).

4. DÉCALAGES

Néanmoins, il convient de faire état de la notion de *décalage* qui « est de nature à faire obstacle à la généralisation des stades, et à introduire des considérations de prudence et de limitation » (P.P.G., p. 58). En effet, un décalage est « la répétition ou la reproduction du même processus formateur à des âges différents ». On distinguera alors les décalages horizontaux et les décalages verticaux. Les décalages horizontaux se rencontrent « quand une même opération s'applique à des contenus différents », dans une même période de développement. Par exemple, à 7-8 ans un enfant sait sérier, classer, dénombrer des quantités de matière, de longueur, et parvient à des notions de conservation relatives à ces mêmes contenus, alors qu'il sera incapable de ces mêmes opérations pour ce qui concerne le poids... Deux ans plus tard il y parviendra, mais pas pour le volume.

Les opérations en jeu, dans chaque cas, sont les mêmes, mais les contenus sont différents.

Les décalages verticaux ne se produisent plus à l'intérieur d'une même période ; au contraire, ils consistent à reconstruire une structure au moyen d'autres opérations. A la fin de la période sensori-motrice, le jeune enfant a établi le groupe pratique des déplacements. « Quand quelques années plus tard il s'agira de se représenter ces mêmes déplacements, c'est-à-dire de les imaginer, ou de les intérioriser, en opération, nous retrouverons des étapes analogues de formation, mais cette fois sur un autre plan, sur celui de la représentation » (P.P.G., p. 58-59).

Cela dit, on s'attendrait à ce que PIAGET fournisse une succession de stades selon les critères ainsi définis et qui préciserait les divisions établies précédemment. Contrairement à cette attente, il ramène cette division à trois périodes (en note il précise qu'il parlera de « périodes » pour désigner les grandes unités, et de « stades », puis de « sous-stades », pour décrire leurs subdivisions). Ainsi la nouvelle division comporte la période sensori-motrice (jusqu'à deux ans), la période de préparation et d'organisation des opérations concrètes de classes, de relations et nombres (de 2 à 11-12 ans), la période des opérations formelles (à partir de 12 ans). Ce qui était stade devient période ou sous-période (sous-période des représentations préopératoires et sous-période des opérations concrètes) et ce qui était sous-stade devient stade. Or, en fait, rien n'est changé ; simplement, la terminologie de PIAGET flotte parce que le problème des stades est en fait plus complexe qu'il n'y paraît, malgré les définitions. En tout état de cause, période ou stade c'est tout un, de même que sous-période et sous-stade. Il s'agit simplement d'une nuance entre stade comme structure définie et processus. PIAGET et B. INHELDER écriront d'ailleurs ensemble quelques années après cette publication sur laquelle nous nous appuyons, et qui constitue en quelque sorte la doctrine officielle de PIAGET sur le problème des stades, que l'on peut « découper le développement en grandes périodes ou stades et en sous-périodes ou sous-stades » (P.E., p. 121).

En distinguant trois périodes, PIAGET a pu ainsi mettre en évidence trois types de structures :
1 - Des structures ou « groupes » sensori-moteurs.
2 - Des structures ou « groupements » d'opérations concrètes.
3 - Des structures formelles correspondant aux groupes et aux réseaux ou « lattices » (E.D.P., p. 82).

La structure ou groupe sensori-moteur apparaît vers un an et demi. Toute la période qui précède est préparatoire ; la suivante est d'achèvement et d'équilibre. En effet, vers 18 mois, l'enfant est « capable de faire des détours, de revenir sur ses pas, de coordonner entre elles des translations et des rotations, bref d'effectuer ce que POINCARÉ appelle un « groupe des déplacements ». Cependant ces déplacements se font par des mouvements successifs et non encore par des représentations simultanées. La structure de groupe est « agie » sans être encore évidemment conçue en pensée » (E.D.P., p. 82).

La structure des groupements concrets connaît une phase de préparation jusque vers 7 ans et une phase d'achèvement entre 7 et 11 ans. « Les groupements concrets effectués mentalement font intervenir simultanément et non plus successivement un déplacement ou une transformation et son inverse. Par exemple, lorsque l'enfant transforme une boule de pâte à modeler en saucisse ou en galette, il peut, à partir de 7 ans annuler en quelque sorte cette transformation par son raisonnement et il peut concevoir ainsi par cette annulation la conservation de la quantité de matière » (E.D.P., p. 82). Il témoigne ainsi de la réversibilité logique qui est le propre des opérations. Or, une opération se définit comme une action intériorisée ou intériorisable, réversible, ainsi que nous venons de le dire, et coordonnée en une structure totale avec d'autres opérations. On définira alors une action intériorisée comme « une action exécutée en pensée sur des objets symboliques, soit par représentation de son déroulement possible et de son application à des objets réels évoqués par images mentales (c'est alors l'image qui joue le rôle de symbole), soit par application directe à des systèmes symboliques (signes verbaux, etc.) » (E.E.G., II, p. 44-45).

Pendant la phase d'achèvement des groupements d'opérations

concrètes, la réversibilité se présente sous deux formes : la première qui correspond à la logique des classes, l'arithmétique, est l'inversion ou négation ; la seconde est la réciprocité et apparaît dans les opérations de relations. Mais ces deux formes de réversibilité ne sont pas coordonnées entre elles en un système unique d'où la limitation de la pensée opératoire concrète.

Avec les structures formelles se constitue une logique formelle où les raisonnements hypothético-déductifs sont fondés sur les opérations interpropositionnelles ($p \supset q$; $p . q$; p / q ; $p \equiv q$, etc.). Deux structures d'ensemble se reconstituent alors et marquent l'achèvement des structurations incomplètes du stade précédent :

1 - Le réseau ou lattice de la logique des propositions que l'on reconnaît à l'apparition d'une combinatoire (combinaisons d'objets ou de facteurs expérimentaux).

2 - Le groupe des inversions, réciprocités, corrélativités et identité ou groupe I.N.R.C. qui marque la synthèse en un système unique des deux formes de réversibilités jusque là séparées : les inversions et les réciprocités, et qui se remarque dans une série de schèmes opératoires apparaissant simultanément : les proportions, les doubles systèmes de référence, les probabilités, les compensations multiplicatives, etc.

5. Equilibre

Ainsi, le développement par stades successifs réalise à chaque stade un palier d'équilibre. Les stades constituent un processus d'équilibrations successives ou des « marches vers l'équilibre ». « Dès que l'équilibre est atteint sur un point, la structure est intégrée dans un nouveau système en formation, jusqu'à un nouvel équilibre toujours plus stable et de champ toujours plus étendu » (P.P.G., p. 65). Or, l'équilibre se définit justement par la réversibilité. Cela dit, il convient d'ajouter pour être complet que chaque palier d'équilibre ou stade d'achèvement constitue un stade de préparation pour le stade ou palier d'équilibre suivant.

Retenons donc que la notion d'équilibre implique celle de réversibilité et le développement intellectuel celle d'équilibre de plus en plus stable à quoi correspond une réversibilité de plus en plus mobile. Mais il ne faudrait pas croire que stabilité et équilibre convergent vers un immobilisme ou un statisme. L'équilibre dont il s'agit est essentiellement mobile car solidaire d'une structure d'ensemble ayant ses lois de totalité et qui se maintient en tant que telle. Une structure en équilibre est une structure capable de compensations (à des perturbations venant de l'extérieur, par exemple) mais c'est aussi une structure ouverte, c'est-à-dire capable de s'adapter aux conditions changeantes du milieu. Les trois grandes structures délimitant des stades sont composées d'éléments coordonnés entre eux et sous le réglage des lois de totalité définissant le groupement (ou le groupe selon le cas).

6. Schèmes

Il convient maintenant de préciser la notion de schème que nous avons déjà utilisée. Au niveau sensori-moteur, en effet, on rencontre l'équivalent fonctionnel d'une logique dans la coordination des actions. L'unité de cette logique est le schème. Or, qu'est-ce qu'un schème ? « Nous appellerons schèmes d'actions ce qui, dans une action, est ainsi transposable, généralisable ou différenciable d'une situation à la suivante, autrement dit ce qu'il y a de commun aux diverses répétitions ou applications de la même action. Par exemple, nous parlerons d'un « schème de réunion » pour des conduites comme celle d'un bébé qui entasse des plots, d'un enfant plus âgé qui assemble des objets en cherchant à les classer, et nous retrouverons ce schème en des formes innombrables jusqu'en des opérations logiques telles que la réunion de deux classes (les pères plus les mères = tous les parents, etc.). De même on reconnaîtra des « schèmes d'ordre » dans les conduites les plus disparates, comme d'utiliser certains moyens « avant » d'atteindre le but, de ranger des plots par ordre de grandeur, de construire une série mathématique, etc. D'autres schèmes d'action sont beaucoup moins généraux et n'aboutissent pas à des opérations intériorisées aussi abstraites : par exemple les schèmes de balancer un objet suspendu, de tirer un véhicule, de viser un objectif, etc. » (*Biologie et connaissance,* p. 16). A lire cette définition il nous apparaît d'abord que le schème est ce qu'il y a de plus généralisable dans une action et de plus transposable comme tel d'une action à une autre. Il est par conséquent le cadre dans lequel un grand nombre d'actions s'inscrivent. Autrement dit, le schème est en un premier sens un cadre d'assimilation d'un ensemble d'actions de même caractère : « Nous appelons schèmes sensori-moteurs les organisations sensori-motrices susceptibles d'application à un ensemble de situations analogues et témoignant ainsi d'assimilations reproductrices (répétition des mêmes activités), récognitives (reconnaître les objets en leur attribuant une signification en fonction du schème) et généralisatrices (avec différenciations en fonction de situations nouvelles) » (E.E.G., II, p. 46). Un schème a donc le caractère d'un système de relations dans la mesure où il coordonne entre elles diverses actions ayant entre elles des propriétés communes. En lui-même, il est la structure d'une action. Mais comme l'activité comporte une foule d'actions, elle est par le fait même structurée par un certain nombre de schèmes.C'est pourquoi les schèmes forment entre eux un système coordonné. Agir, c'est, tout compte fait, coordonner des schèmes entre eux ou les emboîter dans un système régi par des lois de totalité (groupe pratique des déplacements par exemple). Toute action comportera donc les deux pôles de l'activité intelligente : assimilation et accommodation. L'assimilation peut consister tout simplement à incorporer une situation ou un objet à un schème ou à un ensemble de schèmes coordonnés. Cette activité est simplement répétition d'actions ; mais en même temps elle fixe ou consolide les schèmes (Assimilation reproductrice). Elle peut également discriminer, dans le contexte d'une activité, des significations et donc les assimiler à des schèmes. C'est l'assimilation récognitive. Enfin, elle peut étendre le champ des schèmes d'action à des secteurs non encore rencontrés : c'est l'assimilation généralisatrice.

Quant à l'accommodation, elle consiste à différencier de plus en plus finement les schèmes d'actions pour mieux les adapter aux conditions changeantes du champ d'activité autant qu'à contribuer à créer des schèmes nouveaux.

Les schèmes apparaissent donc comme les équivalents fonctionnels des concepts, mais sans pensée ou sans représentation. Par conséquent, des concepts pratiques. On peut donc leur appliquer les caractères du concept et dire qu'ils ont une extension et une compréhension. De ce point de vue, la compréhension d'un schème sera l'ensemble des situations auxquelles il s'applique. Et, puisqu'il y a coordination des schèmes entre eux, on rencontrera des conduites de classification et de sériation. Il y a même des emboîtements hiérarchiques de schèmes et, comme ils sont composables entre eux, des combinaisons souples, ce qui signifie qu'ils s'assimilent réciproquement.

La notion de schème joue un rôle important dans la psychologie génétique piagétienne, psychologie de l'action essentiellement. Aussi, dans chaque secteur de l'activité de l'intelligence rencontrera-t-on des schèmes. Les schèmes sensori-moteurs se réélaboreront sur le plan de la représentation en schèmes progressivement opératoires. On aura toutefois des schèmes à la fois plus larges et plus différenciés selon les secteurs de l'activité : schèmes symboliques, intuitifs, schèmes opératoires concrets, schèmes opératoires formels. Mais les schèmes perceptifs ayant un statut particulier, nous n'en parlerons pas ici.

Bien que le texte suivant anticipe sur ce que nous dirons plus loin, nous le plaçons à la fin de ce paragraphe pour autant qu'il nous semble rendre plus clair ce que nous venons de dire :

« Nous appelons, pour notre part, « schème » d'action ou d'opération le produit de la reproduction active d'actions de tous genres, de la conduite sensori-motrice à l'opération intériorisée, et qu'il s'agisse d'actions simples (par exemple le schème de la préhension) ou de coordinations entre actions (par exemple le schème de la réunion ou de la sériation). Ainsi défini en fonction de l'activité du sujet, le rôle du « schème » est essentiellement d'assurer l'incorporation ou l'assimilation de nouveaux objets à l'action elle-même ; et celle-ci, par sa répétition en des conditions renouvelées et généralisées, acquiert de ce seul fait un caractère schématique. S'appliquant nécessairement à une matière donnée, le schème est en outre susceptible d'accommodation, et ses accommodations successives donnent effectivement lieu à des connaissances « sommaires », sujettes à constantes révisions, comme le dit bien GONSETH. Ce schématisme assimilateur peut donc rendre compte de tout ce que GONSETH attribue aux « schémas », mais c'est à la condition de préciser que l'accommodation de tout « schème » à une réalité extérieure s'appuie sur une assimilation préalable.

Or, si l'on distingue dans le schème ces deux pôles d'assimilation et d'accommodation, l'un source de coordinations et l'autre d'application aux données de l'expérience, on se trouve en présence, non pas seulement d'un type unique, mais de deux sortes bien distinctes d'abstractions, et celles-ci nous paraissent précisément différencier tout ce qui oppose le « schéma » (dans le sens de l'image-canevas d'une réalité perceptible) au « schème » en tant qu'expression de l'activité du sujet. Il y a en premier lieu l'abstraction à partir de l'objet, laquelle consiste à extraire de celui-ci des caractères plus ou moins généraux (la couleur, etc.), fournissant la matière de cette connaissance sommaire et schématique due à l'accommodation plus ou moins poussée des schèmes d'assimilation. Mais il y a en second lieu une abstraction à partir de l'activité du sujet ; ce second type d'abstraction consiste à dissocier des aspects particuliers de l'action considérée certains mécanismes coordinateurs généraux (par exemple réunir deux actions en une seule, inverser les actions, etc.) et à construire de nouveaux schèmes au moyen des éléments ainsi extraits (c'est-à-dire différenciés) des actions comme telles » (I.E.G., tome I, pp. 252-253).

7. Aspects opératifs et aspects figuratifs de la connaissance

La diversité des schèmes se comprendra mieux si nous rappelons que l'intelligence, envisagée du point de vue de l'observateur, est essentiellement action, comportement, et que la multiplicité des comportements constitue autant de schèmes divers que les schèmes perceptifs, symboliques, intuitifs, etc. Cependant, il est possible de mieux comprendre cette diversité en disant que la représentation, ou vie représentative (après deux ans), ou pensée, comporte deux aspects différents. Le premier, ou aspect figuratif, « est tout ce qui se rapporte aux configurations comme telles, par opposition aux transformations. Guidé par la perception et soutenu par l'image mentale, l'aspect figuratif de la représentation joue un rôle prépondérant (au sens d'abusivement prépondérant et aux dépens précisément des transformations) dans la pensée préopératoire de l'enfant de 2 à 7 ans » (P.P.G., pp. 78-79). Le second ou aspect opératif de la pensée « est relatif aux transformations et se rapporte à tout ce qui modifie l'objet, à partir de l'action jusqu'aux opérations. Nous appelons opérations les actions intériorisées (ou intériorisables) *réversibles* (au sens de pouvant se dérouler dans les deux sens et par conséquent de comportant la possibilité d'une action inverse qui annule le résultat de la première) et *se coordonnant* en structures, dites opératoires, qui présentent des lois de composition caractérisant la structure en sa totalité, en tant que système. Par exemple l'addition est une opération puisqu'elle comporte une inverse (la soustraction) et parce que le système des additions et soustractions comporte des lois de totalité. Les structures opératoires sont, par exemple, les classifications, sériations, correspondances, matrices, la série des nombres, les métriques spatiales, les transformations projectives, etc. » (P.P.G., p. 79).

Le terme opératif n'est pas à confondre avec le terme opératoire. En effet, ce qui est figuratif et opératif dans la connaissance, c'est l'aspect ou encore la manière d'appréhender le réel. Ces deux termes désignent donc le mode d'appréhension du réel, alors que opératoire désigne le mécanisme d'appréhension. La distinction entre figuratif et figural est plus délicate, en tout cas moins importante que la précédente, car ce qui est figuratif étant tout ce qui concerne les états, le dessin d'une figure est une production figurale autant que figurative, mettant en jeu l'aspect figuratif de la connaissance.

Dans l'aspect figuratif interviennent la perception, l'imitation, l'image mentale. La perception fonctionne en présence de l'objet, l'imitation peut se passer de l'objet, l'image mentale est l'imitation intériorisée, l'objet réel est donc absent mais reproduit sous forme de représentation imagée (donc intériorisé). Dans l'aspect opératif on rencontre les actions sensori-motrices, mais sans imitation ; les actions intériorisées non encore opérations et décelables dans les divers tâtonnements au niveau préopératoire ; les opérations de l'intelligence comme telles ou actions intériorisées réversibles et se coordonnant en structures d'ensemble de transformations.

La distinction opératif - figuratif permet donc l'appréhension des processus cognitifs dans des lignes de repère plus pertinentes. Tout ce qui est figuratif concerne les états et s'appuie donc sur la perception, ce qui est opératif concerne les transformations, c'est-à-dire les actions et opérations effectuées sur le réel. Mais ce qu'il convient de noter, c'est que si toute la psychologie de la connaissance est à interpréter en termes d'action, les aspects figuratifs, bien qu'ils appréhendent les états, les configurations, ne sont pas passifs. Bien au contraire, ils appréhendent états ou configurations dans le cadre d'une activité qui est régie par les totalités ou structures logiques. Par conséquent, le figuratif est sous la dépendance de l'opératif. « Sans doute, si l'on appelle « opératif » (Df.) cet aspect de la connaissance qui est relatif aux actions et aux opérations, il existe également un aspect « figuratif », c'est-à-dire (Df.) relatif aux configurations sensibles (par exemple la perception et l'image mentale). Mais il est facile de montrer que, si les démarches figuratives de la connaissance portent sur les « états » des objets à connaître et les démarches opératives sur leurs « transformations », les progrès de la connaissance en développement consistent toujours à subordonner les états d'abord conçus comme isolés aux systèmes de transformations, ce qui assure le primat de l'aspect opératif » (E.E.G., XIV, p. 169).

8. Expérience physique et expérience logico-mathématique Abstraction simple et abstraction réfléchissante

Cette distinction de la connaissance en ses aspects « figuratif » et « opératif » est fort utile tant pour l'appréhension des faits de connaissance que pour l'examen psychologique devant conduire à un diagnostic de développement opératoire. Un problème reste pendant toutefois qui consiste à savoir comment s'élabore la connaissance. Certes, on sait déjà que ses structures procèdent des actions et que, du niveau sensori-moteur au niveau opératoire formel, on assiste à des restructurations par paliers successifs. Mais comment distinguer dans toute connaissance ce qui est tiré des objets et ce qui l'est des actions que le sujet exerce sur eux ? Comment, dans son appréhension du réel, le sujet élabore-t-il les structures logiques de sa connaissance ? Disons-le autrement, entre manipuler un objet et découvrir ses propriétés (qualités, forme, etc.) et ranger un ensemble d'objets selon leurs propriétés communes, ou encore nombrer cet ensemble, il y a une différence importante qu'il convient d'analyser et de préciser. Si les opérations procèdent des actions, on pourra dire que l'opération de réunion par exemple est une intériorisation de l'action matérielle consistant à réunir des objets. Par conséquent les actions commencent par porter sur les objets physiques eux-mêmes et s'exercent dans un contexte que Piaget qualifie globalement d' « expérience ». « Mais ceci ne signifie encore rien d'univoque tant que l'on n'a pas distingué les divers types d'expériences et dissocié en elles ce qui relève de l'objet et ce qui provient des activités du sujet, en particulier d'activités pouvant par la suite se détacher des objets concrets jusqu'à fonctionner symboliquement à l'état d'opérations purement déductives » (L.C.S., p. 385).

PIAGET distingue donc deux types d'expériences (ou deux composantes de toute expérience) : l'expérience physique et l'expérience logico-mathématique. « L'expérience physique consiste à agir sur les objets pour découvrir leurs propriétés en les tirant d'eux par une abstraction « simple » à partir des informations perceptives auxquelles elles donnent lieu : par exemple, découvrir que le poids des objets est proportionnel à leur volume s'ils demeurent homogènes (même densité) mais ne l'est plus s'ils sont hétérogènes ; que ce poids est indépendant des formes et des couleurs, etc. L'expérience logico-mathématique (nécessaire au jeune enfant à un niveau où il n'est pas encore capable d'opérations ni de déduction réglée) consiste à agir sur les objets ; seulement elle tire son information, non pas de ces objets comme tels, mais, ce qui revient au même, des propriétés que les actions introduisent dans les objets : par exemple, découvrir par des manipulations que deux objets réunis à trois autres donnent le même résultat que les trois derniers réunis aux deux premiers, ou que la réunion des ensembles A + A' donne un même tout B que la réunion A' + A (commutativité de l'addition ou de la réunion). En effet, tant la classe ou ensemble que l'ordre AA' ou A'A n'appartiennent pas aux objets en eux-mêmes, mais constituent le résultat des actions de réunir ou d'ordonner, qui confèrent momentanément à ces objets la propriété d'être classés ou de présenter un ordre » (L.C.S., p. 385). Cette fois, il ne s'agit plus d'une abstraction simple, comme par exemple celle qui fait apparaître la qualité d'un objet, mais d'une « abstraction réfléchissante ». Cette abstraction réfléchissante l'est au double sens du terme : « tirer l'idée d'ordre des actions ordonnées, c'est d'abord transposer sur un nouveau plan (donc la réfléchir au sens quasi-physique du terme) ce qui n'est d'abord que coordination pratique et inconsciente et doit devenir prise de conscience et de pensée ; mais cette projection ou réflexion suppose une reconstruction ou nouvelle structuration, donc une « réflexion » au sens psychologique du terme » (L.C.S., p. 386).

Cette distinction entre expérience physique et expérience logico-mathématique ne correspond surtout pas à une dissociation. Au contraire, expérience physique et expérience logico-mathématique sont indissociables et ne présentent que les composantes toujours présentes, à des degrés divers il est vrai, de toute expérience. « Il est clair, en effet, qu'il n'existe pas d'expérience physique, si élémentaire soit-elle, sans mises en relation ou correspondance, sans classification, sériation ou mesure, etc., donc sans un cadre relevant de l'expérience logico-mathématique. Réciproquement une expérience de second type porte sur des objets tout en tirant de l'action l'essentiel de ses abstractions : or, dans la mesure où les objets se prêtent à ces actions ou opérations (où ils sont coordonnables, classables, dénombrables, etc.), il s'ajoute à la composante logico-mathématique qui reste l'essentiel, un arrière-plan d'expérience physique puisque le sujet apprend tout au moins que les objets se soumettent à ses manipulations et sont donc logicisables et mathématisables » (L.C.S., p. 387).

Cela dit, l'expérience logico-mathématique n'a rien d'une expérience intérieure ou d'une introspection car si l'on prend l'idée d'ordre en exemple elle est une construction de l'intelligence qui s'impose à celle-ci avec nécessité parce que les démarches-mêmes de l'intelligence sont ordonnées. Et dans le contexte des stades, cela signifie que si les démarches de l'intelligence sont ordonnées c'est parce que les opérations qui les dirigent le sont, et si celles-ci le sont, c'est parce qu'à leur tour elles dérivent d'actions déjà ordonnées qui dépendent à leur tour de mécanismes nerveux ou biologiques impliquant dès le départ des relations d'ordre. On observe donc une reconstruction paliers par paliers de plus en plus larges (par spirales dirait LÉNINE) de l'ordre initial par l'effet d'abstractions réfléchissantes généralisant à chaque nouveau palier les éléments tirés du palier précédent. Ainsi « à chaque nouvau palier du développement mental, les nouvelles structures opératoires s'élaborent grâce à un double processus d'abstraction réfléchissante et de construction proprement dite puisque l'abstraction réfléchissante est à la fois abstraction à partir du plan antérieur et reconstruction élargie ou enrichie sur le plan nouveau » (L.C.S., p. 393).

La dialectique de l'assimilation et de l'accommodation se comprendra mieux si l'on considère l'abstraction réfléchissante qui paraît être le facteur décisif de l'équilibre. Pour autant qu'une résistance met en échec les processus d'assimilation, l'accommodation cherche à compenser le déséquilibre et l'abstraction réfléchissante restructure les processus d'assimilation qui vont réaliser une forme supérieure d'équilibre palier par palier.

9. Connaissance physique et connaissance logico-mathématique

En se plaçant au plan de la connaissance, il apparaît que génétiquement, la différence qui existe entre la connaissance expérimentale ou physique et la connaissance logico-mathématique réside dans le fait que « la première est tirée des objets eux-mêmes, tandis que la seconde est tirée des actions que le sujet exerce sur les objets, ce qui n'est nullement identique » (L.C.S., p. 98). La connaissance expérimentale ou physique permettra par exemple à l'enfant qui manipule des objets de découvrir qu'ils sont pesants. Cette découverte n'est que la prise de conscience d'une propriété appartenant à ces objets. C'est par sa perception et son activité manipulatrice qu'il peut lire en quelque sorte les propriétés de l'expérience elle-même. Le poids est une propriété de l'objet non pas du sujet ou de ses actions sur l'objet. En d'autres termes, ce n'est pas l'enfant qui l'y met, il l'y découvre. En revanche, dans la connaissance logico-mathématique, l'enfant introduit dans les objets qu'il manipule une ou plusieurs propriétés qu'ils ne possèdent pas par eux-mêmes. En découvrant par exemple que la somme d'une collection d'objets est indépendante de l'ordre d'énumération (de gauche à droite ou l'inverse) donc que l'addition est commutative, l'enfant, même s'il n'agit que sur des objets, et bien avant qu'il ne sache agir sur des symboles, accorde à ceux-ci une propriété qu'ils ne possèdent pas par eux-mêmes. Il « tire donc sa connaissance, non pas des objets eux-mêmes, mais de ses actions et des propriétés que ses actions ont ajoutées aux objets : ceux-ci étaient en désordre et le sujet a introduit un ordre ou encore il les a réunis en une collection totale ou en deux sous-collections, etc. ; et ce qu'il a découvert est que la somme de la collection est indépendante de l'ordre, donc que le produit de l'action de réunir est indépendant de celui des actions d'ordonner ou de ranger. Toute la logique et les mathématiques reposent en définitive sur des actions ou opérations de cette nature, mais de plus en plus complexes, et c'est précisément parce que ces connaissances sont tirées des actions et non pas des objets comme tels qu'elles peuvent dans la suite être traduites en opérations symboliques et en langage. En effet ce langage ne désigne pas uniquement les objets : il exprime aussi les actions et opérations du sujet sur les objets, et, sans ce sujet (...) il n'y aurait ni logique ni mathématiques, puisque le système des signes n'aurait aucun sens, même pas descriptif et empirique » (L.C.S., p. 98).

10. Opérations infra-logiques et opérations logico-arithmétiques

Les opérations qui se constituent aux alentours de 7-8 ans sont, selon Piaget, de deux ordres : les opérations logico-arithmétiques et les opérations infralogiques. Cette nouvelle distinction est beaucoup plus précise que les précédentes qui concernaient, ainsi que nous l'avons vu, l'expérience et la connaissance en ses composantes d'une manière générale. Celle-ci désigne les opérations mais vise surtout à tenir compte des relations à l'espace et du fait que les opérations s'accompagnent ou non de représentations imagées.

Les opérations concrètes de caractère logico-arithmétique portent « exclusivement sur les ressemblances (classes et relations symétriques), les différences (relations asymétriques) ou les deux à la fois (nombres), entre objets discrets, réunis en ensembles discontinus et indépendants de leur configuration spatio-temporelle » (R.E., p. 534).

Les opérations concrètes de caractère infra-logique ou spatio-temporel « sont précisément constitutives de l'espace » (R.E., p. 534).

Ce terme « infra-logique, sans nul doute mal choisi pour qui ne connaît pas la logique de Russel, ne signifie pas que les opérations ont une rigueur logique inférieure mais simplement « qu'elles sont formatrices de la notion de l'objet comme tel, par opposition aux ensembles d'objets » (R.E., p. 534). Elles portent sur les emboîtements de partie d'un même objet, la différence d'ordre ou de placement, de mesure. « Traduites dans le langage des propositions hypothético-déductives, elles ne se distinguent plus des opérations logico-arithmétiques, dont elles constituent simplement un domaine spécial : celui du continu par opposition à celui du discontinu » (R.E., p. 534). Constitutives des objets comme tels, les opérations infra-logiques concernent les conservations physiques (des quantités de matière, de poids, de volume) et la constitution de l'espace (avec conservations correspondantes de droites, surfaces, périmètres, horizontales, verticales, etc.).

Les opérations constitutives de l'espace ont, pour leur part, la particularité d'être accompagnées d'images mentales relativement adéquates : l'image mentale d'un carré est à peu près un carré, etc., et de pouvoir se traduire par des représentations figurées au contraire des opérations logico-arithmétiques où les images, sans être absentes, n'ont dans tous les cas aucun rapport :

l'image d'un nombre ou d'une classe logique n'est ni un nombre, ni une classe. Mais si l'image joue un rôle dans le domaine spatial parce qu'elle représente elle-même un caractère spatial cela ne signifie pas qu'elle constitue le moteur principal de l'intuition géométrique. L'image n'est qu'un symbole élaboré par des imitations intériorisées. D'abord statique au niveau préopératoire, elle acquiert ensuite une certaine mobilité au niveau opératoire concret. C'est pourquoi l'intuition géométrique est de nature opératoire « et si elle s'accompagne de représentations imaginées plus ou moins adéquates, c'est en vertu de l'homogénéité, spéciale à l'espace, qui existe entre les signifiants symboliques visuels et les signifiés spatiaux » (E.E.G., XVIII, p. 4).

Le problème se pose maintenant des relations entre l'espace physique et l'espace logico-mathématique. Au niveau opératoire, les connaissances physiques et logico-mathématiques sont faciles à distinguer car celles-ci procèdent par composition opératoire et déductive, alors que celles-là recourent à l'expérience. Au niveau pré-opératoire, il existe une expérience logico-mathématique par appel à des constatations de fait qui diffère de l'expérience physique par deux caractères : 1 - Si l'expérience physique porte sur les objets comme nous l'avons vu et procède par abstraction à partir de ceux-ci, l'expérience logico-mathématique porte sur les actions exercées sur les objets et procède par abstraction à partir de ces actions, c'est-à-dire à partir des propriétés que ces actions ont introduites dans l'objet. 2 - L'abstraction physique est simple parce qu'elle porte sur des contenus tirés de l'objet et reste attachée à celui-ci alors que l'abstraction logico-mathématique au contraire est réfléchissante et constructive. Or, contrairement aux structures logico-arithmétiques, les structures spatiales relèvent de deux types d'expériences, physique et logico-mathématique (ce qui explique encore une fois pourquoi l'image visuelle joue un rôle privilégié dans l'intuition géométrique) et de deux abstractions, simple et réfléchissante.

« Comme exemples d'expériences physiques de l'espace, avec abstraction simple, on peut citer un certain nombre de lectures des données de la perception. C'est ainsi que, à un niveau où l'enfant ne parvient pas par voie déductive aux conservations élémentaires de surface, il aura besoin d'une expérience par superposition d'éléments pour constater qu'un rectangle composé de six carrés groupés sous la forme 2 x 3 aura la même surface que le rectangle résultant de l'alignement de ces six carrés, soit 6 x 1 : en ce cas l'abstraction de la surface peut être dite simple parce que ne comportant aucune reconstruction sur le plan de la pensée pour comparer les deux formes.

« Comme exemple d'expérience logico-mathématique de l'espace avec abstraction réfléchissante, rappelons au contraire le passage du « groupe » sensori-moteur des déplacements au « groupe » représentatif. Dès le milieu de la seconde année, l'enfant est capable de s'y retrouver dans son appartement et son jardin, avec possibilité de détours et retours, ce qui constitue un « groupe » de translations,mais par actions successives s'enchaînant de proche en proche ; il est de même capable de retourner un objet pour en retrouver les différentes faces, ce qui constitue un « groupe » de rotations, sous-groupe lui aussi du groupe des déplacements. Mais il faut attendre quelques années pour obtenir une représentation (par simple arrangement, sur un plan, de petits objets symbolisant les points de repère connus) de trajets effectués journellement, comme entre l'école et la maison ; ou pour imaginer le résultat des rotations autour d'un grand objet, par exemple pour reconstituer les relations entre les parties du bâtiment d'école selon qu'on les perçoit d'un côté ou d'un autre (inversions du premier et de l'arrière-plan ou de la gauche et de la droite). En effet, une première différence distingue ces groupes représentatifs des groupes sensori-moteurs : c'est qu'ils conduisent à une comparaison d'ensemble et simultanée de ce qui, au niveau des seules actions, est successif et ne permet donc la composition que de proche en proche. D'où une deuxième nouveauté : la possibilité de compositions proprement déductives ; par exemple, comprendre que sur un trajet linéaire conduisant de A à Z, puis de Z à A mais avec un ensemble de navettes partielles telles que ADB, BMG, GXD, DZ, etc., la somme des déplacements dans le sens AZ (symbolisés par des fils bleus mesurant chaque mouvement partiel) équivaudra nécessairement à la somme des déplacements dans le sens ZA. Or, on voit d'emblée que, si un tel groupe représentatif est bien tiré du groupe sensori-moteur ou expérimental, c'est bien par une abstraction qui est (a) réfléchissante puisqu'il y a « réflexion » au sens d'une projection des actions sur le plan des représentations ; et (b) constructive (par réflexion mentale) au sens où une déduction remplace la constatation expérimentale, cette déduction étant plus riche que les constatations parce que plus mobile et de champ beaucoup plus large. Ces deux caractères se retrouveront ensuite sur chaque nouveau palier de structuration... » (E.E.G., XVIII, p. 6-7).

En bref, les opérations logico-arithmétiques partent des objets, les réunissent en classes, les sérient ou les dénombrent ne s'occupant pas de l'objet dans sa composition interne. Les opérations spatiales en revanche ont pour limite supérieure l'objet d'un seul tenant : figure, plan, ou le globe en tant qu'objet d'un seul tenant, et le décomposent en parties qu'elles relient de diverses manières. Ces opérations sont appelées infra-logiques (isomorphes aux opérations logico-arithmétiques mais d'échelle inférieure).

Les opérations infra-logiques constitutives de l'objet en tant que tel sont donc spatio-temporelles et physiques. Ces diverses appellations sont équivalentes du point de vue épistémologique. Si les opérations infra-logiques sont constitutives de l'objet en tant que tel, elles le sont a fortiori de l'espace proprement dit mais elles aboutissent à la construction d'invariants physiques (substance, poids, volume) et d'invariants spatiaux (conservation des longueurs, des surfaces, des périmètres, établissement de l'horizontale, de la verticale, etc.). De tels invariants sont nécessaires au fonctionnement des structures logiques - les opérations logiques reposent sur les conservations - et se constituent en parallèle et en même temps qu'elles et obéissent aux mêmes lois de totalité (groupement des opérations concrètes). Si des images accompagnent les opérations spatiales proprement dites, il en est de même dans la constitution des invariants physiques (substance, poids, volume). Dans un complexe d'expériences sur l'image mentale, une recherche en particulier a consisté à faire anticiper les conservations avant de faire procéder à la manipulation. Il appert de cette recherche que l'image mentale est partiellement en avance sur l'opération, que l'opération utilise l'image avant que, pour finir, les transformations se subordonnent les états ou configurations.

Tableaux récapitulatifs sommaires

N° I

Aspects figuratifs	*Aspects opératifs*
Tout ce qui se rapporte aux configurations ou états	Tout ce qui se rapporte aux transformations
Rôle prépondérant de 2 à 7 ans	Rôle prépondérant après 7 ans

- perception - imitation (gestuelle, phonique, graphique) - image mentale	Se rapporte à tout ce qui modifie l'objet à partir de l'action jusqu'aux opérations
Structures figuratives : statiques peu réversibles incomposables	Structures opératives : mobiles réversibles transformations entre deux états

N° II

Opérations logiques	*Opérations infra-logiques*
Opérations logico-arithmétiques	Opérations physiques, Opérations spatio-temporelles
1 - Classes (réunion de termes équivalents, ressemblances) 2 - Relations (différences) 3 - Nombre (synthèse de 1 & 2)	1. Sectionnements — - Voisinage 2. Déplacements — - Différence d'ordre ou de placement 3. Mesure — - Mesure
↓	Conservations physiques — Conservations spatiales
Le discontinu	└──→ Le continu ←──┘
S'appliquent aux collections d'objets, à leurs rapports ou aux deux à la fois	S'appliquent à l'objet comme tel et à ses parties ou à ses rapports spatio-temporels internes
Pas de symboles imagés	Conservations : présence d'images Construction de l'espace : symboles imagés (« adéquats »)

Pour conclure, les opérations logico-arithmétiques et les opérations physiques (ou infra-logiques ou spatio-temporelles) sont, avant l'âge de 7-8 ans, confondues, toutes les opérations étant, en leurs stades élémentaires à la fois logiques et physiques. « Avant six ou sept ans, l'enfant ne se représente les nombres que comme des figures et les êtres logiques que comme des objets complexes dont la classe est l'aspect collectif et la relation la structure intérieure. C'est au moment seulement où il dépasse ce niveau intuitif pour concevoir les opérations réversibles, que le sujet commence à distinguer les opérations physiques et les opérations logico-arithmétiques : elles constituent en leur mécanisme formel, exactement les mêmes transformations, mais les premières s'appliquent à l'objet comme tel et à ses parties, ou à ses rapports spatio-temporels internes, et les secondes aux collections d'objets (classes), aux rapports entre objets conçus comme éléments de classes ou entre classes (relations) ou aux deux à la fois (nombres) » (D.Q.P., p. 279).

11. Facteurs du développement mental

On a beaucoup reproché à Piaget d'avoir étudié le développement de l'intelligence en se fondant uniquement sur le sujet et sans tenir compte, comme en tout développement, d'autres facteurs tels que, la maturation, l'éducation, le langage, le milieu, etc. Piaget a répondu de nombreuses fois à ses détracteurs. Sans nous risquer sur ce terrain beaucoup trop difficile, rappelons simplement quelle est la position de Piaget en ce qui concerne les « facteurs du développement mental ».

Pour Piaget, on peut retenir quatre facteurs généraux du développement mental mais dont la responsabilité est variable.

Le premier facteur est celui de la maturation nerveuse. Certes, il joue un rôle indéniable. L'importance de la myélinisation a été mise en évidence de multiples manières, ne serait-ce qu'en pathologie, dans le cas, entre autres, de la débilité phénylpyruvique. Mais si nul ne le conteste, on en connaît en réalité fort mal le détail. On ne sait rien des conditions de maturation qui rendent possible la constitution des structures opératoires. Lorsque l'on est renseigné - dans quelques secteurs seulement - on constate simplement que la maturation ouvre des possibilités, qu'elle apparaît par conséquent comme une condition nécessaire de l'apparition de certaines conduites, mais qu'elle n'en est pas la condition suffisante car elle doit se doubler par l'exercice et le fonctionnement. De plus, si le cerveau contient des connexions héréditaires, il en contient un nombre toujours croissant dont la plupart sont acquises par l'exercice. Enfin, plus les acquisitions sont éloignées des origines sensori-motrices et plus leur chronologie est variable, sans que leur ordre de succession soit en cause. C'est donc que la maturation est de moins en moins seule à agir. Il s'y ajoute les influences du milieu physique et social qui ne cessent de prendre de l'importance. Par conséquent la maturation est un facteur, à coup sûr nécessaire dans la genèse, mais qui n'explique pas tout le développement. Elle n'est donc qu'un facteur parmi d'autres dont on ne sait pas exactement quel est le rôle en dehors de l'ouverture de possibilités, ni surtout le mode d'action.

Le second facteur est celui de l'exercice et de l'expérience acquise dans l'action effectuée sur les objets. Ce facteur est essentiel et nécessaire ; néanmoins il est complexe et n'explique pas tout. On distinguera l'expérience physique et l'expérience logico-mathématique dont nous avons déjà parlé, en rappelant que la première consiste à agir sur les objets pour en abstraire les propriétés et que la seconde consiste également à agir sur les objets mais pour connaître le résultat de la coordination des actions. L'expérience physique est donc une structuration active et assimilatrice à des cadres logico-mathématiques. En conséquence, l'élaboration des structures logico-mathématiques précède la connaissance physique.

Le troisième facteur est celui des interactions et des transmissions sociales. Le langage d'abord est sans contestation possible un facteur de développement ; mais il n'en est pas la source. En effet, pour pouvoir assimiler le langage et notamment les structures logiques qu'il véhicule, il faut un instrument d'assimilation qui lui est antérieur. Les structures « tous » et « quelques » par exemple sont utilisées très tôt par l'enfant, mais ce n'est que vers 8-9 ans qu'il est capable de les utiliser adéquatement. Bien plus, et d'une manière générale, le développement opératoire devance l'expression verbale. Le niveau des opérations concrètes le démontre assez où l'on voit que l'opération est beaucoup plus proche de l'action que de la verbalisation. Ce que l'enfant ne sait pas dire ou résoudre verbalement, il le « dit » et résout concrètement. Le langage ne semble donc en voie d'être maîtrisé que lorsque les structures nécessaires à une logique verbale sont acquises, c'est-à-dire après douze ans. Si le milieu social apporte une grande richesse dans la réalisation verbale, cela ne permet en rien de préjuger du niveau des structures logiques. Ce point ne signifie pas, toutes choses égales, que le langage n'ait pas d'influence sur la structuration logique, mais son mode d'action ne peut être que supposé tant que l'on n'a pas réalisé d'expériences qui le montrent.

L'échange social et la socialisation peuvent être évoqués ensuite. Or nous savons que si la socialisation commence par les conduites, la socialisation de la pensée n'est possible que lorsque les structures de réversibilité sont acquises. C'est pourquoi la réciprocité dans les échanges n'est une réalité qu'après 8 ans. Le niveau de réalisation du langage dans les conversations entre enfants en est la preuve autant que leurs conduites dans le groupe (socialisation des groupes de jeu, accession au jeu de règles, réciprocité des conduites morales, etc.).

Enfin, la transmission sociale (ou éducation comme on voudra) dont l'action est complexe et qui porte sur une multitude de facteurs a une importance indéniable mais que l'on ne sait apprécier. Quant à ce mode particulier de transmission qu'est l'école, il consiste plus à faire répéter, réciter, apprendre d'une façon générale, qu'à faire opérer. Autrement dit, l'enseignement véhicule davantage un savoir, le plus souvent verbal, qu'il ne met les enfants en état d'exercer leurs structures et d'en acquérir d'autres. Autrement dit encore, les apprentissages scolaires ne sont possibles et efficaces que s'ils s'appuient sur des structures antérieurement acquises (tout apprentissage lui-même supposant une logique) et que s'il contribue autant à les renforcer par l'exercice qu'à favoriser leur développement. En tout état de cause, pour assimiler, il faut des structures d'assimilation.

Le quatrième facteur réside dans l'équilibration. Si ce dernier facteur est nécessaire pour rendre compte de chacun des facteurs précités et surtout pour leur réunion, il comporte lui-même sa propre spécificité. Les opérations ne sont pas préformées ; elles se construisent de façon continuelle par l'abstraction réfléchissante qui, comme nous le savons, réfléchit sur un plan supérieur la structure élémentaire initiale, la reconstruit et l'élargit. Les abstractions réfléchissantes consistant ainsi à transformer les objets ou les situations, elles ne s'exercent qu'à l'occasion de problèmes, de conflits, de déséquilibres. Or, la reconstruction opérée consiste à rétablir l'équilibre antérieur en élargissant le champ de l'équilibre par une modification des structures. Ainsi, dans le domaine intellectuel, la notion d'équilibre se caractérise par la compensation. L'équilibre, n'étant pas un état de repos mais procédant d'une adaptation, est mobile de telle sorte qu'en présence de perturbations extérieures le sujet cherche à les réduire par des compensations de sens inverse. C'est pourquoi, l'équilibration conduit à la réversibilité, propriété des structures opératoires. Comme processus, elle mène les opérations vers des formes d'équilibre toujours plus larges et de niveaux supérieurs, les formes inférieures n'étant que des formes d'équilibre approchées.

Les facteurs du développement que PIAGET dégage ont certes tous leur influence sur la structuration du sujet, mais le facteur le plus important est celui de l'équilibration. C'est donc ce facteur - facteur interne de développement - sorte de dynamique, de processus conduisant par réflexion et reconstruction à des états de structurations supérieurs qui est en dernier ressort le facteur déterminant.

12. EN GUISE DE CONCLUSION

Si le facteur d'équilibration est en définitive le facteur central dans le développement mental selon PIAGET, ce point de vue se comprend et se justifie non pas seulement dans l'économie de la théorie épistémologique qu'il a élaborée, mais aussi par le type même des expériences réalisées. En effet, si l'appréhension initiale est celle de la connaissance - et comme il ne peut y avoir de connaissance que de la part du sujet connaissant - c'est dans la perspective du sujet qu'il faut s'installer et voir quelles structures il met en œuvre pour constituer le savoir. Le rapport premier est celui d'un être structuré par ses apports héréditaires et qui s'adapte en assimilant d'abord, en accommodant ensuite et, ce faisant, en modifiant ses structures d'assimilation pour mieux assimiler, et ainsi, en un cercle sans fin mais dont le mouvement est comparable à une spirale dont les spires vont toujours s'élargissant. C'est pourquoi il n'y a ni commencement ni fin, pourquoi il n'y a pas de genèse sans structure ni de structure sans genèse, PIAGET n'a cessé de le répéter. On comprendra qu'il ne peut y avoir de commencement ni de fin si l'on considère que la naissance n'est qu'un moment d'un processus qui, de l'embryon, conduit à l'adulte. Or, de l'état d'équilibre fœtal à l'état d'équilibre de la pensée formelle, il n'y a, tout compte fait, qu'une série d'étapes consistant en conquêtes successives d'états d'équilibres toujours plus stables qui créent des moyens nouveaux de compenser les perturbations. L'équilibre dit final ne l'est que relativement à nos connaissances autant qu'au point où se trouve le développement de l'esprit humain. Si l'on considère que celui-ci n'est que le moyen créé par la vie pour s'adapter, on est renvoyé à tout ce mouvement cosmique qui engendra la matière, qui engendra la vie, qui engendra... etc.

Pour nous en tenir au sujet connaissant, tout semble donc s'organiser pour que, par lui même, il crée les moyens de son adaptation. Ceux-ci sont les structures qui lui permettent de se structurer à son tour et de restructurer en retour. Le rapport s'établit entre un sujet et un objet dans ce que PIAGET appelle un interactionnisme. Parler d'assimilation c'est renvoyer aux structures, parler d'adaptation, c'est évoquer l'accommodation. Or, si l'intelligence, comme moyen d'adaptation, est conçue en termes d'équilibre entre l'assimilation et l'accommodation, le résultat en est la connaissance, moyen que possède l'esprit humain pour s'adapter. Autrement dit, si le sujet constitue l'objet pour s'adapter, il se constitue en se reconstituant en retour. C'est pourquoi le problème de la connaissance n'est envisageable que dans le cadre de l'activité de l'esprit humain. S'il y a dialectique entre le sujet connaissant et la chose connue, il n'en demeure pas moins que quelque chose est évacué. Ce point repose tout le problème des facteurs de développement car si l'on décrit bien ainsi l'activité du sujet structurant et se structurant, on n'étudie que le sujet. On n'obtient en fin de compte que le sujet et ses produits, c'est-à-dire lui-même et ses connaissances. On tient compte de ce dont le sujet tient compte, à savoir l'objet, mais où est l'action effective de l'objet sur le sujet en dehors des réactions constitutives de celui-ci par le sujet ? La dialectique du sujet et de l'objet ne se constitue pas en dehors d'un contexte historique complexe.

Il s'agit donc bien d'une psychologie du sujet comme créateur de lui-même et du monde dans un processus d'interactions sujet-objet mais vu sous l'angle de ce processus lui-même. C'est pourquoi la psychologie génétique de PIAGET est dialectique, mais c'est pourquoi aussi elle s'inscrit dans une dialectique partielle - nous écririons presque partiale. Car comment l'objet, c'est-à-dire le monde en général, agit-il sur nous, sujets connaissants, qui nous constituons en tant que tels ? Comment le savoir autrement qu'en interrogeant l'acte de constitution de l'objet et du sujet connaissant par le sujet connaissant lui-même dans sa dialectique à l'objet ?

Si tel semble avoir été le point de vue de PIAGET - point de vue où il s'enferme en définitive - il le fait pencher dangereusement, peut-être pas exactement vers l'idéalisme, mais vers quelque chose qui pourrait y ressembler et qui, bien que dialectique, n'en réduit pas moins le rapport sujet-objet à un rapport sujet-objet constitué par le sujet.

Mais si nous nous interrogeons bien, était-il possible de faire autrement dans l'état actuel de nos connaissances et du développement des sciences humaines dans la civilisation où nous sommes ? Une psychologie dialectique où la relation sujet-objet serait envisagée tant dans la perspective où le sujet constitue l'objet que dans celle où l'objet constitue le sujet est-elle seulement envisageable avec les moyens dont nous disposons ? Deux tendances semblent plutôt s'opposer que se rejoindre, quand elles ne s'affrontent pas, la psychologie qui tend à subordonner l'objet au sujet, et la psychologie qui tend à subordonner le sujet à l'objet. Qu'on y prenne bien garde, toutes deux peuvent être dialectiques. Mais une psychologie totale ainsi pressentie n'apparaît pas possible. Nous n'en avons pas encore les premiers éléments.

BIBLIOGRAPHIE DU CHAPITRE II

a) *Assimilation et accommodation*

PIAGET (J.), *La naissance de l'intelligence chez l'enfant*, Delachaux et Niestlé, 4e éd., 1963, pp. 8-14 & 356-367 (abrégé : N.I.).

PIAGET (J.), *Etudes d'épistémologie génétique*, fascicule V, *La lecture de l'expérience*, pp. 49-108, *Assimilation et connaissance* (abrégé : E.E.G.V.).

b) *Stades*

PIAGET (J.), *Problèmes de psychologie génétique*, Médiation, 1972 : *Les stades du développement intellectuel de l'enfant et de l'adolescent*, pp. 54-66 (abrégé : P.P.G.).

PIAGET (J.), *Psychologie et Epistémologie,* Médiation 1970, pp. 61 à 79.
PIAGET (J.) et INHELDER (B.), *La psychologie de l'enfant,* P.U.F. 1966, pp. 121-122 (abrégé : P.E.).
TANNER (J.) et INHELDER (B.), *Entretiens sur le développement psychobiologique de l'enfant,* Delachaux et Niestlé, 1960, pp. 81-92 (abrégé : E.D.P.).

c) *Opératif - figuratif*

PIAGET (J.), *Les mécanismes perceptifs,* Paris, P.U.F., 1961, pp. 441-442 (abrégé : M.P.), *Etudes d'épistémologie génétique,* fascicule XIV, p. 169, Jean PIAGET, *Problèmes de psychologie génétique,* pp. 78-81.

d) *Abstraction simple, abstraction réfléchissante*

BETH (E.W.) et PIAGET (J.), in E.E.G. XIV, pp. 203, 217, 220-221, 247-248.
PIAGET (J.), *Logique et connaissance scientifique,* Gallimard, 1967, pp. 340-393 (abrégé : L.C.S.).

e) *Connaissance physique, connaissance logico-mathématique, Expérience physique, expérience logico-mathématique*

PIAGET (J.), *Logique et connaissance scientifique,* pp. 97-102, 384-395.
PIAGET (J.), *Epistémologie mathématique et psychologie,* E.E.G. XIV, pp. 247-255.
PIAGET (J.), *Apprentissage et connaissance,* E.E.G. VII, pp. 24-25.

f) *Infra-logique, logico-arithmétique*

PIAGET (J.) et INHELDER (B.), *La représentation de l'espace chez l'enfant,* P.U.F. 1948 (abrégé : R.E.).
PIAGET (J.), *Epistémologie de l'espace,* E.E.G. XVII, pp. 3-13.

g) *Facteurs du développement mental*

FRAISSE et PIAGET (J.), *Traité de psychologie expérimentale*, P.U.F. 1963, tome VII, pp. 149-153 (abrégé : T.P.E.).

PIAGET (J.) et INHELDER (B.), *La psychologie de l'enfant*, P.U.F., 1966, pp. 121-126 (abrégé : P.E.), E.E.G. XIV, pp. 210-317.

PIAGET (J.) et INHELDER (B.), *Le développement des quantités physiques*, Delachaux, 1961, p. XXV-XXVI (abrégé : D.Q.P.).

CHAPITRE III

L'intelligence sensori-motrice

L'intelligence sensori-motrice - terme caractérisant le développement de l'enfant de la naissance à l'âge de deux ans approximativement - est essentiellement une intelligence qui, négativement, peut être décrite comme étant sans pensée ou représentation, sans langage, sans concepts. Il lui manque donc la fonction symbolique, ou mieux sémiotique, qui lui permettrait de se représenter par un ensemble d'images mentales les objets et les situations absents et de les évoquer par le langage. Dès lors, il s'agit, positivement cette fois, d'une intelligence qui se détermine en présence de l'objet, des situations, des personnes et dont l'instrument est la perception. Mais cette intelligence dont le développement est extraordinairement rapide élabore, à ce niveau, les substructures cognitives de l'intelligence ultérieure. C'est assez dire son importance dans le développement génétique.

L'intelligence sensori-motrice est donc essentiellement pratique. Elle vise non pas à la vérité, mais à la réussite. Les résolutions de problèmes d'action auxquels elle parvient (atteindre des objets éloignés ou cachés par exemple) sont réalisées grâce à la construction d'un système de schèmes assez complexe et à l'organisation du réel selon un ensemble de structures spatio-temporelles et causales. Mais, en attribuant à l'intelligence sensori-motrice de telles caractéristiques on ne donne en fait qu'une idée de son état à peu près achevé, ou mieux, de son palier d'équilibre. Or, entre ses manifestations à la naissance et ses manifestations à dix-huit mois, tout un ensemble d'acquisitions ou d'éléments coordonnés se sont mis en place, en constituant une structure totale dont il faut suivre les phases successives pour en avoir une représentation aussi exacte que possible. L'intelligence sensori-motrice est donc une expression servant à caractériser à la fois un processus de formation et un état d'équilibre final. Elle permet de se rendre compte à la fois de l'élaboration des structures qui la caractérisent, des mécanismes de leur fonctionnement et de leur intégration dans une structure totale équilibrée (groupe pratique des déplacements).

Nous aborderons l'étude de l'intelligence sensori-motrice selon deux points de vue :
1. Le développement de l'intelligence et la formation des structures sensori-motrices.
2. La construction du réel, des structures spatio-temporelles et de la causalité.

1. Le développement de l'intelligence et la formation des structures sensori-motrices

Le contexte théorique où Piaget situe le développement est celui de l'adaptation de l'organisme au milieu, ce qui peut se traduire, pour simplifier, par l'interaction sujet-objet. L'adaptation caractérise un équilibre qui se réalise par structurations successives entre deux processus ou invariants fonctionnels : l'assimilation et l'accommodation. Rappelons que les processus d'assimilation consistent, du point de vue du comportement où nous allons nous placer, à intégrer tel quel un objet aux schèmes constitués. Ils sont donc essentiellement répétitifs ; mais ils consolident les schèmes par la répétition. Les processus d'accommodation consistent, en tenant compte des propriétés de l'objet ne pouvant être directement assimilées, à contribuer à modifier les schèmes d'assimilation. Lorsque l'assimilation et l'accommodation sont en équilibre, la conduite est adaptée. Mais, bien entendu, tout équilibre est « précaire » pour autant qu'il est provisoire. Le sens du développement ne se comprend que dans la mesure du passage d'un équilibre à un autre de forme supérieure, de plus en plus mobile, équilibre signifiant essentiellement souplesse et mobilité, mais aussi stabilité car une forme d'équilibre atteint ne se détruit pas. Au contraire, elle se recompose dans une forme supérieure de plus grande stabilité et de plus grande mobilité. En aucun cas équilibre et stabilité ne signifient statisme, le structuralisme de PIAGET apparaissant ainsi comme un structuralisme génétique.

- Stade (ou sous-stade) I : L'exercice des réflexes (jusqu'à un mois)

A la naissance, l'enfant ne possède, comme moyen d'adaptation, que les réflexes héréditaires. Du point de vue physiologique autant que du point de vue psychologique, l'enfant qui vient de naître est très dépourvu et, faute de l'assistance humaine, sa survie serait très compromise, pour ne pas dire impossible. Le cas des enfants-sauvages - enfants-loups, enfants-gazelles, enfants-autruches, etc. - est un cas à part, et il y a fort à parier que l'adaptation de ces enfants au milieu animal s'est effectuée à un âge déjà avancé sans qu'il soit possible de préciser lequel.

Psychologiquement, l'enfant, pendant les premières semaines et les premiers mois de sa vie extra-utérine, se situe dans un adualisme initial où ce qui est de son corps et ce qui est du milieu extérieur n'est pas distingué. Mais l'enfant prend peu à peu « conscience » de son pouvoir d'agir à distance sur son environnement en criant pour faire cesser un état de faim, une gêne en rapport avec la défécation, etc. C'est pourquoi on peut parler d'un égocentrisme initial, ou égocentrisme sensori-moteur.

Néanmoins, le nouveau-né possède un ensemble de réflexes, sortes de réponses toutes prêtes et stéréotypées qui lui permettront des réponses aux sollicitations extérieures : réflexe de Moro, de redressement et marche automatique, d'incurvation du dos (réflexe de Galant), d'enjambement, « Grasping-reflex », « rooting reflex » (fouissement), succion, déglutition, etc. Ces réflexes entrent en jeu dès la naissance. Mais, pour PIAGET, il y a, dès le départ, conduite « au sens de réaction totale de l'individu, et non pas seulement mise en jeu d'automatismes particuliers ou locaux reliés entre eux du dedans seulement » (N.I., p. 27). Par conséquent, c'est avec toutes les ressources dont il dispose que le nouveau-né entre en relation avec le milieu extérieur pour s'y adapter. Dans cette perspective, l'exercice des réflexes est immédiatement un comportement et il est possible de dire que, dès leur mise en rapport avec le milieu, « le problème psychologique commence ». Si fixé ou si bien monté soit-il, un mécanisme héréditaire tel que le réflexe a besoin d'un certain exercice pour s'adapter réellement. Il est donc susceptible de s'accommoder au monde extérieur. C'est donc en fonctionnant que le réflexe se consolide et s'affermit. Et c'est en fonctionnant également qu'il donnera lieu à la constitution de schèmes.

Pour PIAGET, le point de départ du développement n'est donc pas à chercher dans les réflexes conçus comme des réponses isolées, mais bien plutôt « dans les activités spontanées et totales de l'organisme et dans le réflexe conçu comme une différenciation de celles-ci et comme pouvant en certains cas (ceux des réflexes qui se développent par exercice au lieu de s'atrophier ou de rester inchangés) présenter une activité fonctionnelle entraînant la formation de schèmes d'assimilation » (P.E., p. 9). C'est pourquoi le premier stade est décrit par PIAGET comme le stade de l'exercice réflexe. Par exemple, l'exercice de la succion consolide le réflexe de succion par fonctionnement. Après quelques jours, le bébé retrouve plus facilement le mamelon qu'au cours des premiers essais. Ainsi l'assimilation fonctionnelle et reproductrice consolide la succion, se prolonge en assimilation généralisatrice : sucer à vide ou sucer d'autres objets, et en assimilation récognitive ; distinguer le mamelon des téguments environnants, ou le distinguer d'autres objets (par succion).

Les réflexes sont donc pour PIAGET des éléments entrant en tant que tels dans le comportement d'adaptation - phénomène total - du nouveau-né. Dès les premières réactions comportementales, le bébé met en jeu les mécanismes d'assimilation et d'accommodation qui, du moins à ce premier stade, sont confondus et ne se dissocieront que plus tard.

- Stade (ou sous-stade) II : Les premières adaptations acquises et la réaction circulaire primaire (1 mois - 4 mois 1/2).

Avec l'exercice des réflexes étaient mises en jeu les adaptations héréditaires qui se consolidaient par l'exercice, mais où l'assimilation et l'accommodation n'étaient pas différenciées. La mise en place du réflexe de succion demandait à la fois une activité assimilatrice et une activité accommodatrice sans distinction. En revanche, avec l'adaptation acquise, un pas de plus est franchi : l'assimilation et l'accommodation commencent à se dissocier car l'adaptation acquise suppose un apprentissage relatif aux données nouvelles du milieu extérieur. Dans l'exercice réflexe, on assiste à une fixation du mécanisme comme tel au lieu que dans l'adaptation acquise l'activité du bébé retient quelque chose qui est extérieur à elle, autrement dit, se transforme en fonction de l'expérience. La succion du pouce est exemplaire à cet égard dès qu'elle n'est plus l'effet de rencontres dues au hasard mais lorsqu'elle s'effectue par coordination entre la main et la bouche. A ce moment on peut parler d'accommodation acquise : « ni les réflexes de la bouche, ni ceux de la main ne prévoient héréditairement une telle coordination (il n'y a pas d'instinct de sucer son pouce !) et l'expérience seule en explique la formation » (N.I., p. 49).

Ainsi, au cours du second et du troisième mois, deux conduites incontestablement nouvelles se font jour : la protusion de la langue, la succion du pouce.

Laurent à 30 jours est dans son lit et ne pleure pas. Il suce à vide en ouvrant et fermant la bouche de façon rythmique et lente, la langue en mouvement. Cette conduite est nouvelle et étrangère aux réflexes de succion et déglutition. Il y a là ce que BALDWIN appelait une *réaction circulaire* où le résultat intéressant découvert par hasard est conservé par répétition. PIAGET définira cette réaction circulaire de façon plus précise comme « un exercice fonctionnel acquis, prolongeant l'exercice réflexe et ayant pour effet de fortifier et d'entretenir non plus seulement un mécanisme tout monté, mais un ensemble sensori-moteur à résultats nouveaux poursuivis pour eux-mêmes » (N.I., p. 64).

PIAGET a noté par ailleurs d'autres conduites de ce type, telles que : exploration systématique du regard, gazouillis, saisie, etc., et, vers 3-4 mois, des conduites de coordination entre la vision et la préhension : l'enfant saisit l'objet qu'il voit et le porte à sa bouche.

Pour ce qui concerne la préhension, cinq étapes sont distinguées par PIAGET :

1re étape : mouvements impulsifs et du pur réflexe ; par exemple, la main se referme quand le doigt touche la paume. Mais l'auteur remarque que parfois les cris cessent en cette situation pour reprendre aussitôt ce qui rend contestable l'affirmation du pur automatisme. N'aurait-on pas là un exercice réflexe puisqu'il s'observe dans la têtée avant le relâchement qui s'ensuit ?

2e étape : premières réactions circulaires relatives aux mouvements des mains antérieurement à toute coordination de la préhension proprement dite avec la succion ou avec la vision. Ce sont des réactions circulaires de préhension pour la préhension, de succion pour la succion, etc., mais aussi de coordination entre succion et mouvements de la main, etc.

3e étape : coordination entre préhension et succion : un hochet placé dans les mains est aussitôt sucé (Lucienne à 0 ; 4 (9)). A la

suite de la réaction circulaire primaire l'enfant commence à s'intéresser aux objets pour eux-mêmes. Après avoir regardé pour regarder, il regarde l'objet lui-même. On passe du regard pour lui-même au regard pour les objets eux-mêmes. Pour en revenir à la préhension, la bouche attire en quelque sorte ce que la main saisit. On assiste à une coordination de schèmes entre eux. Mais, d'une façon générale, il n'y a pas encore de coordination véritable entre vision et préhension puisque « l'enfant ne sait ni prendre ce qu'il voit (il ne saisit pas ce qu'il touche ou ce qu'il suce), ni accepter devant les yeux ce qu'il a saisi (il porte les choses à la bouche et non pas aux yeux), ni même regarder sa propre main lorsqu'elle est retenue par la main d'autrui » (N.I., p. 99). L'enfant ne saisit encore les objets que lorsqu'il les touche par hasard « et s'il regarde ses mains lorsqu'elles tiennent déjà l'objet, la vision ne sert encore en rien à l'acte même de saisir » (*idem*, p. 100).
4e étape : Préhension dès perception simultanée de la main et de l'objet désiré. Lucienne à 0;4 (15) saisit le hochet quand elle aperçoit ensemble sa main et le hochet. L'enfant saisit donc l'objet qu'il voit lorsque sa main et l'objet sont dans son champ visuel, « la vision simultanée de la main et de l'objet pousse l'enfant à saisir : ni la vue de l'objet seul, ni la vue de la main seule ne conduisent à ce résultat » (N.I., p. 105).
5e étape : Préhension de ce qui est vu.
« La coordination entre la vision et la préhension est suffisante pour que tout objet frappant le regard donne lieu à un mouvement de préhension même lorsque la main n'est pas perçue dans le même champ visuel que l'objet » (N.I., p. 110).

Ces cinq étapes se déroulent dans l'ordre indiqué, mais à des âges variables. Si nous avons, en les décrivant sommairement, dépassé le cadre de ce stade II, c'est pour montrer comment les schèmes, distincts au niveau des premières habitudes acquises, se coordonnent peu à peu et comment différents espaces - nous reviendrons sur ce point - hétérogènes au début : vision, préhension, succion, se coordonnent également.

Pour ce qui concerne le stade des premières adaptations acquises, nous pouvons retenir que les conduites observées (et décrites minutieusement par PIAGET) « font la transition entre l'organique et l'intellectuel » (N.I., p. 112). Elles ne sont pas encore intelligentes parce qu'il leur manque :
1 - l'intentionnalité différenciant buts et moyens,

2 - la mobilité permettant une adaptation continue à des circonstances nouvelles. Mais elles préparent l'intelligence.

- Stade (ou sous-stade) III : Les adaptations sensori-motrices intentionnelles (4 mois 1/2 - 8-9 mois)

La réaction circulaire primaire apparue au stade précédent concernait le corps propre. Mais après avoir appliqué ce procédé sur le corps propre, peu à peu, l'enfant va l'utiliser sur les objets extérieurs. En ce sens il élabore les réactions circulaires secondaires qui prolongent « sans plus les réactions dont il a été question jusqu'ici, c'est-à-dire qu'elles tendent essentiellement à la répétition : après avoir reproduit les résultats intéressants découverts par hasard sur le corps propre, l'enfant cherche tôt ou tard à conserver aussi ceux qu'il obtient lorsque son action porte sur le milieu externe » (N.I., p. 138). Plus l'effort de répétition porte sur des résultats éloignés de ceux de l'activité réflexe, plus la distinction entre moyens et fins s'opère et se précise. La réaction circulaire secondaire marque donc bien le passage entre l'activité réflexe et l'activité proprement intelligente. Mais en elle-même « elle tend simplement à reproduire tout résultat intéressant obtenu en relation avec le milieu extérieur, sans que l'enfant dissocie encore, ni ne groupe entre eux, les schèmes ainsi obtenus » (N.I., p. 139). Il n'y a donc pas de but posé d'avance, mais seulement lorsque l'acte est répété. On est donc bien à la charnière entre les actes que PIAGET nomme pré-intelligents et les actes intentionnels.

Avant de donner des exemples, PIAGET précise ce qu'il entend par réaction circulaire secondaire : « les mouvements sont centrés sur un résultat produit dans le milieu externe et l'action a pour seul but d'entretenir ce résultat » (N.I., p. 141). Par exemple (obs. 99) Laurent ayant découvert qu'en tirant sur la chaîne qui pend du toit de son berceau les objets qui y sont fixés remuent, tire systématiquement dessus. Après plusieurs essais de cette nature, le père tente une contre-expérience : il se place derrière le berceau et ébranle le toit sans être vu. L'enfant cherche alors la chaînette et tire dessus pour faire continuer ce mouvement. Mais il faut noter que la réaction circulaire ne débute que lorsqu'un effet fortuit provoqué par l'action propre est « compris » comme résultat de cette action. Aussi, si tout jusqu'à présent était à regarder, écouter, tout devient à secouer, à balancer, à frotter, etc., selon les différenciations diverses des schèmes manuels et visuels.

Si la réaction circulaire secondaire n'est point encore un acte d'intelligence complet, parce que d'une part ce que l'enfant a découvert l'a été par hasard, le besoin de secouer, par exemple, est né de l'acte lui-même et parce que d'autre part il s'agit simplement pour l'enfant de répéter, conserver et reproduire le résultat intéressant découvert par hasard, les schèmes secondaires sont la première esquisse de ce que seront les classes ou les concepts dans l'intelligence réfléchie. Appréhender un objet comme étant à secouer, à frotter, à remuer, etc., est l'équivalent fonctionnel de l'opération de classification de la pensée conceptuelle. Et comme les opérations ne vont pas sans les opérations de relations, on peut dire que tirer une chaîne pour secouer un hochet ou faire bouger des objets suspendus après elle, constitue une relation, un rapport établi entre l'acte de tirer et le résultat obtenu. Ces remarques permettent de souligner que l'action qui se constitue opère selon une logique et fait apparaître ses catégories qui préfigurent celles des classes et des relations. De même, parallèlement - mais nous le verrons avec l'objet permanent - se constitue la conservation de l'objet permanent, équivalent des conservations ultérieures. Mais la permanence de l'objet n'est établie à ce stade que lorsque l'action est en cours, pas encore en elle-même.

L'adaptation intentionnelle débute donc parce que l'enfant dépasse le niveau des activités corporelles simples pour agir sur les choses et utiliser les relations des objets entre eux. L'assimilation engendre alors des schèmes plus souples qui vont être l'équivalent fonctionnel des classifications et sériations. Jusqu'alors, l'enfant ayant appris à saisir, regarder, écouter, sucer pour sucer, assimilait à ses schèmes réflexes des réalités externes et s'y accommodait mais pour autant seulement que ces réalités étaient saisies pour alimenter ou conserver les schèmes. L'assimilation était donc plutôt conservatrice. Maintenant, au contraire, le réel contraint l'enfant à de nombreuses accommodations. « Les hochets qui se balancent en produisant des sons inquiétants, le berceau qui s'ébranle en entraînant le mouvement des jouets suspendus, les boîtes qui résistent par leur poids et leur forme, les couvertures ou les cordons retenus ou attachés de façon imprévisible, tout est occasion à expériences nouvelles, et le contenu de ces expériences nouvelles ne saurait donner lieu à assimilation sans une accommodation qui la contrecarre en un sens » (N.I.,

p. 158). Mais cette accommodation n'est pas pure car la réaction circulaire secondaire est essentiellement conservatrice. Il y a donc simplement ouverture vers l'extérieur ou les objets. L'accommodation se limite en un effort pour retrouver les conditions dans lesquelles l'action a découvert un résultat intéressant. C'est pourquoi elle est dominée par l'assimilation.

- Stade (ou sous-stade) IV : La coordination des schèmes secondaires et leur application aux situations nouvelles. (8-9 mois - 11-12 mois).

La coordination des schèmes s'observe dans le fait que dès lors le sujet « se propose d'atteindre un but non directement accessible » et met « en œuvre, dans cette intention, des schèmes jusque-là relatifs à d'autres situations » (N.I., p. 187). On assiste à une dissociation du but et des moyens et à une coordination intentionnelle des schèmes. « L'acte intelligent est ainsi constitué, qui ne se borne pas à reproduire, sans plus, les résultats intéressants, mais à atteindre ceux-ci grâce à des combinaisons nouvelles » (*ibidem*). Bien entendu, toutes les conduites intermédiaires entre le stade précédent et celui-ci existent. Et il est possible d'observer déjà quelques conduites de ce stade dès le courant du stade antérieur. Même chose pour chaque stade. L'important est de remarquer le caractère nouveau et systématique d'une conduite pour caractériser un stade et le fait que les acquisitions antérieures se conservent.

Plusieurs sortes de situations expérimentales sont imaginées par PIAGET pour mettre en évidence les conduites de ce stade après qu'il les ait observées sur l'aînée. Par exemple, le père fixe un porte-cigarettes dans les cordons entrecroisés qui rattachent les poupées au toit du berceau. Le bébé cherche alors à s'en emparer directement. Comme il n'y parvient pas, il saisit le cordon, le tire, le secoue et fait tomber le porte-cigarettes dont il s'empare. Autre exemple : le bébé cherche à prendre une nouvelle boîte que son père a placée dans son champ d'action. Mais comme le père interpose sa main entre l'enfant et la boîte, il s'agit, pour s'en emparer, d'écarter l'obstacle. Plusieurs variations systématiques ont été introduites dans cette situation. L'enfant cherchant à atteindre l'objet frappe sur la main pour l'écarter. Il s'agit d'une action complète et différenciée du schème final mais subordonnée à lui.

Dans tous les cas on assiste à l'utilisation d'un schème transitif, mais subordonné au schème final, c'est-à-dire à la subordination des moyens aux fins qui s'opère par la coordination des schèmes indépendants. Une autre expérience fera peut-être mieux comprendre ce phénomène : il s'agit cette fois de trouver des intermédiaires entre le sujet et l'objet. Jacqueline ayant découvert qu'il était possible d'utiliser la main d'autrui pour parvenir au résultat escompté, prend la main de son père pour remettre en marche une poupée chantante dont la mécanique s'est arrêtée. Il y a bien là utilisation d'un intermédiaire pour atteindre un objectif.

On remarque dans les situations révélatrices du comportement de ce stade que le but est posé sans avoir été atteint au préalable et que les moyens pour lever l'obstacle sont improvisés. D'une part l'enfant cherche à atteindre un but désiré, d'autre part il coordonne deux schèmes indépendants « l'un final (le schème assignant un but à l'action), l'autre transitif (le schème utilisé à titre de moyen) » (N.I., p. 202). Mais coordonner des moyens aux fins suppose une assimilation des schèmes en présence, ainsi qu'une mise en relation des objets sur lesquels ils portent. Partant, on relève l'analogie fonctionnelle des schèmes avec les concepts, l'analogie de leurs coordinations avec les raisonnements.

Les schèmes sont plus mobiles et plus génériques : « ils se coordonnent entre eux, et par conséquent se dissocient pour se grouper de façon nouvelle, les rapports qu'ils impliquent, chacun en soi-même, devenant susceptibles d'être extraits de leurs totalités respectives pour donner lieu à des combinaisons variées. Or, ces diverses nouveautés sont solidaires les unes des autres. En devenant « mobiles », c'est-à-dire aptes à coordinations et synthèses nouvelles, les schèmes secondaires se détachent de leur contenu habituel pour s'appliquer à un nombre croissant d'objets : de schèmes particuliers à contenu spécial ou singulier ils deviennent donc des schèmes génériques à contenu multiple.

« C'est en ce sens que la coordination des schèmes secondaires et par conséquent leurs dissociations et leurs regroupements, donnent naissance à un système de schèmes « mobiles », dont le fonctionnement est très comparable à celui des concepts ou des jugements propres à l'intelligence verbale ou réfléchie. En effet, la subordination des moyens aux fins est l'équivalent sur le plan de l'intelligence pratique, de celle des prémisses aux conclusions, sur le plan de l'intelligence logique : l'implication mutuelle des schèmes, que suppose la première est donc assimilable à celle des notions, qu'utilise la seconde » (N.I., pp. 209-210).

L'analogie signalée par PIAGET appelle quelques remarques. Tout d'abord les schèmes sensori-moteurs ne sont pas « réfléchis »; ils sont « projetés » au contraire sur les choses et l'enfant n'a pas conscience des opérations de son intelligence. Les résultats de ses actions lui paraissent imposés par les faits eux-mêmes. Ensuite « les implications entre les schèmes ne sont point encore réglées par un système de normes intérieures : le seul contrôle dont soit capable l'enfant est de l'ordre de la *réussite* et non pas de la *vérité* » (N.I., p. 211). Enfin, les relations dont use l'intelligence sensori-motrice n'ont aucun caractère objectif. Bien plutôt elles sont centrées sur le moi et dominées par la perspective propre, ce qui signale l'égocentrisme sensori-moteur dont nous parlions plus haut.

La coordination des schèmes entre eux signifie une assimilation de ceux-ci et une mise en relation des objets qu'ils subsument. Mais si l'accommodation ne progresse qu'en fonction de la coordination des schèmes, elle s'applique aux relations entre les choses elles-mêmes. C'est en repoussant un obstacle par exemple que l'accommodation découvre un rapport nouveau. Elle est donc dissociée de l'assimilation, mais elle ne la dirige pas comme elle le fera aux stades suivants.

- Stade (ou sous-stade) V : La « réaction circulaire tertiaire » et la découverte des moyens nouveaux par expérimentation active. (11-12 mois - 18 mois)

Ce stade est celui de l'élaboration de l'objet et se caractérise par l'expérimentation et par la recherche de la nouveauté. L'effet nouveau n'est pas seulement reproduit, il est modifié « dans le but d'en étudier la nature ». La découverte des moyens nouveaux prolonge et épanouit la coordination des schèmes du stade précédent. En d'autres termes, l'accommodation est accommodation pour elle-même ou recherche de moyens nouveaux.

La réaction circulaire apparaît comme un effort pour saisir les nouveautés en elles-mêmes. Cette fois l'enfant fait en quelque sorte des expériences pour voir. Par opposition à la réaction circulaire secondaire, « lorsque l'enfant répète les mouvements qui l'ont conduit au résultat intéressant, il ne les répète plus tels quels, mais les gradue et les varie, de manière à découvrir les fluctuations du résultat lui-même. L' « expérience pour voir » a donc d'emblée tendance à se développer à la conquête du milieu extérieur » (N.I., p. 234). En ce sens, les réactions circulaires tertiaires sont le point de départ fonctionnel sur le plan sensori-moteur de ce que seront les jugements expérimentaux. Jacqueline dans son bain fait tomber ses jouets en celluloïd pour voir gicler l'eau, les déplace de la main pour les voir nager, les enfonce pour les voir remonter. Plus tard elle prend une éponge qu'elle remplit d'eau, la presse contre sa poitrine pour en faire sortir l'eau ou fait de même au-dessus de l'eau. Elle apprend aussi à transporter de l'eau dans une cuvette sans la renverser, en la tenant horizontalement, etc.

Dans toutes ces activités « il ne s'agit plus seulement pour l'enfant d'appliquer des schèmes connus à l'objet nouveau, mais de saisir par l'esprit cet objet en lui-même. A cet égard, faire varier les positions, lancer ou rouler les objets, redresser une boîte, faire flotter, verser de l'eau, etc., sont des expériences actives, qui sont encore bien loin, cela va sans dire, de la vérification d'une déduction préalable, comme dans l'expérience scientifique, mais qui constituent déjà l'équivalent fonctionnel de l'expérience pour voir » (N.I., pp. 240-241).

La découverte de moyens nouveaux par expérimentation active s'inscrit dans un ensemble de conduites qui sont les formes les plus élevées de l'activité intellectuelle avant l'apparition de l'intelligence systématique. Trois conduites particulièrement caractéristiques peuvent être retenues : la conduite des supports, la conduite de la ficelle et la conduite du bâton.

1 - Conduite du support : à neuf mois et trois jours Jacqueline découvre la possibilité d'attirer à elle un objet éloigné en tirant à elle la couverture sur laquelle il est placé. Même conduite à onze mois.

Laurent veut attraper la montre qu'il convoite sur un coussin. Il tente une préhension directe mais sans succès. Après quelques tâtonnements il attire à lui le coussin. Contre-épreuve imaginée par le père : la montre est posée sur un coussin à quarante cinq degrés du premier. Un angle du second recouvre le premier. Laurent tire sur le premier coussin ; mais comme la montre ne bouge pas, il considère l'angle du second coussin puis l'attire à lui et s'empare de la montre, etc.

Dans ces expériences on rencontre quelque chose de comparable à la réaction circulaire tertiaire où l'enfant se met à tâtonner. Mais dans les situations évoquées, le tâtonnement est orienté en fonction du but et ne se déroule donc plus simplement « pour voir ».

2 - Conduite de la ficelle : Jacqueline a onze mois et sept jours : « Elle était en train de s'amuser avec une brosse, lorsque, sous ses yeux, j'ai attaché cet objet à une ficelle. Après quoi, j'ai posé la brosse au pied du fauteuil sur lequel était assise Jacqueline, de manière qu'elle ne la voie plus (mais l'enfant a pu suivre chacun de mes mouvements) et j'ai laissé l'extrémité de la ficelle sur le bras du fauteuil. Jacqueline, sitôt terminés mes préparatifs, s'est penchée dans la direction de la brosse en tendant les mains. Mais n'apercevant rien d'autre que la ficelle, elle s'en empare et tire. Le bout de la brosse apparaît alors ; Jacqueline lâche aussitôt la ficelle pour chercher à saisir directement l'objet. La brosse retombe, naturellement, Jacqueline se penche à sa recherche, retrouve la ficelle, la tire à nouveau et la lâche une fois de plus dès qu'elle aperçoit l'objet désiré. La même série d'opérations se reproduit encore trois ou quatre fois ; chaque série aboutit à un échec parce que Jacqueline lâche la ficelle dès qu'elle aperçoit la brosse. Cependant lorsque Jacqueline tire la ficelle, elle regarde nettement dans la direction de la brosse et s'attend à la voir » (N.I., p. 254).

Laurent à six mois et un jour est assis sur un divan et son père place en face de lui, sur une chaise, un chausse-pieds rouge. « La ficelle à laquelle est attaché cet objectif pend de la chaise sur le sol, puis remonte sur le divan à côté de l'enfant. Celui-ci regarde un instant l'objectif, puis suit des yeux la ficelle, s'en empare, et la tire des deux mains l'une après l'autre. Lorsque le chausse-pieds disparaît de son champ visuel il n'en continue pas moins sa manœuvre jusqu'au succès complet.

« Je lui présente ensuite plusieurs objets (livres, jouets, etc.), mais hors de portée et attachés à des rubans, cordons, etc. (différents de la ficelle dont il a été question jusqu'ici). Je varie en outre les trajectoires de ces intermédiaires, de manière à éviter toute suggestion visuelle. Laurent réussit cependant toutes ces épreuves, sans presque plus de tâtonnements : le schème de la ficelle est donc acquis.

« Les jours suivants, je contrôle la chose avec divers nouveaux objets : Laurent se sert immédiatement de ses deux mains pour les attirer à lui au moyen des cordons auxquels ils sont fixés. Il regarde d'abord l'objectif, puis cherche l'intermédiaire convenable » (N.I., p. 256).

3 - Conduite du bâton : Si la ficelle est un prolongement de l'objet,

le bâton ne l'est pas ; c'est un instrument. Il y a donc une gradation du support au bâton.

« A 1;3;12, enfin elle découvre la possibilité de faire glisser situé sur le bois de sa roulotte, en dehors du champ de préhension. Elle renonce après une série d'essais infructueux et sans songer au bâton. Je mets alors mon doigt à vingt centimètres au-dessus de ce dernier : elle aperçoit le bâton, le saisit tout de suite et fait tomber le chat. A 1;1;28 elle est assise à terre et cherche à atteindre le même chat, posé cette fois sur le sol. Elle le touche au moyen de son bâton, mais sans chercher à faire glisser le chat jusqu'à elle, comme si le fait de le toucher suffisait à l'attirer.

« A 1;3;12, enfin elle découvre la possibilité de faire glisser les objets sur le sol au moyen du bâton et de les amener ainsi à elle : pour attraper une poupée gisant à terre hors de portée, elle commence par la frapper au moyen du bâton, puis, constatant ses légers déplacements, elle la pousse jusqu'à pouvoir l'atteindre de la main droite » (N.I., p. 262).

Ces divers types de conduites révèlent que l'acte d'intelligence est subordination des moyens au but comparable à la subordination des prémisses à la conclusion. Mais d'une façon générale les diverses conduites observées et analysées par PIAGET révèlent que l'adaptation de l'intelligence au réel est accompagnée de la structuration du milieu extérieur en objets permanents, de l'espace du temps et de la causalité. A chaque structuration de l'intelligence correspond une structuration de l'espace, du temps, etc., que nous analyserons à part.

Avec l'expérimentation active, l'accommodation devient en quelque sorte une fin en soi qui précède de nouvelles assimilations et différencie les schèmes dont elle est issue. En cherchant des moyens nouveaux, elle aboutit à la constitution de schèmes nouveaux susceptibles de se coordonner avec les anciens. Ici donc elle l'emporte sur l'assimilation, mais demeure dans le champ perceptif.

- Stade (ou sous-stade) VI : L'invention des moyens nouveaux par combinaison mentale (1 an 1/2 - 2 ans).

Ce stade effectue la transition entre l'intelligence sensorimotrice et l'intelligence représentative qui débute vers deux ans avec l'apparition de la fonction symbolique ou sémiotique. La nouveauté de ce stade réside dans le fait que cette fois les inventions ne s'effectuent plus de façon pratique, mais passent au niveau mental. L'invention dont il s'agit est création originale par recombinaisons des schèmes déjà constitués. Par conséquent elle se situe dans le prolongement des acquis antérieurs et assure leur dépassement vers la pensée ou représentation. Invention et représentation vont donc de pair. On est en train de passer à un niveau supérieur.

« A 1;8;9, Jacqueline arrive devant une porte fermée avec une herbe en chaque main. Elle tend la main droite vers la poignée mais voit qu'elle ne pourra pas s'en tirer sans lâcher l'herbe. Elle la pose donc à terre, ouvre la porte, reprend l'herbe et entre. Mais lorsqu'elle veut ressortir de la chambre les choses se compliquent. Elle pose l'herbe à terre et prend la poignée. Mais elle s'aperçoit alors qu'en tirant à elle le battant de la porte elle va du même coup chasser l'herbe qu'elle a posée entre ce battant et le seuil. Elle la ramasse donc pour la mettre en dehors de la zone d'attraction du battant.

« Cet ensemble d'opérations qui ne constituent en rien une invention remarquable est cependant bien caractéristique des actes d'intelligence fondés sur la représentation ou la conscience des relations » (N.I., pp. 294-295).

Cette fois l'accommodation passe à un niveau supérieur au champ perceptif et devient représentative. L'assimilation structure les schèmes et les coordonne sous forme de combinaisons mentales. L'invention apparaît comme une accommodation mentale brusque de l'ensemble des schèmes à la situation nouvelle. Elle différencie donc les schèmes en fonction de la situation « mais cette différenciation, au lieu de procéder par tâtonnement effectif et assimilation cumulative résulte d'une assimilation spontanée donc plus rapide et procédant par essais simplement représentatifs » (N.I., p. 291). Lucienne, qui savait sortir une chaîne d'une boîte d'allumettes ouverte par une fente de dix millimètres, échoue quand la fente d'ouverture n'est plus que de trois millimètres. Après avoir essayé ses schèmes : introduire le doigt dans la boîte, retourner la boîte pour la vider, elle ouvre et ferme la bouche puis, après quelques péripéties, introduit son doigt pour élargir la fente et y parvient très bien. En ouvrant la bouche, tout se passe comme si elle cherchait à se représenter ce qu'il faut faire avant d'agir effectivement.

TABLEAU RECAPITULATIF

1er stade	Actes Préintelligents	Exercices réflexes Assimilation = accommodation — reproductrice — récognitive — généralisatrice
2e stade	Actes Préintelligents	Premières habitudes acquises Assimilation et accommodation : début de dissociation Réaction circulaire primaire : le résultat intéressant découvert par hasard est conservé par répétition Concerne le corps propre
3e stade	Transition	Adaptations sensori-motrices intentionnelles Réaction circulaire secondaire : le résultat intéressant découvert par hasard dans l'action sur le milieu externe est conservé par répétition Début d'intentionnalité dans la répétition de l'acte : secouer, balancer, frotter Classifications et sériations pratiques Différenciation plus nette de l'assimilation et de l'accommodation Accommodation $\neq$ pure car la réaction circulaire tertiaire est conservatrice L'accommodation est encore dominée par l'assimilation
4e stade	Actes intelligents	Coordination des schèmes secondaires et application de ceux-ci aux situations nouvelles But non directement accessible = dissociation moyens-but d'où intentionnalité Schèmes plus génériques et coordonnables : assimilation des schèmes entre eux Assimilation = accommodation
5e stade	Actes intelligents	Découverte de moyens nouveaux par expérimentation active L'accommodation l'emporte sur l'assimilation Conduites du support Conduites de la ficelle Conduites du bâton
6e stade	Actes intelligents	Invention de moyens nouveaux par combinaison mentale L'accommodation l'emporte sur l'assimilation Représentation

Nous avons vu avec le premier stade du développement de l'intelligence se développer une intelligence sensori-motrice en six stades (ou sous-stades) hiérarchiques. Au cours des deux premiers, l'assimilation et l'accommodation sont confondues et l'activité est centrée sur le corps propre. Avec la réaction circulaire du troisième stade apparaît l'intentionnalité ; l'assimilation et l'accommodation sont dissociées. Au quatrième stade l'enfant peut coordonner les schèmes en face de situations nouvelles. L'assimilation et l'accommodation s'équilibrent mais avec une tendance de l'accommodation à l'emporter sur l'assimilation. L'accommodation procède par combinaison de schèmes en fusionnant des schèmes hétérogènes en schèmes globaux. Les opérations réversibles apparaissent. Au cinquième stade l'accommodation l'emporte sur l'assimilation dans le champ perceptif. Au sixième stade l'accommodation prime l'assimilation et devient représentative.

On peut mesurer les progrès accomplis peu à peu au cours de ce stade en considérant simplement les termes caractérisant chaque étape du développement. Des exercices réflexes aux habitudes acquises il y a un simple élargissement du champ de l'activité. Puis, par les adaptations intentionnelles, le champ s'ouvre pour s'élargir aux coordinations de schèmes appliqués aux situations nouvelles. L'expérimentation active marque le couronnement de ce processus pour autant qu'il s'exerce dans le champ perceptif. La transition vers la représentation marque le dépassement du champ perceptif actuel vers l'inactuel (le symbolique, le fictif, etc.). Mais on entre dans la période suivante.

2. La construction du réel

La description du comportement de l'enfant telle que Piaget l'a réalisée en imaginant les situations expérimentales les plus diverses permettait une appréhension objective des structurations successives. Mais elle donnait en quelque sorte le versant extérieur du développement psychologique. Comment dès lors saisir son aspect interne ?

Si l'on se place au point de vue de la « conscience » quelle est la « représentation » que l'enfant se fait du monde qui l'entoure, ou mieux, quelle est la construction qu'il en fait ?

Le problème de l'approche de la subjectivité de l'enfant ne

constitue pas une difficulté insurmontable pour PIAGET car « il suffit, pour reconstituer le point de vue du sujet, de retourner en quelque sorte le tableau obtenu par l'observation de son comportement. En effet, par un mécanisme d'apparence paradoxale dont nous avons décrit l'analogue à propos de l'égocentrisme de la pensée de l'enfant plus âgé, c'est au moment où le sujet est le plus centré sur lui-même qu'il se connaît le moins, et c'est dans la mesure où il se découvre qu'il se situe dans un univers et constitue celui-ci par le fait même. En d'autres termes, égocentrisme signifie à la fois absence de conscience de soi et absence d'objectivité, tandis que la prise de possession de l'objet comme tel va de pair avec la prise de conscience de soi » (C.R., p. 6).

On obtiendra donc une description symétrique de la précédente, ce qui permet de dire d'ores et déjà que, l'assimilation **restant centrée sur l'activité organique** du sujet, l'univers ne présente pas, au début, de permanence, du moins en ce qui concerne l'objet, pas d'espace objectif, ni de temps reliant les objets entre eux, ni de causalité extérieure aux actions propres. Puis, peu à peu, des repères s'établissent et l'on assiste à une construction progressive et conjointe du moi et de l'objet. C'est donc par une construction progressive et continue que le moi de l'enfant se constitue et constitue les objets, leurs rapports, se situant comme une chose parmi les choses. Parti d'un égocentrisme initial, état de confusion radicale entre le moi et le non-moi, le sujet et l'objet, où il n'y a ni sujet ni objet, l'enfant, en constituant l'univers se constitue lui-même et parvient vers la fin du stade sensori-moteur à établir des rapports d'objectivité avec le monde extérieur. De ce double mouvement de construction de soi et du monde qui en réalité n'est qu'un seul et même mouvement, de soi et des choses, naît la conscience de soi et du monde. Mais en même temps s'organisent et se construisent les grandes catégories de l'action : schème de l'objet permanent, espace, temps, causalité, substructures des futures notions correspondantes.

a) *La construction de l'objet permanent*

Dès la naissance, l'enfant est assailli par un torrent d'impressions sensorielles aussi multiples que variées. Mais, dans cet ensemble, il reconnaît vite des éléments présentant un caractère de stabilité que PIAGET appelle « tableaux » sensoriels. Dès la seconde semaine, le bébé est capable de retrouver le mamelon et de le distinguer des téguments environnants. La succion à vide, ou la succion de n'importe quel objet sont donc bien distinguées de la têtée qui atteste d'une récognition en actes. Même remarque à propos du sourire quelques semaines plus tard. Le problème est de savoir *ce* que l'enfant reconnaît.

Comme il n'est pas possible qu'il possède des images mentales, il est vraissemblable qu'il reconnaît sa propre réaction avant de reconnaître l'objet comme tel. La récognition n'est donc qu'un cas particulier de l'assimilation. « La chose reconnue excite et alimente le schème sensori-moteur qui a été antérieurement construit à son usage, et cela sans aucune nécessité d'évocation » (C.R., p. 12). Mais peu à peu le tableau reconnu deviendra un « objet » ce qui signifie que des conduites apparaissent qui sont relatives aux objets absents. Entre ces deux extrémités toutes sortes de transitions difficiles à saisir, mais réelles.

- Stades I et II : Aucune conduite relative aux objets disparus

Au cours des deux premiers stades, on n'observe donc aucune conduite relative aux objets disparus. Néanmoins, certaines opérations annoncent la constitution de l'objet. D'une part en effet on remarque que dès le deuxième mois l'enfant cherche à regarder les objets qu'il entend. On assiste donc à une coordination entre schèmes visuels et auditifs ; de plus, en s'attendant à voir quelque chose qui est entendu, l'enfant fait la preuve qu'il considère le tableau visuel comme antérieur à sa perception. Il y a bien entendu d'autres coordinations qui témoignent du même phénomène d'anticipation comme par exemple la coordination succion-préhension, préhension-vision, etc. Toutes laissent entendre que le monde extérieur commence à s'organiser en monde cohérent et stable. Néanmoins, li ne s'agit encore que d'une assimilation à des schèmes qui, bien que coordonnés, sont limités et essentiellement répétitifs. D'autre part, on remarque des prolongements de l'activité relative aux tableaux perçus, même après leur disparition. On observe ce phénomène pour la vision, la succion, la préhension, etc. Mais l'enfant se borne en fait à regarder l'endroit où a disparu l'objet ou le tableau sensoriel, sans recherche. L'objet disparu n'a donc qu'une réalité de tableau qui apparaît et disparaît, pas une consistance d'objet permanent. Regarder à l'endroit de disparition est une attitude passive d'impuissance : ou bien l'objet est désiré et attendu sans que l'enfant puisse quoi que ce soit sur sa réapparition, ou bien il s'éclipse et tombe dans l'oubli. Le seul moyen dont dispose l'enfant est de répéter les accommodations antérieures.

Par conséquent, compte tenu du comportement de l'enfant vis-à-vis des objets disparus, il est possible de dire qu'il considère le monde comme un ensemble de tableaux apparaissant et disparaissant. Le seul élément que l'on puisse relever de sa part est peut-être quelque chose comme un désir subjectif qu'ils reviennent mais sans autre moyen que d'attendre passivement.

- Stade III : Début de permanence prolongeant les mouvements d'accommodation

Si la coordination entre le champ visuel et tactile s'opère à ce niveau il faudra attendre encore longtemps avant que l'enfant ne cherche activement les objets disparus. Pour le moment cinq types de conduites sont décelables et vont dans cette direction :
1 - L'accommodation visuelle aux mouvements rapides.
2 - La préhension interrompue.
3 - La réaction circulaire différée.
4 - La reconstitution d'un tout invisible à partir d'une fraction visible.
5 - La suppression des obstacles empêchant la perception.

« La première de ces conduites prolonge simplement celles du second stade, et la cinquième annonce celles du quatrième stade » (C.R., p. 18). On remarque d'une façon générale que la permanence des tableaux est due à l'action propre de l'enfant. Mais celui-ci les recherche là où ils ont disparu n'imaginant pas leur déplacement comme mouvement indépendant. La recherche dont il fait preuve atteste du fait qu'il considère en quelque sorte ces tableaux à disposition de l'action propre. Il s'agit bien d'un début de permanence mais qui reste subjective. Par conséquent l'objet n'existe encore qu'en liaison avec l'action propre. Dans les situations où il s'agit d'interrompre les mouvements de préhension, d'accommodation visuelle pour soulever un écran ou écarter la main, l'enfant renonce à toute recherche active. « Il se borne à regarder la main de l'expérimentateur comme si l'objet devait en émaner. Même lorsqu'il entend l'objet sous le linge servant d'écran, il ne paraît pas croire à sa permanence substantielle » (C.R., p. 39).

Le monde est donc toujours un monde de tableaux dont la

permanence est plus longue, que l'enfant cherche à faire durer plus longtemps, mais qui s'évanouit comme auparavant.

- Stade IV : Recherche active de l'objet disparu, mais sans tenir compte de la succession des déplacements visibles

Au cours de ce stade, l'enfant ne cherche plus seulement l'objet disparu lorsque celui-ci se situe dans le prolongement des mouvements d'accommodation ; « il le cherche dorénavant en dehors même du champ de la perception, c'est-à-dire derrière les écrans qui ont pu s'interposer entre le sujet et le tableau perçu. Cette découverte est due au fait que l'enfant commence à étudier les déplacements des corps (en les saisissant, les remuant, les balançant, les cachant et les retrouvant, etc.) et à coordonner ainsi la permanence visuelle et la permanence tactile (...). Seulement de telles découvertes ne marquent pas encore, quoi qu'il en puisse sembler, l'avènement définitif de la notion d'objet. L'expérience montre, en effet, que lorsque l'objet disparaît successivement en deux endroits distincts, ou davantage, l'enfant lui confère encore une sorte de position absolue ; il ne tient pas compte de ses déplacements successifs, pourtant bien visibles, et paraît raisonner comme si l'emplacement où l'objet a été retrouvé la première fois demeure celui où on le retrouvera quand on le voudra. L'objet du quatrième stade reste donc intermédiaire entre la « chose à disposition » des stades précédents et « l'objet » proprement dit des cinquièmes et sixièmes stades » (C.R., p. 43).

- Stade V : L'enfant tient compte des déplacements successifs de l'objet

Ce stade débute dès que l'enfant renonce à revenir en A chercher l'objet dont il a vu qu'il s'était déplacé en B ou en C. Il apprend donc à tenir compte des déplacements successifs perçus dans le champ visuel, ne cherche plus l'objet dans une position privilégiée, mais dans la position qui résulte du dernier déplacement visible. Ainsi, à onze mois et vingt deux jours Laurent est assis entre deux coussins. Son père cache sa montre alternativement sous l'un et sous l'autre. Laurent cherche alors la montre là où il l'a vue disparaître, soit en A soit en B.

- Stade VI : L'enfant se représente les déplacements invisibles

L'enfant du sixième stade est « capable de constituer en objets les choses dont les déplacements ne sont pas tous visibles » (C.R., p. 70). « Jacqueline, à 1;7;23, est assise en face de trois objets-écrans A, B, C, alignés à égale distance les uns des autres (un béret, un mouchoir et sa jaquette). Je cache un petit crayon dans ma main, en disant : « Coucou, le crayon », je lui présente ma main fermée, la mets sous A, puis sous B, puis sous C (en laissant le crayon sous C) ; à chaque étape je présente à nouveau ma main fermée, en répétant : « Coucou, le crayon ». Jacqueline cherche alors le crayon directement en C, elle le trouve et rit » (C.R., p. 71).

L'enfant paraît donc capable de diriger sa recherche par la représentation. A ce niveau, l'objet est définitivement constitué puisque « la loi de ses déplacements est entièrement dissociée de l'action propre » (*id.*, p. 73).

Ce n'est qu'à partir du moment où l'enfant s'apercevant de la disparition des objets qu'il désire se met à les rechercher, que le problème de la permanence de l'objet se pose. Le rechercher ne signifie pas d'emblée qu'il est constitué. L'objet est solidaire d'un cadre spatio-temporel et causal qui s'élabore en même temps. L'objet n'existe en tant qu'objet indépendant, donc dans un rapport d'objectivité avec le sujet, que lorsqu'il est conçu comme permanent par-delà ses déplacements invisibles. C'est alors qu'il est construit mentalement et qu'il se situe dans un cadre spatio-temporel intelligible.

Selon PIAGET, et ce fait est à retenir pour la suite, la conservation de l'objet « constitue la première des formes de conservation » (C.R., p. 85) et la « coordination des schèmes s'intériorise sous forme de combinaisons mentales tandis que l'accommodation devient représentative. Dès lors, la déduction de l'objet et de ses caractères spatiaux s'achève dans la construction d'un univers d'ensemble, où les déplacements simplement représentés viennent s'insérer parmi les mouvements perçus et les compléter en une totalité véritablement cohérente » (*ibidem*).

b) *La construction de l'espace sensori-moteur*

La constitution de l'objet est solidaire de l'organisation du champ spatial dont les étapes sont rigoureusement identiques.

Au début, l'espace pratique de l'enfant est constitué d'autant d'espaces pratiques qu'en supposent ses activités. L'espace à vrai dire n'existe pas pour lui pour autant qu'il s'ignore lui-même. Il n'est qu'une propriété de l'action. Mais à la fin du stade, l'espace est une propriété des choses ou plutôt le cadre dans lequel se situent tous les déplacements. Le sujet se comprend lui-même dans l'espace et met en relation ses propres déplacements avec l'ensemble des autres. On assiste donc au passage d'un espace pratique et égocentrique à un espace représenté qui comprend le sujet lui-même. Au début existent des « groupes » spatiaux hétérogènes, mais au cinquième stade se constitue un « groupe » objectif que se constitue en « groupes » représentatifs au sixième stade.

La notion de groupe est empruntée à Poincaré. « Psychologiquement, le « groupe » est l'expression des processus d'identification et de réversibilité propres aux phénomènes fondamentaux de l'assimilation intellectuelle, en particulier à l'assimilation reproductrice ou « réaction circulaire » (...), on peut, du point de vue purement psychologique auquel nous nous plaçons ici, considérer comme « groupe » tout système d'opérations susceptible de permettre un retour au point de départ » (C.R., p. 89). La notion de groupe atteste du fait que toute organisation constitue un système fermé pour lui-même. C'est dire que l'organisation de l'espace s'effectue en formant des systèmes organisés ou groupes différents de stade en stade.

- Stades I et II : Groupes pratiques et hétérogènes

Jusqu'à trois mois - six mois, n'existent que des groupes pratiques et hétérogènes. On rencontre des espaces différents, espace buccal, espace tactile, visuel, auditif mais aussi postural, kinesthésique, etc. Ceux-ci sont plus ou moins coordonnés entre eux selon le degré de coordination des schèmes qui les engendrent. Néanmoins ils sont hétérogènes parce qu'ils ne constituent pas un espace unique où chacun viendrait s'intégrer. Le sujet n'ayant aucune conscience de l'espace, c'est l'action qui le crée. Elle ne se situe donc pas encore en lui.

Deux aspects principaux caractérisent ces deux stades : d'abord les groupes existants sont purement pratiques, ensuite les espaces constitués sont relativement hétérogènes. Cependant chaque type d'espace comporte l'existence d'un groupe. « Qu'il retrouve de la bouche, des yeux, de l'oreille ou de la main un tableau sensoriel déplacé, l'enfant met en œuvre des mouvements de son organisme qui s'ordonnent en groupes, puisqu'ils sont susceptibles de revenir sans cesse à la situation initiale, absolument parlant, ou relativement à l'objet » (C.R., p. 100).

- Stade III : Coordination des groupes pratiques et constitution des groupes subjectifs

Ce stade est dominé par la réaction circulaire secondaire et débute par la coordination de la vision et de la préhension. Différents groupes se coordonnent donc entre eux grâce à ce progrès et constituent le groupe subjectif. On notera que la coordination vision-préhension entraîne deux conséquences :
1 - En agissant sur les choses avec sa main l'enfant apprend à utiliser les propriétés des choses entre elles. Il s'intéresse alors aux relations spatiales qui unissent les objets perçus.
2 - En agissant, l'enfant se regarde agir sur les objets et perçoit donc ses mains, ses bras, les contacts de ses mains avec les objets saisis.

C'est la projection du groupe pratique dans le champ de perception circonscrit par l'action propre qui définit le groupe subjectif en ce sens que l'enfant ne tient pas compte des relations spatiales des objets entre eux ni des déplacements de son corps entier. Ce groupe subjectif effectue donc la charnière entre le groupe pratique précédent et les groupes objectifs des stades suivants.

L'exemple du biberon est particulièrement significatif des conduites de ce stade. En effet, si on lui fait effectuer une rotation, on met en œuvre plusieurs espaces simultanément : espace visuel, tactilokinesthésique, buccal. « L'analyse de la rotation du biberon permet donc de déterminer avec précision jusqu'à quel point l'enfant perçoit le groupe qu'il est capable de constituer pratiquement » (C.R., p. 112). L'expérience consiste à présenter le biberon à l'envers, la tétine étant invisible. Toutes sortes de variations de présentation ont été opérées avec Laurent : présentation du biberon dans son entier, la tétine étant visible, présentation de trois quart avant, de trois quart arrière, par le fond, renversement après présentation tétine visible, etc. Chaque fois que la tétine disparaît, l'enfant crie. Il ne perçoit donc encore que les parties qu'il désire atteindre de la bouche, attestant qu'il élabore un groupe pratique doublé d'un groupe subjectif « puisqu'il s'accompagne d'une perception des mouvements de l'objet et peut-être de ceux de la main qui fait mouvoir l'objet » (C.R., p. 114). On ne saurait donc parler de groupe subjectif puisque l'enfant est incapable de réaliser la rotation complète de l'objet par absence de recherche de son envers. « Le groupe subjectif, c'est la perception d'un ensemble de mouvements revenant à leur point de départ, mais en tant que cet ensemble demeure relatif au point de vue de l'action propre et ne parvient pas à se situer dans des ensembles plus vastes qui comprendraient le sujet lui même à titre d'élément et coordonneraient les déplacements du point de vue des objets » (C.R., p. 132). Il est donc celui des mouvements apparents sans perception des relations des objets entre eux indépendamment du point de vue propre. On assiste donc à un début d'objectivation de l'espace pour autant qu'une extériorisation s'effectue, mais l'espace n'est pas encore un milieu immobile si le corps évolue. L'espace de ce troisième stade est encore dominé par la réaction circulaire secondaire, ce qui permet à l'enfant de percevoir certains groupes dans la réalité extérieure. « Seulement les relations qu'il établit entre les choses demeurent elles-mêmes globales et avant tout actives, si bien que les groupes perçus par l'enfant s'ordonnent du point de vue du sujet et non point encore du point de vue des objets » (C.R., p. 134).

Stade IV : Passage des groupes subjectifs aux groupes objectifs et découverte des opérations réversibles.

« Lorsque le sujet écarte, par exemple, les obstacles matériels qui s'interposent entre lui et l'objectif, ou lorsqu'il se sert de la main d'autrui pour agir sur les choses, il coordonne entre eux, non seulement des schèmes isolés jusque là, mais les objets eux-mêmes, et ouvre ainsi la voie à l'élaboration de groupes beaucoup plus précis que précédemment. Ces groupes demeurent, il est vrai, limités au cas des déplacements réversibles, mais, dans ces limites mêmes, ils atteignent l'objectivité » (C.R., p. 135).

Or, ce début de mise en relation des objets en tant que tels donne les caractères de l'espace de ce stade :

1 - L'enfant découvre des opérations réversibles en étant capable spontanément de cacher un objet sous un écran et de le ressortir. Mais le groupe qu'il constitue n'est pas encore totalement objectif

car si l'on déplace l'objet qu'il a caché, il le recherche dans la première position.

Si l'enfant l'a placé par exemple en A, c'est en A qu'il le cherche alors qu'il se trouve en B

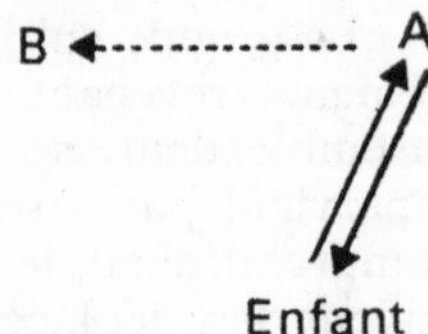

Cela signifie, d'une part que la permanence substantielle de l'objet est presque acquise mais encore subjective parce que liée à l'action propre, d'autre part que les déplacements de l'objet sont dissociés de ceux du sujet mais que la loi de ses déplacements est encore subjective car il est recherché là où il a été précédemment saisi.

2 - L'enfant découvre la grandeur constante des solides.

« L'enfant étudie (par exploration, puis par réaction circulaire tertiaire) ce fait essentiel qu'un objet dont les dimensions tactiles sont invariables, varie de forme et de grandeur visuelles selon qu'on le rapproche ou qu'on l'éloigne de son visage » (C.R., p. 138).

3 - L'enfant découvre la perspective des relations en profondeur ou de ce fait qu'en déplaçant sa tête (et non pas son corps), des changements de forme et de position des objets s'ensuivent.

Par ailleurs, on observe durant ce stade un retournement systématique des objets ce qui laisse entendre que « l'envers de l'objet », et par conséquent, sa forme constante sont acquis. Le biberon cette fois est retourné, la boîte d'allumettes, etc., l'envers et l'endroit étant systématiquement explorés. Ce groupe, dit PIAGET, est toutefois limité parce qu'il est simplement réversible. En effet, l'enfant n'est capable de renverser l'objet que lorsqu'il le tient en mains et ne sait pas encore renverser les objets les uns par rapport aux autres.

Des observations nombreuses ont été faites, notamment en ce qui concerne la translation et le réglage en profondeur sur lesquelles nous n'insisterons pas. En tout état de cause, ce qui caractérise ce stade c'est que les groupes « demeurent relatifs aux rapports des objets avec la conduite du sujet et ne s'appliquent toujours pas aux relations des objets entre eux indépendamment de l'action propre » (C.R., p. 154). Si l'enfant accède au groupe des opérations réversibles, objectif, celui-ci est limité aux rapports du sujet et de l'objet. S'il situe les objets dans l'espace, il ne se situe pas encore lui-même comme un objet dans ce même espace.

- Stade V : Les groupes objectifs

A ce stade, l'enfant acquiert la notion du déplacement des objets les uns par rapport aux autres. Il élabore donc des groupes objectifs de déplacements au sein d'un milieu homogène. Au plan de la simple observation on remarque qu'il jette un objet en dehors de son espace visuel (dans le dos) et peut le retrouver par un chemin différent. Expérimentalement, PIAGET réalise des situations différentes qu'il étudie méthodiquement : porter les objets d'une place à l'autre, les éloigner ou les rapprocher, les laisser tomber ou les jeter par terre pour les ramasser, etc. ; faire glisser et rouler des mobiles le long d'une pente... Autant d'expériences qui concernent l'espace proche ou lointain. D'autres observations sont dirigées vers les conduites relatives à la position et à l'équilibre des corps, à la relation de contenu à contenant, aux rotations ou renversements, etc.

L'enfant de ce stade perçoit parfaitement les relations spatiales entre les choses, néanmoins il n'est pas encore en mesure de se les représenter en l'absence de tout contact direct. L'espace expérimental est constitué. Tout objet entrant dans le champ de la perception directe est organisé dans un milieu homogène des déplacements ou espace commun. En outre, l'enfant a conscience de ses propres déplacements. Mais les déplacements effectués en dehors du champ perceptif et les mouvements propres en dehors de la perception qui en est prise ne sont pas pris en compte. Il faut donc qu'une nouvelle étape soit franchie avec l'élaboration des groupes représentatifs pour que la construction de l'espace sensori-moteur soit complète, c'est-à-dire forme un tout cohérent.

- Stade VI : Les groupes représentatifs

Deux points marquent les progrès du sixième stade : d'une part, la représentation des relations spatiales entre les choses, d'autre part la représentation des déplacements du corps propre. En contournant un canapé, l'enfant sait bien qu'il se déplace lui-même, mais situe également ses déplacements par rapport aux objets qui l'entourent. Par conséquent il se représente lui-même comme étant dans l'espace, objet parmi d'autres.

La construction de l'espace sensori-moteur s'effectue par la constitution de trois espaces : espace pratique, espace subjectif, espace objectif. L'espace représentatif, qui couronne cette élaboration progressive, permettra le dépassement de l'espace sensori-moteur en lui donnant plus de mobilité, mais il devra se constituer lui-même en repassant par les mêmes étapes au cours d'une période infiniment plus longue. De l'un à l'autre de ces espaces sensori-moteurs des transitions existent que la division en stades s'efforce de suivre. On remarque que cette construction suit exactement les mêmes étapes que l'intelligence. Parti d'un espace limité aux champs sensoriels définissant un espace pratique, peu à peu l'enfant en coordonnant entre eux les champs sensoriels parvient à constituer un espace subjectif où il situe les objets en rapport avec son activité propre. Puis peu à peu, par l'effet de la décentration, il se considère comme un objet parmi les autres objets, élaborant ainsi un espace homogène, sorte de cadre où il se situe en même temps que les objets. Mais, encore limité à sa relation au monde par la perception, cet espace est dépassé par la constitution de l'espace représentatif du sixième stade.

c) *La construction de la causalité*

Pendant les deux premières années, la causalité enfantine est essentiellement pratique. A aucun moment l'enfant ne cherche à comprendre pour le seul besoin de comprendre. Aussi, la causalité qu'il développe n'a-t-elle d'autre but que de modifier le réel pour l'accorder à son activité.

- Stades I et II : La prise de contact entre l'activité interne et le milieu extérieur et la causalité propre aux schèmes primaires

On ne remarque encore aucune liaison systématique, dans le courant des deux premiers stades, entre les différents espaces : buccal, tactile, visuel, etc. Mais c'est en organisant le monde extérieur que le sujet se découvre lui-même et règle ses actions en conséquence. Au niveau d'organisation correspondant à ces stades, la causalité ne peut être éprouvée par l'enfant que comme un sentiment ou une impression que quelque chose se produit en conséquence de son activité. Il y a donc lieu de concevoir la causalité comme un « sentiment d'efficace liée aux actes comme tels, à la condition seulement de se rappeler que de tels sentiments ne sont pas réfléchis par le sujet en tant qu'émanant de lui-même, mais qu'ils sont localisés dans les faisceaux perceptifs constituant le point de départ des objets en général ou du corps propre » (C.R., p. 199).

Deux caractères distingueront donc la causalité de ce niveau : son dynamisme qui, par le sentiment d'efficace, exprime la conscience de l'activité propre et son phénomène pour autant qu'elle « ne se constitue qu'à propos d'une donnée externe perçue par le sujet » (C.R., p. 199).

Le sentiment d'efficace accompagne l'activité et est localisé par l'enfant au point d'aboutissement de son action, c'est-à-dire aussi bien dans chaque centre de perception que dans le corps propre.

- Stade III : La causalité magico-phénoméniste

La coordination de la vision et de la préhension entraîne dans les conduites enfantines un intérêt pour les liaisons causales. Différentes liaisons se produisent ainsi dans le champ visuel. La première liaison concerne les mouvements du corps et, en ce sens, ce sont les mains et les pieds qui doivent être les premiers « centres » de causalité par efficace. Mais mains et pieds ne sont pas, pour la conscience de l'enfant, éléments du corps propre ; ils sont placés au même niveau que les objets extérieurs.

L'intention et le résultat peuvent permettre de distinguer la cause et l'effet au point que la cause aura tendance à s'intérioriser, l'effet restant situé au niveau des événements. Ce début de différenciation donne à l'enfant « conscience d'une cause générale : c'est l'efficace du désir, de l'intention, de l'effort, etc., bref tout le dynamisme de l'action consciente » (C.R., p. 204).

La deuxième liaison concerne les rapports entre les mouvements des objets et les mouvements du corps propre. L'action en général est ressentie comme cause dans tout type de relation entre la main qui bouge et l'objet qui est bougé.

La troisième liaison observable réside dans le fait que l'enfant cherche à regarder les choses qu'il entend comme causes du bruit et s'il agit, c'est pour faire durer le spectacle.

Ces trois sortes de liaisons causales n'en font en réalité qu'une car dans les trois cas « c'est au dynamisme de sa propre activité que l'enfant attribue toute l'efficace causale et le phénomène perçu au dehors, si éloigné soit-il du corps propre lui-même, n'est conçu que comme un simple résultat de l'action propre (C.R., p. 217).

Une quatrième forme de causalité pourrait être invoquée : la causalité par imitation. Mais l'analyse révèle qu'autrui n'est pas perçu par l'enfant comme un centre d'activité indépendant, donc de causalité autonome, mais comme le prolongement de l'activité propre. Ainsi, la causalité par imitation se ramène aux trois types précédents.

- Stade IV : Extériorisation et objectivation élémentaires de la causalité

Ce stade est intermédiaire entre la causalité magico-phénoméniste et la causalité objective. Il assure donc le passage entre ces deux types de causalités ce qui signifie que déjà la causalité s'y objective. Par conséquent les objets acquièrent une causalité par eux-mêmes avant d'être entièrement soumis à l'activité propre. Cependant les objets n'acquièrent cette causalité que dans des situations où l'activité propre entre en jeu. « En d'autres termes, la causalité des objets constitue dorénavant un pôle inverse à celui de l'action propre, mais ces deux pôles ne s'opposent l'un à l'autre que dans la mesure où ils sont donnés simultanément : le monde extérieur n'est donc point encore conçu comme un système d'actions parmi lesquelles peut s'insérer l'activité propre, mais dont l'existence et l'efficience ne dépendent pas de cette dernière » (C.R., p. 224).

Le stade débute donc lorsque l'enfant applique les moyens connus aux situations nouvelles. Aussi, la première causalité spatiale observable est celle qui concerne les actions d'attirer ou d'écarter dans la conduite déjà décrite où l'enfant écarte la main de son père pour atteindre l'objet, etc. On remarquera à propos de conduites semblables - Laurent dirige la main de son père contre les barreaux de son lit pour qu'il recommence à gratter comme précédemment - que l'enfant attribue une causalité autonome aux personnes. Le corps d'autrui est donc centre d'activité causale. Mais cette reconnaissance est opérée en acte dans la mesure où l'enfant prend la main, par exemple, pour continuer ou recommencer l'action. Elle a donc encore du rapport avec l'activité propre.

En bref, la causalité de ce stade est libérée (ou en voie de libération) de l'efficace et commence à prendre le caractère d'une causalité par contacts objectifs. L'objectivation de cette causalité se remarque pour autant que l'enfant prête aux objets et aux personnes une activité propre.

- Stade V : L'objectivation et la spatialisation réelles de la causalité

Le changement d'attitude de l'enfant vis-à-vis des objets et des personnes est tout à fait caractéristique. D'une part l'enfant cherche à mettre en branle les objets eux-mêmes en leur attribuant une causalité propre, d'autre part il agit vis-à-vis des personnes comme s'il les considérait comme centres de causalité autonome et indépendante. Ayant un clown animé, Jacqueline tente de le mettre en mouvement en essayant toutes sortes de combinaisons mais sans y parvenir. Toute sa recherche consiste à trouver sur le corps du clown la cause du mouvement observé. Même chose à l'égard de son père qui lui souffle dans les cheveux : elle tend la tête pour qu'il recommence. Avec les conduites de la ficelle ou du bâton, on observe une spatialisation de la causalité car le bâton est à la fois centre causal objectif et organe de liaison spatiale entre le bras et les objets.

Certes, des résidus de causalité antérieure demeurent, et ce sont d'abord ces formes qui apparaissent dans les situations nouvelles les plus inattendues. Néanmoins, la causalité est objectivée sur les objets et les personnes et située dans le cadre spatio-temporel. Le sujet, objet parmi les objets, objective donc et lui-même et les objets, ce qui le conduit du même coup à objectiver et spatialiser la causalité.

- Stade V : La causalité représentative

Le progrès marqué par ce dernier stade réside dans le fait que, parvenant à se représenter les objets absents, l'enfant peut reconstituer des causes en présence de leurs effets sans perception de ces causes. Par conséquent il peut, compte-tenu d'un objet perçu, prévoir ses effets futurs.

D'une manière générale « la causalité consiste en une organisation de l'univers due à l'ensemble des relations établies par l'action puis par la représentation entre les objets, ainsi qu'entre les objets et le sujet. La causalité suppose donc à tous les niveaux une interaction entre le moi et les choses, mais si l'égocentrisme radical des débuts conduit d'abord le sujet à attribuer tous les événements extérieurs à l'activité propre, la constitution d'un univers permanent permet ensuite au moi de se situer parmi les choses et de comprendre l'ensemble des séquences dont il est le spectateur ou dans lesquelles il est engagé comme cause ou comme effet. Une telle élaboration suppose un fonctionnement invariant (...) mais (aussi) une structuration progressive et non pas *a priori* » (C.R., pp. 275-276).

d) *La construction du temps*

Les quatre catégories de l'objet, de l'espace, de la causalité et du temps sont solidaires ; leur élaboration s'effectue en même temps et en interaction. Seules les exigences de la recherche et de l'exposé didactique les séparent. Cette solidarité et cette interaction sont plus sensibles peut-être pour le temps que pour les autres. Il est donc difficile de chercher à reconstituer les séries temporelles que l'enfant construit pour autant que la « conscience » qu'il en prend ne s'extériorise pas en comportements observables comme pour l'espace ou l'objet par exemple. Mais si les autres catégories présentent un aspect temporel, c'est à les observer qu'il conviendra de dégager ce qui relève du temps lui-même.

- Stades I et II : Le temps propre et les séries pratiques

Il n'est pas possible d'analyser directement les formes primitives du temps. Mais l'examen des conduites dans leur durée permet de dire « qu'il n'y a point encore de notion du temps s'appliquant aux phénomènes extérieurs, ni de champ temporel englobant le déroulement des événements en eux-mêmes et indépendamment de l'action propre » (C.R., p. 285). Le temps est donc au commencement simple durée sentie au cours de l'action propre. En ce sens elle se confond avec les impressions d'attente et d'effort mais sans distinction entre l'avant et l'après. Le temps est donc simple durée, « simple sentiment d'un déroulement et de directions successives immanents aux états de conscience » (C.R., p. 285).

- Stade III : Les séries subjectives

Le temps, grâce à la préhension des objets visuels, commence à s'appliquer à la suite des phénomènes dans la mesure où cette suite est l'effet de l'intervention de l'enfant lui-même. Le temps des choses n'est donc que l'application à celles-ci du temps propre. L'enfant « sait percevoir une succession d'événements lorsqu'il a lui-même engendré cette succession, ou lorsque « l'avant » et « l'après » sont relatifs à sa propre activité, mais il suffit que les phénomènes perçus se succèdent indépendamment de lui pour qu'il néglige l'ordre du déroulement » (C.R., p. 293).

- Stade IV : Débuts de l'objectivation du temps

Au cours de cette période, le temps commence à s'appliquer aux événements indépendants du sujet et à constituer des séries objectives. La recherche de l'objet disparu atteste de cette attitude consistant à considérer les événements dont le déroulement échappe à l'activité propre et se produisent selon une durée qui leur appartient. Mais, ainsi que nous le savons, en ce stade de transition, l'efficacité de l'action est encore empreinte des caractéristiques de l'action propre.

- Stade V : Les séries objectives

Cette fois « le temps déborde définitivement la durée inhérente à l'activité propre pour s'appliquer aux choses elles-mêmes et constituer le lien continu et systématique qui unit les uns aux autres les événements du monde extérieur. En d'autres termes le temps cesse d'être simplement le schème nécessaire de toute action reliant le sujet à l'objet pour devenir le milieu général englobant le sujet au même titre que l'objet » (C.R., pp. 299-300).

TABLEAU RECAPITULATIF DES STADES

Stades / Secteurs	1er stade (jusqu'à 1 mois)	2e stade (1-4 mois)	3e stade (4 à 8-9 mois)
Intelligence	Exercices réflexes. Ass. et acc. = confondues. Ass. = reproductrice, récognitive, généralisatrice.	Premières habitudes acquises. Ass. et acc. se dissocient. Réact. circ. I : - Conservation du résultat intéressant découvert par hasard. - Répétitrice. - Concerne le corps propre. Regarder, écouter, sucer.	Adaptations sensori-motrices intentionnelles. Ass. et acc. diff. plus nette. Réact. circ. II (Ass. > Acc.). - Conserv. du résultat découvert par hasard sur le milieu extérieur. - Répétition mais intentionnalité. - Concerne le milieu externe. Sucer, balancer, frotter.
	Actes préintelligents		Transition.
Objet	Aucune conduite relative aux objets disparus. — Tableaux sensoriels s'évanouissant et retournant au néant. — Coordination schèmes visuels et auditifs.		Début de permanence prolongeant les mouvements d'acc. Permanence due à l'action propre : Subjective.
Espace	Groupes pratiques et hétérogènes — espace buccal, — espace visuel, — espace postural, — espace tactile, — espace auditif.		Coordination des groupes. Groupes subjectifs. Pas de retournement du biberon.
Causalité	Prise de contact entre le milieu interne et le milieu extérieur. Pas de liaison entre les différents espaces. Causalité = sentiment que quelque chose se produit, d'efficience ou d'efficace.		Causalité magico-phénoméniste, efficace du désir, de l'intention, de l'effort. Causalité = résultat de l'action propre.
Temps	Temps propre, séries pratiques, durée.		Séries subjectives avant et après = relatifs à l'action propre.

DU DEVELOPPEMENT SENSORI-MOTEUR

4e stade (8-9 mois - 11-12 mois)	5e stade (11-12 mois - 18 mois)	6e stade (18 mois - 24 mois)	Stades / Secteurs
Coordination des schèmes secondaires et application aux situations nouvelles. Ass. = Acc. But non directement accessible. Dissociation moyens-but. Schèmes plus génériques.	Découverte de moyens nouveaux par expérimentation active. Acc. > Ass. - conduite du support, » de la ficelle, » du bâton.	Invention de moyens nouveaux par combinaison mentale. Acc. > Ass. Représentation.	Intelligence
Actes d'intelligence proprement dite.			
Recherche active de l'objet disparu sans tenir compte de la succession des déplacements visibles. Début de permanence objective (transition).	L'enfant tient compte des déplacements successifs de l'objet. Recherche de l'objet dans la position résultant du dernier déplacement. Objet permanent objectif.	Représentation des déplacements invisibles. Objet permanent. L'objet est définitivement constitué =	Objet
Passages aux groupes objectifs (transition). Opérations réversibles. Grandeur constante des solides ; perspective des relations en profondeur. Retournement systématique.	Groupes objectifs = - déplacements des objets les uns par rapport aux autres, mais par contact direct ; - milieu homogène des déplacements perceptifs.	Groupes représentatifs : - Représentations spatiales entre les choses. - Représentation des déplacements du corps propre.	Espace
Extériorisation et objectivation de la causalité (transition).	Objectivation et spatialisation réelles. Espace = cadre englobant le sujet et l'objet.	Causalité représentative.	Causalité
Début d'objectivation. Séries empreintes de l'action propre (transition).	Séries objectives. Le temps = cadre général englobant le sujet et l'objet.	Séries représentatives.	Temps

- Stade VI : Les séries représentatives

Grâce à l'évocation des objets ou des situations absents, les rapports d'avant et d'après se constituent. Par conséquent l'enfant est apte à les situer dans un temps représentatif qui englobe et lui-même et le monde avec les limitations propres à cette représentation naissante.

Si nous rassemblons toutes les acquisitions de ce stade (ou de cette période) sensori-motrice de la naissance à l'âge de deux ans, nous obtenons le tableau des pages 116-117.

3. Conclusion

a) A parcourir le tableau des pages précédentes, on se rend compte que tout le sens du développement peut être interprété comme une décentration progressive. Au départ, l'enfant est dans un état de confusion totale, ne possédant que ses réflexes héréditaires. Mais dès sa prise de contact avec le monde il développe des conduites d'adaptation. Ses réflexes se transforment en habitudes puis, peu à peu, des structurations s'opèrent par son activité propre. On remarque des recouvrements d'espaces sensoriels qui se coordonnent (préhension-vision par exemple) et on assiste à une activité qui, devenue intentionnelle, en arrive à découvrir des moyens nouveaux pour finir par en inventer par combinaison mentale. Toute l'activité de l'enfant, dans la description piagétienne, est conçue et décrite comme une activité de mise en relation avec le monde. Ce faisant, le sujet se construit comme sujet en tant qu'il construit l'objet. Les processus d'accommodation l'amènent à établir avec le monde des rapports d'objectivité. Ainsi, en structurant l'objet, l'enfant se structure lui-même comme sujet. Plus le monde devient cohérent, plus lui-même devient cohérent. La relation sujet-objet est donc constitutive et du sujet et de l'objet. Et c'est par ce processus dialectique que l'égocentrisme initial, fait essentiellement d'indistinction, craque peu à peu pour se transformer en relations objectives.

Les trois premiers stades sont des stades d'élaboration où le sujet s'ignorant comme tel assimile le réel à lui-même. Le troisième assure la transition où s'opère la dissociation. Avec le quatrième stade, on voit basculer l'enfant vers la décentration objective qui s'achève avec le sixième stade par la représentation. Cette fois, l'enfant se situe dans une nouvelle période de transition où il commence à réélaborer ses rapports au monde sur ce plan nouveau de la représentation et où il repasse par les mêmes étapes que précédemment. L'instrument d'ancrage et de constitution de soi-même et du monde est, au stade sensori-moteur, la perception par laquelle l'enfant établit ses systèmes de relations directement avec le monde extérieur. Cette relation au monde sera ensuite médiatisée par la fonction symbolique ou sémiotique au plan représentatif.

b) Du point de vue structural, la logique sensori-motrice repose sur le schème qui en constitue l'unité. Le schème est un instrument de compréhension mais sans pensée, sans représentation. On peut le considérer comme l'équivalent fonctionnel de ce que sera plus tard le concept sur le plan de la pensée représentative. Il n'est donc qu'un concept pratique. Comme tel il peut être pris en extension et en compréhension comme le concept.
L'extension d'un schème, c'est l'ensemble des situations auxquelles il s'applique : le schème de prendre appliqué indifféremment au biberon, au hochet, à la ficelle, au drap, etc.
La compréhension du schème, c'est l'ensemble des propriétés communes aux situations semblables : le schème de prendre s'appliquera à tout objet saisissable.

De ce point de vue, l'assimilation consiste à incorporer un objet ou une situation à un schème ; l'accommodation en revanche, à modifier le schème en fonction des propriétés de l'objet qui empêchent le jeu de l'assimilation. Toute activité spontanée consiste donc à assimiler d'abord, à accommoder ensuite. L'adaptation se réalise lorsque l'assimilation et l'accommodation s'équilibrent.

Toujours selon les cadres de la logique, on peut interpréter les conduites enfantines selon les critères de la classification et de la sériation. En effet, l'utilisation des différents moyens nécessaires à atteindre un but sont des classifications en actes. Si le but est d'atteindre un objet, les moyens à disposition sont quelques classes de conduites comme par exemple le support, la ficelle, le bâton, etc. et réciproquement, un même moyen peut s'appliquer à des buts différents et variés. Les conduites de l'enfant révèlent donc des classifications des buts et moyens, mais pratiques, en actes, sans langage, sans pensée. Quand par ailleurs l'enfant range des boîtes selon un ordre décroissant (ou l'inverse selon le cas), il effectue une opération de sériation. Tous les empilements et emboîtements obéissent à ces opérations. Enfin, on peut découvrir des débuts de quantification purement pratiques dans des actions de balancement par exemple, lorsque ceux-ci s'effectuent plus vite ou moins vite, etc. La conduite du dénombrement est aussi remarquable en actes : en effet, lorsque le jeune bambin suit avec son doigt ou avec un objet l'ordre des barreaux de son lit ou lorsqu'il passe sa main sur les séparations du radiateur de chauffage central, il agit par itération. On peut voir là la préfiguration de l'action de nombrer ultérieure et dire que le nombre s'engendre par itération : 1 ; 1 + 1 = 2 ; (1 + 1) + 1 = 3, etc.

Toutes les actions de l'enfant s'effectuant selon une logique qui leur est propre peuvent donc être traduites dans les termes de la logique des opérations intrapropositionnelles (classes et relations). Mais PIAGET pense qu'il y a plus et que les actions sensori-motrices s'organisent en structures d'ensemble qui obéissent à ce que POINCARÉ appelait le groupe des déplacements concernant l'espace. (Néanmoins, presque toute structure peut être traduite par un groupe, ce qui limite la portée de cette lecture logico-mathématique).

Le groupe est en réalité un système de transformations. Celui-ci coordonne diverses opérations selon quatre propriétés : composition, réversibilité, identité, associativité. Appliquées aux déplacements, ces propriétés se vérifient. Ainsi, le groupe des déplacements pratiques qui est constitué au cinquième stade comporte :

- une opération directe : soit un déplacement de A vers B (A ⟶ B)

Celle-ci est composable avec une autre : un déplacement de A ⟶ B composé avec un déplacement de B ⟶ C donne un déplacement global de A ⟶ C

(A ⟶ B) + (B ⟶ C) = (A ⟶ C)

- une opération inverse : un déplacement qui est toujours orienté peut être inversé. A l'aller de A ⟶ B correspond un retour de B ⟶ A. Ce qui, en composition donne : (A ⟶ B) + (B ⟶ A) = 0 signifiant que le retour ramène au point de départ.
- une opération identique ou nulle : l'enfant ne se déplace pas.
- une opération associative : quand par exemple l'enfant se rend

d'un point à un autre en empruntant des chemins différents. Par exemple le déplacement A ⟶ E peut comporter (A ⟶ B) + (B ⟶ C) + C ⟶ E) mais aussi (A ⟶ B) + (B ⟶ E), etc.

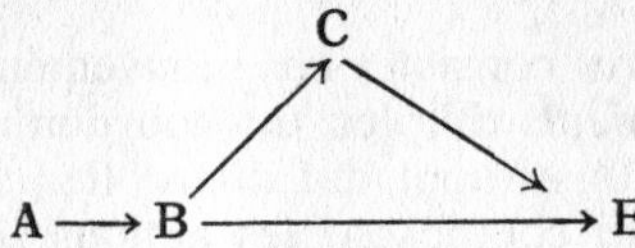

L'opération associative est illustrée concrètement par la conduite du détour lorsque le trajet direct (A ⟶ E par exemple) n'est pas possible.

Mais la structure de groupe n'est vraiment possible qu'à certaines conditions et en particulier à condition que l'objet permanent soit constitué. Cela signifie que la structure de groupe est une propriété acquise. Autrement dit, la construction de la permanence de l'objet est solidaire de la construction du groupe pratique des déplacements.

Ces structures de groupe se retrouvent, en considérant la réélaboration de la logique, à deux niveaux hiérarchiquement différents : le niveau des opérations concrètes et le niveau des opérations formelles, mais avec des nuances dont nous parlerons. Retenons que la présence du groupe rend toute opération réversible. Mais comme les opérations sensori-motrices ne sont pas en réalité des opérations au sens strict (*cf.* Déf., chap. II)), PIAGET préfère dire que les actions de ce niveau sont renversables. La renversabilité est l'expression sensori-motrice de la réversibilité vraie.

c) Dans un article ancien [1], PIAGET proposait une lecture de la vie psychique selon trois structures fondamentales qui sont les rythmes, les régulations et les groupements. Appliquées à l'intelligence sensori-motrice ces structures permettent une réinterprétation du processus de développement que nous avons relaté en stades.

1 - Les formes initiales sont constituées par les structures de rythmes. Ce sont elles qui « marquent le point de jonction de la vie organique et de la vie mentale » (p. 10). Les rythmes traduisent

1. *Les trois structures fondamentales de la vie psychique : rythme, régulation et groupement. Revue suisse de psychologie pure et appliquée,* 1942, pp. 9 à 21.

ainsi le caractère le plus général des processus psycho-physiologiques. Tous les mouvements impulsifs du bras, des jambes, de la tête, etc., ou les réflexes comme la succion ont les mêmes caractères :
- l'action élémentaire consiste en mouvements qui se répètent tels quels, qu'ils soient simples ou coordonnés car dans ce cas c'est le bloc qu'ils constituent qui donne lieu à répétition.
- les mouvements qui composent les actions sont caractérisés par deux phases, une ascendante et une descendante ou antagoniste.
- la périodicité de ces actions est à intervalles plus ou moins réguliers selon qu'elle dépend de facteurs internes ou externes.

Par exemple, la réaction circulaire est une structure rythmique. Elle aboutira à l'automatisation de cette nouvelle acquisition à titre de schème stéréotypé dans des ensembles ultérieurs plus complexes.

2 - Dès que l'on entre dans des systèmes d'actions plus complexes (coordination d'habitudes par exemple), le rythme cède le pas à des structures de caractère supérieur qui en dérivent mais les dépassent. Ce sont les régulations. Celles-ci expliquent les équilibres qui se réalisent dans des conduites plus complexes comme les habitudes par exemple. Ces régulations sont caractérisées par trois propriétés :
- « lorsque les éléments de l'action ne donnent pas lieu à de simples répétitions, ils constituent alors des systèmes statiques d'ensemble, définis par certaines conditions d'équilibre ;
- « Les mouvements orientés en sens inverse les uns des autres et dont l'alternance constituait des phases successives au niveau du « rythme » deviennent alors simultanés et représentent les composantes de cet équilbre ;
- « En cas de modification des conditions extérieures, l'équilibre se déplace par accentuation de l'une des tendances en jeu, mais cette accentuation est tôt ou tard limitée par celle de la tendance contraire (régulation) » (*art. cit.*, pp. 12-13).

On remarque ces régulations dans les premiers actes d'intelligence où l'on atteint à une semi-réversibilité par l'effet rétroactif des corrections approchées comme dans les conduites de tâtonnement.

3 - Un début de réversibilité, source des futures opérations de la pensée apparaît avec la constitution du groupe pratique des déplacements déjà analysé. Le produit des opérations réversibles est la

constitution des conservations ou « invariants de groupes ». Au niveau sensori-moteur un tel invariant est le schème de l'objet permanent. Mais l'invariant aussi bien que la réversibilité ne sont pas ici complets parce que la représentation n'est pas élaborée.

PIAGET pense que les structures de rythme n'apparaissent plus aux niveaux représentatifs ultérieurs (après deux ans), l'évolution de la pensée s'effectuant par un passage des régulations à la réversibilité opératoire (intériorisée) ou proprement dite. Or, si PIAGET a raison en ce qui concerne le développement de la pensée, ou le sens de ce développement, nous croyons que les structures de rythme se retrouvent non seulement à titre de composantes dans bien des conduites, mais aussi et surtout dans cette activité essentielle qu'est le langage. Pour autant en effet que le langage est articulé sur les rythmes respiratoires (il en est de même du chant, de la musique, de la danse, etc.) il comporte des structures de rythme comprenant des alternances de montée et de descente (arsis-thésis ou tension-détente) qui peuvent se combiner en rythmes composés selon une combinatoire et des lois de composition assez strictes. Partant pourquoi la vie affective et la vie intellectuelle elle-même ne comporterait pas de telles structures de rythme ? C'est à ce problème que s'est attaché Ch. BECKER dans une thèse à paraître sur *Rythme et langage* où il montre en particulier que les structures rythmiques sont isomorphes aux structures syntaxiques.

BIBLIOGRAPHIE DU CHAPITRE III

PIAGET (J.), *La naissance de l'intelligence chez l'enfant*, Delachaux et Niestlé, 4e édition, 1963 (abrégé : N.I.).

PIAGET (J.), *La construction du réel chez l'enfant*, Delachaux, 3e édition, 1963 (abrégé : C.R.).

PIAGET (J.), *La psychologie de l'enfant* (avec B. INHELDER), P.U.F., 1966 (abrégé : P.E.).

PIAGET (J.), *Le développement de la notion de temps chez l'enfant*, P.U.F., 1946, conclusion pp. 269-272 (abrégé : D.T.).

PIAGET (J.), *Les trois structures fondamentales de la vie psychique : rythme, régulation et groupement, Revue suisse de psychologie pure et appliquée,* 1942.

BECKER (Ch.), *Rythme et langage,* Université de Besançon, Faculté des Lettres, thèse à paraître.

CHAPITRE IV

La genèse des opérations concrètes (de l'intelligence symbolique ou pré-opératoire à l'intelligence opératoire concrète)

La période de l'intelligence sensori-motrice se termine par un stade qui effectue la transition entre l'intelligence proprement sensori-motrice, sans langage, sans représentation, sans concepts, etc. et l'intelligence représentative. La sensori-motricité domine encore, mais l'image mentale apparaît dans la conduite différée, la recherche de l'objet après ses déplacements invisibles, l'invention de moyens nouveaux pour atteindre à une fin par combinaison mentale, etc. Ce passage de l'intelligence proprement sensori-motrice à l'intelligence représentative ne s'effectue pas par une brusque mutation, mais par des transformations lentes et successives qu'il est possible de suivre et que nous allons relater. Cependant, dès que l'enfant accède à la pensée représentative, il atteint un niveau supérieur où ce qu'il a acquis non seulement se conserve et continue à se développer pour lui-même, mais se réélabore également en repassant par les mêmes étapes à ce nouveau plan. Autrement dit, il faut que l'enfant reconstruise l'objet, l'espace, le temps, les catégories logiques de classes et de relations au plan de la représentation. Cette reconstruction est incomparablement plus longue puisqu'elle s'étend de l'âge de deux ans à l'âge de onze-douze ans.

Deux étapes caractérisent cette réélaboration représentative. Dans la première (2 à 7 ans environ) domine la représentation symbolique. L'enfant ne pense pas à proprement parler, mais voit mentalement ce qu'il évoque. A la rigueur on pourrait dire que son esprit est le siège d'images, de tableaux particuliers qui sont les représentants imagés des objets qu'il a vus et des situations qu'il a vécues. Le monde ne se distribue pas en catégories logiques générales, mais en éléments particuliers, individuels en rapport avec l'expérience personnelle. C'est pourquoi l'égocentrisme intellectuel est la forme dominante que prend la pensée de l'enfant au cours de cette période. Partant, si l'intelligence est plus mobile qu'au cours de la période précédente, elle ne possède encore qu'une mobilité restreinte parce que non encore réversible.

Dans la seconde période (7 à 11-12 ans), avec la réversibilité acquise, les opérations de classification et de sériation qui s'élaborent pendant que se constituent les invariants de substance, poids et volume notamment, permettent de penser de façon plus mobile la réalité concrète. Mais ce fait limite par là-même la mobilité de cette intelligence pour autant qu'elle n'opère que sur le concret sans la possibilité d'envisager des hypothèses et de se déterminer selon le plus probable. L'intelligence opératoire concrète consiste donc à classer, sérier, dénombrer les objets et leurs propriétés dans le contexte d'une relation du sujet à l'objet concret directe et sans la possibilité de raisonner sur de simples hypothèses. Mais c'est dès l'âge de 7 ans que les opérations infralogiques et logico-arithmétiques, ainsi que les aspects figuratifs et opératifs de la pensée, peuvent être dissociés.

Il nous faut donc essayer de donner de ce long développement et de ces réélaborations lentes une description aussi précise que possible. Pour ce faire, nous pensons procéder dans un premier temps à la description du passage du sensori-moteur au représentatif. De là nous serons conduits à décrire l'intelligence symbolique. Mais nous nous attacherons surtout ensuite à la relation de la mise en place des structures opératoires concrètes.

1 - Le passage de l'intelligence sensori-motrice a l'intelligence représentative

Pour Piaget, « la pensée représentative débute, par opposition à l'activité sensori-motrice, dès que, dans le système des significations constituant toute intelligence et sans doute toute conscience, le signifiant se différencie du signifié » (F.S., p. 172). La représentation peut s'entendre en deux sens :
- Au sens large, elle « se confond avec la pensée, c'est-à-dire avec toute l'intelligence ne s'appuyant plus simplement sur les perceptions et les mouvements (intelligence sensori-motrice), mais bien sur un système de concepts ou de schèmes mentaux » (F.S., p. 68).
- Au sens étroit, « elle se réduit à l'image mentale ou au souvenir-

image, c'est-à-dire à l'évocation symbolique des réalités absentes » (F.S., p. 68).

Par conséquent, si la représentation signifie indistinctement, et selon le contexte, pensée ou image, il convient, pour éviter toute méprise, de distinguer entre représentation conceptuelle pour désigner la représentation au sens large et représentation symbolique, ou imagée, ou symboles et images, pour désigner la représentation au sens étroit.

Dès lors que l'intelligence devient représentative, une distinction s'opère au sein des significations établies par l'intelligence sensori-motrice. Chaque objet est représenté, ce qui veut dire, évoqué en image. En d'autres termes, à chaque objet correspond, progressivement, une image (mentale) qui permet à l'enfant d'évoquer cet objet en son absence. Mais on comprend bien que pour ce faire il est indispensable qu'il possède non seulement la capacité, mais aussi le moyen de cette évocation. PIAGET, confirmé en ceci par les travaux sur l'aphasie, forge donc l'hypothèse de la fonction symbolique (ou fonction sémiotique qu'il préfère à la précédente employée initialement) qui se remarque dans les formes qu'elle prend à savoir : le langage, l'imitation différée, l'image mentale, le dessin, le jeu symbolique. La fonction symbolique (ou sémiotique) est conçue « en tant que mécanisme commun aux différents systèmes de représentations, et en tant que mécanisme individuel dont l'existence préalable est nécessaire pour rendre possibles les interactions de pensée entre les individus et par conséquent la constitution ou l'acquisition des significations collectives » (F.S., p. 9). La fonction symbolique « permet de représenter les objets ou événements non actuellement perceptibles en les évoquant par le moyen de symboles ou de signes différenciés » (PS.P., p. 51). Par conséquent « on appellera fonction symbolique la capacité d'évoquer des objets ou situations non perçues actuellement, en se servant de signes ou de symboles » (T.P.E., VII, p. 69). La capacité évocatrice, c'est la fonction symbolique ou sémiotique ; les moyens, ce sont le langage, l'imitation différée, l'image mentale, le dessin, le jeu symbolique.

Au cours du développement de l'intelligence sensori-motrice, nous avons vu que les objets, d'objets à sucer ou à regarder, devenaient objets à secouer, à balancer, etc. Cela veut dire que, progressivement ils prenaient pour l'enfant, en fonction de son développement, des significations différentes. Mais, dans le système des significations établies, il y a lieu d'effectuer une distinction entre les signifiants et les signifiés. C'est ainsi que, au troisième stade de l'intelligence sensori-motrice, tout objet est reconnu comme objet à balancer, à secouer, etc. Il porte, pour l'enfant qui le perçoit, une signification fonctionnelle immédiatement reconnue. C'est donc au contact direct de l'objet que sa signification est fonctionnellement saisie par l'enfant. Mais comme il n'y a pas de représentation à ce point du développement, il n'y a pas de distinction vraie entre le signifiant et le signifié, ce qui veut dire que, dès la perception, le signifiant est donné avec son signifié. Autrement dit, en présence de l'objet, l'enfant assimile cet objet à ses schèmes de secouer, de balancer, etc. A aucun moment il n'a la représentation, ou image, de cet objet avec la reconnaissance mentale de sa signification fonctionnelle. S'il y a perception de significations, donc distinction du signifiant (l'objet) et du signifié (ce qu'on en peut faire), cette perception est toute pratique et perceptive, ne passant pas par conséquent par la représentation inexistante. Toute l'activité enfantine, consistant autant à conférer des significations qu'à en reconnaître, s'opère en présence et au contact de l'objet. Toutefois, l'objet (ou la personne) n'est pas seulement signifiant en tant que tel. Sa signification n'est reconnue que par la lecture d'indices perceptifs.

Le terme « indice » a deux sens :

- Au sens large, il est « le signifiant concret, lié à la perception directe et non pas à la représentation » (N.I., p. 170).
- Au sens étroit, il est « une donnée sensible qui annonce la présence d'un objet ou l'imminence d'un événement (la porte qui s'ouvre et qui annonce une personne) (*ibidem*).

En établissant donc un système de significations dans son activité organisatrice et du monde et de lui-même, l'enfant passe d'une lecture d'indices signifiants à une autre, selon les niveaux de développement atteints et selon les types d'activités à chaque niveau. Il est donc possible, selon les niveaux, de distinguer des types d'indices différents allant des impressions sensorielles (1er stade) aux premières images (6e stade), en passant par le signal-indice (2e stade), l'indice intermédiaire (3e stade) et l'indice vrai (3e & 4e stades).

Au premier stade, la faim déclenche le réflexe de succion. Dès lors, les activités assimilatrices reproductrices (sucer pour sucer) et généralisatrices (sucer n'importe quel objet) sont sans effet. Seule la têtée est opérante. L'enfant perçoit donc, au moins labialement, le mamelon en le distinguant des téguments environnants comme signifiants pour lui lorsqu'il tête. Le mamelon a donc une signification opposée à d'autres : sucer à vide, etc. Ici, « le signifiant n'est autre que l'impression sensorielle élémentaire accompagnant le jeu réflexe (dont l'impression sert d'« excitant » à la succion) et le signifié n'est autre que le schème de la succion » (N.I., pp. 170-171).

Au deuxième stade se surajoutent à ces impressions sensorielles comme *signifiants* des signaux consistant en « une impression sensorielle simplement associée à la réaction et aux tableaux perceptifs d'un schème quelconque ; il annonce dès lors ces tableaux et déclenche ces réactions dans la mesure où il est assimilé au schème considéré » (N.I., p. 171). Ainsi, le bébé pris dans les bras en position de têtée se met à têter.

Au troisième stade s'élabore un indice intermédiaire entre le signal-indice et l'indice-vrai. En tirant le cordon suspendu au toit de son berceau, l'enfant lui accorde une signification relative à la prévision des événements. Mais comme cette prévision n'est pas relative à l'activité des objets eux-mêmes indépendamment des actions du sujet, l'indice n'est pas encore mobile. Ce n'est qu'aux quatrième et cinquième stades qu'il acquerra ce caractère. A ce niveau, l'indice est relativement détaché de la perception actuelle et constitue comme un signe mobile lié à l'activité de l'objet ou des événements eux-mêmes. Au sixième stade l'indice tend à se constituer en images qui, se détachant de la perception, deviennent symboliques. Alors le signifiant se dissocie du signifié parce que les conduites sont relatives aux objets absents. L'intelligence devient représentative.

Mais, à considérer simplement la dissociation progressive du signifiant et du signifié, on ne voit pas comment on passe d'une intelligence qui se meut dans un univers d'objets et d'actions, sans représentation, sans langage, sans concepts, à une intelligence représentative de niveau immédiatement supérieur. Comment s'opère l'élaboration progressive de la fonction symbolique ? PIAGET pense que le passage de l'intelligence sensori-motrice à l'intelligence représentative s'opère par l'imitation et que les cinq formes de la fonction symbolique reposent sur elle. « L'imitation constitue, écrit-il, tout à la fois la préfiguration sensori-motrice de la représentation et par conséquent le terme de passage entre le sensori-moteur et celui des conduites proprement représentatives (P.E., pp. 43-44).

Imiter, au sens strict, c'est reproduire un modèle. On voit donc que les conduites d'imitation, impossibles au premier stade, vont progressivement s'acquérir pour devenir peu à peu différées.

Au premier stade il n'y a donc pas d'imitation au niveau des purs réfexes parce qu'il n'y a pas encore d'éléments d'acquisition en fonction de l'expérience. Mais on peut voir la source des premières imitations possibles dans le phénomène de la contagion des pleurs entre nourrissons, où le bébé pleure par confusion des pleurs entendus avec les pleurs propres. Le réflexe engendre dans ce cas une assimilation reproductrice par incorporation d'éléments extérieurs au schème réflexe lui-même. Au cours du deuxième stade les schèmes réflexes s'assimilent certains éléments extérieurs en fonction de l'expérience acquise par la réaction circulaire primaire. L'imitation commence donc à apparaître. Néanmoins, elle est subordonnée d'une part à la différenciation des schèmes en présence des données de l'expérience, d'autre part à la reconnaissance, par l'enfant, de l'analogie que présente le modèle perçu avec les résultats auxquels il parvient. Le modèle étant assimilé à un schème circulaire acquis (réaction circulaire primaire), l'imitation n'est encore que sporadique. En revanche, au troisième stade, compte-tenu des acquisitions de l'intelligence, l'imitation devient systématique et intentionnelle. L'enfant est capable, par exemple, de reproduire chacun des sons qu'il connaît. Il peut également imiter les mouvements d'autrui analogues à ses mouvements propres connus et visibles.

Les progrès sont plus accusés au quatrième stade quand l'enfant est capable de reproduire les mouvements non visibles sur son corps propre. Par exemple, l'enfant peut se frotter les yeux comme le modèle.

L'imitation des modèles nouveaux, y compris ceux qui correspondent à des mouvements invisibles du corps propre, se fait systématiquement au cinquième stade. A ce niveau l'imitation est une sorte d'accommodation systématique en vue de modifier les schèmes en tenant compte de l'objet. « Lorsque Jacqueline arrive à repérer tactilement son front en se fondant sur la perception visuelle du mien, non seulement elle résout un problème nouveau pour elle, mais encore elle utilise des moyens nouveaux ; elle part de son œil qu'elle connaît, puis tâtonne en touchant successivement son oreille et ses cheveux et en comprenant qu'elle n'est point encore parvenue au but, puis enfin se considère comme satisfaite lorsqu'elle aboutit à se palper le front » (F.S., p. 62).

C'est au sixième stade que l'enfant peut pratiquer le faire-semblant, agir « comme si », par imitation différée. Ainsi, les images ultérieures seront un produit de l'imitation différée ou imitations intériorisées.

C'est donc bien par l'imitation différée que s'effectue le passage de l'intelligence sensori-motrice à l'intelligence représentative. L'imitation s'intériorisant, les images s'élaborent et deviennent, toutes choses égales, comme les substituts intériorisés des objets donnés à la perception. Le signifiant est alors dissocié du signifié et la pensée représentative s'élabore.

2. L'INTELLIGENCE SYMBOLIQUE

Ayant franchi la barrière de la simple perception nécessitant la mise en contact direct avec le réel, l'intelligence accède au niveau de la représentation par l'intériorisation de l'imitation elle-même favorisée par la mise en place de la fonction symbolique (ou sémiotique). L'enfant accède alors au langage et à la pensée. Il élabore également des images qui lui permettent, si l'on peut dire, de transporter le monde dans sa tête. Il peut même représenter ce monde en dessinant. Bien entendu toutes ces activités suivent une genèse par ailleurs fort connue.

Entre le langage et l'image toutefois la différence est grande. Le langage repose sur un système de signes conventionnels, fixés arbitrairement par une tradition linguistique donnée et tels qu'il n'y a aucun rapport de ressemblance entre le signifiant et le signifié. L'image en revanche est, approximativement, une copie du réel, et permet d'évoquer l'objet, la personne ou la situation en son absence. Comme telle elle est souvenir-image et image-copie. Du moins est-ce là un de ses aspects car la réalité est plus complexe. Sans entrer dans des détails trop techniques, et en nous plaçant dans la plus stricte perspective génétique, nous pouvons présenter l'évolution psychologique de la façon suivante. Entre deux et cinq ans approximativement, l'enfant acquiert le langage et façonne en quelque sorte un système d'images. Mais le langage n'a pas pour lui la même valeur que pour l'adulte. Système de signes, il ne lui permet d'évoquer que des réalités particulières. C'est pourquoi le mot n'a pas encore la valeur d'un concept. Il évoque une réalité particulière ou son correspondant imagé. L'enfant ne sait pas penser la généralité : il est enfermé dans la particularité. Lorsqu'il parle, il voit ce qu'il énonce et si fortement que son langage est plutôt allusif qu'informatif, comme si l'adulte ou autrui voyait comme lui ce qu'il évoque. Ayant à reconstruire le monde sur le plan représentatif, il le reconstruit à partir de lui-même. C'est pourquoi l'égocentrisme intellectuel est à son maximum dans le courant de cette première étape.

Pensée essentiellement imagée, la représentation de l'enfant évoque des réalités particulières, par conséquent symboliques. Elle se fonde sur un système de relations entre la chose et son correspondant imagé que le langage n'est pas propre à exprimer pour autant que la vision intuitive est particulière et, ce faisant, pratiquement incommunicable. Cette domination d'une pensée par images enferme l'enfant en lui-même.

Cette pensée peut s'observer dans le jeu symbolique où l'enfant transforme le réel au gré des besoins et des désirs du moment. Selon les exigences du jeu, un coquillage sera un chat par assimilation de sa forme bombée au dos du chat, donc par saisie d'une ressemblance partielle entre le signifiant et le signifié, ou une assiette, un landeau pour coucher une poupée, une barque, etc. Le réel est transformé par la pensée symbolique au fur et à mesure que le jeu se déroule, c'est-à-dire au gré des exigences du désir exprimé dans et par le jeu. C'est pourquoi PIAGET a pu dire que le jeu symbolique était l'égocentrisme à l'état pur.

Il va sans dire qu'une pensée ainsi dominée par le symbolisme, essentiellement particulier, personnel et, à ce titre, incommunicable - car il y a autant de symboles différents que d'individus - n'est pas une pensée socialisée. On retrouve donc toutes les descriptions opérées par PIAGET sur l'égocentrisme avec ce qu'il implique d'artificialisme, d'animisme, de finalisme, de réalisme intellectuel, etc. Mais ce qui est plus important peut-être c'est que, la pensée adulte reposant essentiellement sur des concepts abstraits et généraux et s'exprimant au moyen d'un système de signes conventionnels et arbitraires tel que le langage, la pensée de l'enfant paraît située à ses antipodes. Elle ne repose donc pas sur des concepts, mais sur ce que PIAGET nomme des pré-concepts qui sont particuliers en ce sens qu'ils évoquent des réalités elles-mêmes particulières. En tant que tels ils ont leur corrélat imagé ou symbolique propre à l'expérience de chaque enfant. Ainsi du terme chien qui, lorsqu'il est prononcé par l'enfant, renvoie par l'image-symbole à un chien familier, ou à un chien connu qui bouche en quelque sorte l'horizon mental à la généralité du concept de chien (qui n'est ni ce chien particulier, ni un chien générique). Si, chez l'adulte, le terme chien peut renvoyer à un chien connu, il s'agit d'un résidu d'image issu de l'enfance et qui n'exprime pas le caractère abstrait et général du concept de chien. Car l'adulte sait qu'il n'y a pas d'image correspondant au terme de chien exprimant la classe générale qui englobe tous les chiens particuliers. Chez l'enfant en revanche, chien évoque « mon » chien. L'enfant, n'ayant donc pas rangé tous les éléments du réel sous des classes générales, pense par individualités. C'est pourquoi le signifiant est chez lui un symbole et le signifié un préconcept. Sa représentation est imagée et symbolique, celle de l'adulte conceptuelle.

Une évolution toutefois s'opère peu à peu et, entre cinq ans et sept ans, période dite « intuitive », l'enfant accède à plus de généralité. Sa pensée porte cette fois sur des configurations représentatives d'ensemble plus larges, mais elle est encore dominée par elles. D'une part l'intuition est une sorte d'action effectuée en pensée et vue mentalement : « transvaser, faire correspondre, emboîter, sérier, déplacer, etc., sont encore des schèmes d'action auxquels la représentation assimile le réel. Mais l'accommodation de ces schèmes aux objets demeure pratique, fournit les signifiants imitatifs ou imagés, qui permettent précisément à cette assimilation de se faire en pensée » (P.I., p. 164). D'autre part l'intuition est une pensée imagée « plus raffinée que pendant la période précédente, car elle porte sur des configurations d'ensemble et non plus sur de simples collections syncrétiques symbolisées par des exemplaires-types ; mais elle utilise encore le symbolisme représentatif et présente donc toujours une partie des limitations qui lui sont inhérentes » (P.I., pp. 164-165).

La pensée de l'enfant entre deux et sept ans est donc dominée par la représentation imagée de caractère symbolique. L'enfant traite les images comme de véritables substituts de l'objet et pense en effectuant des relations entre images. Vis-à-vis d'elles, il se comporte, toutes choses égales, de la même façon qu'il se comportait au stade sensori-moteur vis-à-vis des objets. Les termes du langage qu'il utilise ont leur correspondant imagé, vu en même temps que prononcé. L'enfant est capable, au lieu d'agir en actes sur les objets de nommer leur substitut image et d'agir mentalement sur eux. C'est pourquoi sa pensée est intuitive et peut être considérée comme une transposition véritable du plan sensori-moteur au plan de la représentation imagée. Issue de l'intériorisation de l'imitation, la représentation symbolique possède le caractère statique de l'imitation. C'est pourquoi elle porte essentiellement sur les configurations par opposition aux transformations. Mais, arrivée à une sorte de point de rupture avec la réversibilité logique, un renversement va s'opérer. Cette fois, l'image va être subordonnée aux opérations. C'est ce renversement qui s'effectue par la mise en place de structures définies dont nous allons parler.

Auparavant nous proposons le schéma suivant, sans commentaire, car il nous paraît bien résumer tout ce que nous venons de dire (sous 1. et 2.).

Intelligence opératoire concrète	**Objet**	**— conceptuelle Représentation — imagée** ↑	**Opérations (réversibles)** ↑
Intelligence symbolique	**Objet**	**Image-symbole** ↑ **Image** ↑	**Action imitative intériorisée** ↑ **Action imitative différée** ↑
Intelligence sensori-motrice	**Objet**	↑ **saisi directement par la Perception**	**Action imitative** ↑ **Action**

Par ce schéma on peut voir sans trop de difficulté comment l'enfant passe de l'action sensori-motrice à la représentation par l'imitation. Le lien entre les opérations et l'action peut donc être mieux saisi et servir de guide, toutes proportions gardées, pour la compréhension de certains troubles des processus figuratifs : espace, temps, schéma corporel, etc., du moins quant à l'appréhension de leur origine.

3. La mise en place des structures des opérations concrètes

Autour de l'âge de sept ans, l'enfant acquiert la réversibilité logique qui donne beaucoup plus de mobilité à sa pensée et lui permet, en particulier, une décentration progressive mais rapide. En tant que telle, la réversibilité n'est pas mise en évidence par une expérience typique, mais on la rencontre dans toutes les situations expérimentales destinées à cerner une structure particulière. La réversibilité apparaît donc comme une propriété des actions du sujet susceptibles de s'exercer en pensée ou intérieurement. Autrement dit, « l'activité cognitive de l'enfant devient opératoire à partir du moment où elle acquiert une mobilité telle qu'une action effective du sujet (classer, additionner, etc.) ou une transformation perçue dans le monde physique (d'une boule de plasticine, d'un volume de liquides, etc.) peut être annulée en pensée par une action orientée en sens inverse ou compensée par une action réciproque » (D.R., p. V).

Si l'activité cognitive de l'enfant devient opératoire, cela veut dire qu'elle est réversible d'une part, mais qu'elle repose sur des invariants d'autre part. Car « une opération est ce qui transforme un état A en un état B en laissant au moins une propriété invariante au cours de la transformation, et avec retour possible de B en A annulant la transformation » (T.P.E., VII, p. 119). Par conséquent, au niveau opératoire, la pensée logique repose sur des invariants, c'est pourquoi l'action de transformation est réversible. Si la transformation opérée sur des liquides, des boules de glaise, des alignements de jetons, modifiait tout à la fois, elle serait sans retour. Une transformation opératoire demeure donc toujours relative à un invariant qui constitue un schème de conservation.

Cela dit, les conservations - nous l'avons vu pour le schème de l'objet permanent - ne sont pas innées ; elles s'acquièrent. Au niveau des opérations concrètes se constitue donc un ensemble de schèmes de conservation (ou de notions de conservations). Ceux-ci toutefois ne se constituent qu'encadrés et soutenus par une structuration logico-mathématique due aux activités du sujet. C'est pourquoi, dès les opérations concrètes, les schèmes (ou notions) de conservation s'acquièrent en même temps que s'élaborent les structures logico-arithmétiques de classes, de relations et de nombre.

Les notions de conservation ne sont pas toutes élaborées en même temps. Il y a en effet des décalages (horizontaux) entre certaines conservations. La raison en est que les mêmes opérations logiques s'appliquent à des contenus différents et sont en quelque sorte tributaires de ceux-ci pour la résistance qu'ils leur opposent. Les opérations concrètes en tant que portant sur le réel concret (par opposition aux opérations formelles qui portent sur des hypothèses) en sont dépendantes. C'est pourquoi les décalages observés traduisent cette dépendance que l'on peut exprimer en parlant des résistances du réel, mais aussi et surtout des difficultés qu'éprouve l'enfant à se détacher des configurations perceptives pour ne s'attacher qu'aux transformations en tant que telles.

Tout en sachant donc que les notions de conservation s'établissent dans le cadre de la structuration logico-mathématique due aux activités du sujet et par conséquent - compte-tenu des décalages - de façon conjointe, nous traiterons en premier lieu des conservations, pour n'aborder qu'ensuite les structures logiques élémentaires.

a) *Les conservations*

Plusieurs types de conservations sont élaborés pendant la période des opérations concrètes dont le prototype était l'objet permanent au niveau sensori-moteur. On distinguera donc les conservations physiques, les conservations spatiales et les conservations numériques.

- Les conservations physiques de substance, poids et volume

• Conservation de la substance

L'expérimentateur présente à l'enfant deux boules de plasticine (ou de pâte à modeler ou d'argile, etc.) et lui demande de réaliser deux boules ayant la même quantité de pâte (« la même chose de pâte »). Puis, après que l'enfant ait admis que dans la composition des deux boules A et B entre la même quantité de matière, on isole, bien en évidence, la boule A par exemple qui servira de témoin et de référence et l'on commence par déformer la boule B en une galette. On demande alors à l'enfant s'il y a encore « la même chose de pâte » dans la galette que dans la boule et pourquoi, selon les cas, il y en a plus aux dires de l'enfant ou il y en a moins. Puis, on confectionne une sorte de boudin en posant les mêmes questions que pour la galette. Ensuite on transforme le boudin en un long spaghetti en posant les mêmes questions, et, pour finir, on le fractionne en tout petits morceaux. L'examen consiste toujours à suivre l'enfant dans ses réponses. Que l'enfant affirme ou nie l'identité quantitative de pâte, « on part de la raison qu'il donne (par exemple, pour la saucisse : « il y a plus de pâte parce que c'est plus long ») et l'on continue à modifier l'objet en s'inspirant de la réponse de l'enfant (ici en allongeant ou en raccourcissant la saucisse) pour voir s'il s'en tient à des raisonnements analogues ou s'il change d'opinion » (T.P.E., VII, p. 120). Ainsi que nous le disions dans le chapitre premier, on introduit des suggestions et des contre-suggestions. Par exemple, on peut faire remarquer que la saucisse ou le boudin est plus long s'il use de cet argument, mais qu'il est plus mince et demander si cela ne peut pas faire la même chose de pâte ; ou encore dire qu'un petit garçon ou une petite fille de même âge prétend que c'est la même chose (ou le contraire) et demander qui, du petit garçon ou de l'enfant a raison. Bien entendu, suggestions et contre-suggestions ne sont jamais introduites de façon systématique et suivent le déroulement de l'argumentation-même effectuée par l'enfant selon l'esprit de la méthode clinique.

L'expérience de la boulette d'argile cherche à mettre en évidence la conservation de la quantité de substance quelles que soient les modifications de forme données à la matière. Autrement dit, toute *transformation* de la forme laisse invariante la quantité de matière, ou de substance. L'opération réversible se révèlera à cette propriété. Mais, pour éprouver la valeur ou mieux la solidité de l'argumentation donnée par l'enfant, les transformations effectuées sur la boule vont aussi loin qu'il est possible comme pour la démentir par l'apparence perceptive.

Lorsque la conservation de la quantité de substance est affirmée par-delà toutes les déformations opérées sur la boule B en référence à la boule témoin A, on rencontre également trois types de réversibilité :

1 - Identité : « C'est la même chose, on n'a rien enlevé ni rien ajouté ».

2 - Compensation : « C'est plus long, mais c'est plus mince ».

3 - Inversion : « Si on refaisait la boule, on aurait la même chose qu'avant, on aurait les deux mêmes boules, donc c'est la même chose de pâte ».

Ces trois types de justification de l'égalité de substance peuvent se rencontrer chez un même enfant, ou simplement l'un de ceux-ci. Dans tous les cas l'argumentation qui résiste aux suggestions et contre-suggestions atteste que la conservation est assurée.

Plusieurs attitudes sont observées qui correspondent à trois étapes dans la construction de la conservation de substance. D'abord, chez les petits, vers cinq ans, la quantité de matière est chaque fois différente. Il y en a moins par exemple dans la galette parce qu'elle est plate alors que la boule est grosse. Ou bien il y en a plus parce qu'elle est plus grande, etc. C'est une étape de non conservation. Ensuite, chez des sujets un peu plus âgés, la conservation sera affirmée pour la galette, puis niée pour le spaghetti parce qu'il est plus long. C'est une étape de semi-conservation ou intermédiaire entre la non-conservation et la conservation. Ce qui est à remarquer c'est que, dans les deux cas, les sujets se fondent dans leur argumentation sur la configuration perceptive pour nier l'égalité de substance. Enfin, vers 7-8 ans, les enfants affirment que la quantité de matière reste identique malgré les déformations en se fondant cette fois sur les transformations et non plus sur les configurations (ou sur l'apparence perceptive). Mais ce qui est le plus remarquable peut-être dans cette expérience, ainsi que dans celles qui vont suivre, c'est que les sujets voient bien que l'on n'a rien ôté ni ajouté. Et pourtant ils n'en tirent pas les mêmes conséquences.

• Conservation du poids

On prend de nouveau les mêmes boules et on demande à l'enfant d'établir, à l'aide d'une balance de Roberval, l'égalité des poids. Ensuite, lorsque le fléau s'est stabilisé en position horizontale, on laisse la boule A sur le plateau et on déforme la seconde de la même manière que précédemment. Une variante de cette expérience consiste à placer la boule B au-dessus du second plateau et de demander à l'enfant ce qui se passerait si on la posait dessus, si la galette pèserait « la même chose lourd que la boule A ou plus lourd ?, etc. ». Un aspect intéressant réside dans le fait que le spaghetti (ou le serpent, etc.) déborde de chaque côté du plateau ce qui permet de demander si ce qui dépasse pèse ou ne pèse pas.

Les mêmes étapes sont observées ; non-conservation, conservation non assurée, conservation affirmée comme une évidence. C'est vers 8-9 ans que la conservation est affirmée comme une évidence.

• Conservation du volume

Deux bocaux cylindriques et étroits contenant le même niveau d'eau, que l'on marque par des élastiques, sont placés côte à côte. On immerge la boule A et l'on demande si une boule de même grosseur, mais de poids supérieur, déplacera le même volume d'eau.

Toutes sortes de variantes existent, notamment celle qui consiste à reprendre les mêmes boules que précédemment et à opérer les mêmes transformations mais avec des bocaux suffisamment larges pour rendre plausible l'immersion de la galette, etc.

La conservation du volume est de loin la plus tardive. Elle n'est acquise en effet qu'entre 10 et 12 ans. Mais on peut se demander si elle est la dernière conservation des opératons concrètes ou la première des opérations formelles. PIAGET est d'avis qu'elle relève des opérations formelles parce qu'elle comporte la notion de proportions qui n'est acquise qu'au niveau formel.

Dans la pratique de l'examen clinique opératoire, il est recommandé de ne pas faire passer ces trois épreuves dans l'ordre et les unes à la suite des autres. En effet on rencontre dans une telle occurence des faits de persévération qui masquent les véritables conservations et faussent le diagnostic. Généralement on intercale ces épreuves avec d'autres portant sur des secteurs différents de l'activité opératoire.

La conservation des quantités de substance, poids et volume s'effectue dans l'ordre décrit, ce qui veut dire qu'elle apparaît en obéissant à cette succession. Le décalage dont nous avons parlé obéit donc à une loi de construction génétique qui passe par la conservation de la substance avant celle du poids, par cette dernière avant celle du volume. Toutes les expériences effectuées ultérieurement confirment cet ordre génétique. Par conséquent l'enfant conserve d'abord la substance sans conserver le poids ni le volume; ensuite il conserve la substance et le poids sans le volume, enfin il conserve la substance, le poids, le volume avec des décalages de deux années environ entre chaque conservation.

D'autres expériences ont été réalisées, notamment sur les quantités continues comme les liquides et sur les quantités discontinues comme les perles. L'expérience du transvasement des liquides et des perles s'effectue de la façon suivante : « On présente deux verres cylindriques de mêmes grandeurs A_1 et A_2, et l'on demande à l'enfant de mettre lui-même autant de liquide en A_1 et en A_2, ou autant de perles (en mettant d'une main une perle rouge en A_1 en même temps qu'il met de l'autre main une perle bleue en A_2, cette correspondance bi-univoque assurant l'égalité sans avoir besoin de compter). Après quoi, on présente un verre B plus étroit et plus haut que A ou un verre C plus large et plus bas ; on fait transvaser A_1 en B ou en C et on demande si les quantités sont les mêmes en A_2 et en B ou C ? De même en quatre petits verres cylindriques, en demandant si leur total équivaut à A_2. » (*T.P.E.*, VII, p. 123). On remarque une légère avance de la conservation des perles sur la conservation des liquides « sans doute parce qu'il s'agit de solides indéformables et que l'équivalence de leurs ensembles se mesure par correspondance bi-univoque » (*idem*, p. 124).

On peut se demander si, avec la constitution des invariants, les opérations se coordonnent en une structure d'ensemble. Pour PIAGET, c'est une évidence car si le sujet fait intervenir la réversibilité, c'est qu'un système est déjà organisé. Celui-ci comprend nécessairement l'opération directe (la transformation), l'opération inverse (son retour), et l'opération identique (ou transformation nulle).

SMEDSLUND a cherché à retrouver expérimentalement cette structure d'ensemble apparentée au groupe mathématique en faisant l'hypothèse que « la conservation et la transitivité sont l'une et l'autre le produit d'un même *groupement interne* (de représentation d'actions) » (E.E.G., IX, p. 87). Si la constitution d'invariants est imputable à une élaboration opératoire, elle doit comporter pour le sujet des conséquences déductives notamment la transitivité : Si A (quantité de matière, de poids, etc.) équivaut à B et si B équivaut à C, on obtient A = C. Autrement dit, A = B ; B = C ; donc A = C suppose un invariant qui conduit de A à C. SMEDSLUND a donc effectué une analyse directe des corrélations entre le poids et la transitivité des égalités correspondantes et trouvé une corrélation très significative entre les deux ($\chi^2 = 31{,}15$ significatif à .001). Il en conclut que « les résultats confirment ici l'hypothèse de PIAGET que la transitivité et la conservation ne sont à cet âge que deux aspects différents d'un même groupement » (E.E.G., IX, p. 101). Néanmoins, ainsi que nous le disions (chap. III, conclusion, sous b), la structure de groupe ou de groupement n'est peut-être pas un modèle tout à fait satisfaisant pour traduire cet ordre de faits car, ainsi que le note P. GRECO, « la loi de composition n'y est ni partout définie ni totalement associative » (E.U., VI, p. 217). (A cet égard les travaux de Mme J. ROGALSKI peuvent peut-être contribuer à apporter une solution mathématique plus conforme à la multiplicité des faits d'expérience).

- Les conservations spatiales

Les conservations physiques ne sont pas les seules à se constituer dans le courant de la période opératoire concrète. En ce qui concerne l'espace un certain nombre d'invariants corrélatifs d'opérations logiques s'élaborent. Nous en retiendrons essentiellement trois concernant la conservation des longueurs, la conservation des surfaces et la conservation des volumes dans l'espace.

• Conservation des longueurs

Deux types d'expériences mettent en évidence la conservation des longueurs :

Baguettes déplacées

On demande à l'enfant de choisir deux baguettes de même longueur que l'on place en position horizontale et en parallèle avec un écart de cinq centimètres environ. On fait constater l'égalité. Dans le cas où l'enfant ne comprend pas, on place deux poupées à l'extrêmité de chaque baguette et on demande si les deux poupées ont le même long chemin à parcourir. L'épreuve proprement dite comporte trois parties.

1re partie : A ⟶ (A décalée à droite), B ———	On décale A de cinq centimètres « Est-ce qu'il y en a une plus longue que l'autre ? Comment le sais-tu ?, etc. »
2e partie : A ———, B ⟵ (B décalée à gauche)	On décale B de la même distance à gauche. Mêmes questions
3e partie : A ⟶ (A décalée à droite), B ⟵ (B décalée à gauche)	On décale simultanément A à droite et B à gauche

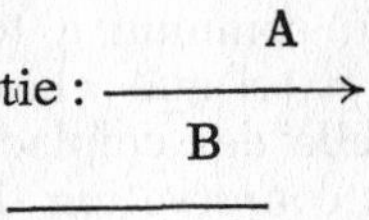

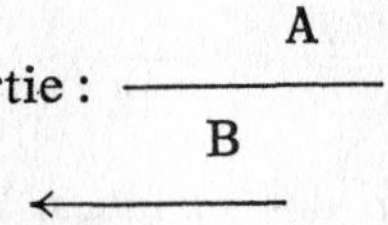

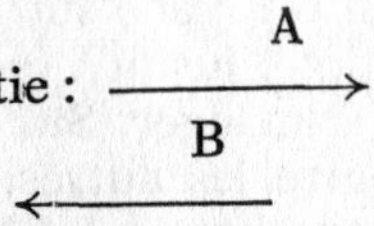

Baguettes sectionnées

On dispose d'une baguette de 16 cm de longueur et de quatre baguettes de 4 cm chacune. On place la baguette de 16 cm devant l'enfant et, parallèlement, les quatre petites en juxtaposition. On fait constater l'égalité des longueurs. On dispose de deux poupées comme précédemment

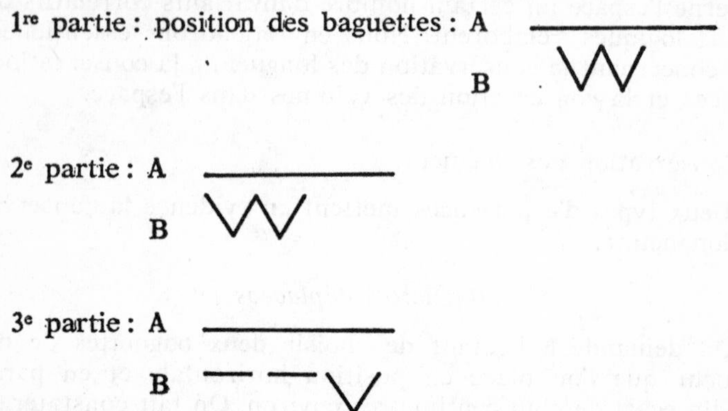

A chaque fois on demande si les poupées auront le même long chemin à parcourir et on incite l'enfant à justifier sa réponse.

La conservation opératoire des longueurs est généralement effective vers sept ans. Elle suppose d'abord que la notion de distance soit acquise, mais aussi le recours à un système de références. Celui-ci est constitué par un milieu commun à tous les objets, qu'ils soient mobiles ou immobiles, et tel que « la composition des grandeurs soit homogène avec celle des emplacements vides » (G.S., p .139). En d'autres termes, la conservation des longueurs suppose la constitution de l'espace comme cadre contenant les objets où se conservent les distances.

- Conservation des surfaces

Pour mettre en évidence la conservation des surfaces, PIAGET, INHELDER et SZEMINSKA présentent aux enfants deux surfaces représentant des champs où paissent deux vaches. On place sur chaque pré une première maison, puis une seconde, etc. jusqu'à quatorze, en demandant si chaque vache aura autant à manger. Sur le premier pré on serre les maisons les unes contre les autres, sur le second on les espace. On demande si les vaches ont la même chose d'herbe à manger. C'est vers sept ans que la conservation des surfaces est généralement affirmée comme nécessaire.

D'autres expériences concernant la conservation des surfaces ont été effectuées puis reprises et étendues aux périmètres. Vinh BANG notamment étudie la conservation d'un périmètre et la transformation des surfaces qu'il contient et inversement la conservation d'une surface et les transformations des périmètres la contenant, dans le cadre d'une approche de l'intuition géométrique. Toutes ces expériences poursuivent et affinent les découvertes initiales de PIAGET et de ses collaborateurs.

• Conservation des volumes spatiaux

Une expérience, particulièrement pertinente et significative pour le diagnostic opératoire, concerne la conservation des volumes : il s'agit de l'épreuve des îles.

Sur une surface carrée de couleur bleue ont été collées des surfaces d'inégales grandeurs représentant des îles sur un lac. On dispose d'un bloc homogène de 7,5 x 7,5 x 10 cm et de 160 petits cubes de 2,5 cm de côté. Le schéma général du dispositif est le suivant :

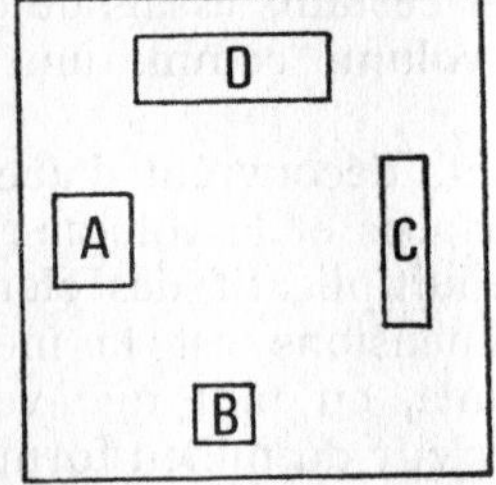

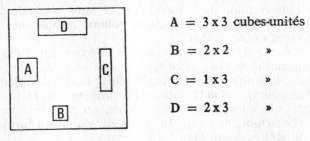

A = 3 x 3 cubes-unités

B = 2 x 2 »

C = 1 x 3 »

D = 2 x 3 »

On pose le bloc en A en faisant remarquer que l'eau affleure de toute part et l'on raconte une histoire disant que les habitants de la maison (en A) veulent déménager en B (et ainsi de suite de B en C et de C en D) mais qu'ils veulent conserver sur cette surface plus petite (île) « la même chose de place qu'auparavant ». On leur demande donc de réaliser un espace volumétrique identique à A mais de base plus petite en B et ainsi de suite.

Entre 5 et 7 ans, les enfants se refusent à édifier sur une base plus petite, une tour ou une maison plus haute que le modèle par impossibilité de dissocier la hauteur et le volume. On remarque souvent que, pour reconstruire le volume-modèle les enfants l'entourent de parois ceinturant toutes les surfaces visibles.

Vers 7 et jusqu'à 8-9 ans, les enfants mettent en relation les trois dimensions d'abord en mettant en relation deux dimensions, ensuite en ajustant la troisième peu à peu mais sans mesure ni compensations fondées sur un système d'unités. « Le sujet parvient à dissocier le volume de la forme et de la hauteur : sur une île plus petite, l'enfant construit une maison plus haute, mais sans pouvoir déterminer de combien, faute d'égalisation des différences, c'est-à-dire de décomposition ou de recomposition métriques » (G.S., p. 454). S'il y a conservation du « volume intérieur », il n'y a pas encore conservation du « volume occupé », c'est-à-dire de la place que le volume d'ensemble occupe par rapport aux volumes qui l'entourent. Autrement dit la forme différente des volumes construits n'occupe pas la même quantité de volume d'espace.

Vers 8-9 ans, on assiste à un début de mesure par décomposition et recomposition au moyen de cubes-unités « mais sans qu'il intervienne encore de multiplication mathématique mettant les longueurs ou les surfaces frontières en relations numériques avec le volume comme tel. On assiste ainsi à des compromis entre la multiplication logique des relations en jeu (celles-ci étant quantifiées par l'intervention de la mesure) et certains essais de calcul mathématique revenant à concevoir le volume comme une addition de surfaces » (G.S., p. 454).

Enfin à partir de 11-12 ans les enfants découvrent d'une part « la relation mathématique entre les surfaces et le volume : deux volumes sont identiques si le produit multiplicatif des éléments (ou des longueurs), selon les trois dimensions est le même », d'autre part « la conservation du volume, en tant que volume occupé par l'ensemble de l'objet (à l'intérieur du milieu formé par les autres objets) » (G.S., p. 454).

Mais si la conservation du volume spatial n'est acquise qu'après 11-12 ans, c'est parce que la constance des verticales et des horizontales ne l'est qu'à 9 ans dans la mesure où celles-ci constituent un système d'ensemble de coordonnées.

- Les conservations numériques

La mise en évidence des conservations numériques repose sur la mise en correspondance terme à terme. Deux types de correspondance terme à terme peuvent être distingués ; la correspondance spontanée et la correspondance provoquée. La première se rencontre lorsque l'enfant « est appelé à évaluer une quantité d'objets donnés au moyen d'objets de même nature qu'il leur fait correspondre : par exemple un joueur posant 4 à 6 billes sur le terrain, son partenaire voudra en mettre autant, et, même sans savoir compter, il parviendra à composer une collection équivalente » (G.N., p. 61). La seconde ne consiste plus à mettre en correspondance des objets homogènes, mais au contraire des objets hétérogènes. Il s'agit de correspondances provoquées par les circonstances extérieures. « Par exemple, l'enfant peut être appelé, au cours d'un repas, à mettre un œuf par coquetier ou un verre par petite bouteille, ou une fleur par vase allongé, etc. Et surtout, il faut faire entrer dans cette catégorie l'échange un contre un, par exemple l'échange répété d'une fleur ou d'un bonbon contre un sou, etc. » (G.N., p. 61).

Différentes expériences ont été imaginées : correspondance provoquée entre verres et bouteilles, entre œufs et coquetiers, entre fleurs et vases, ou encore réalisation d'une correspondance dynamique dans le cas de l'échange un contre un des sous et des marchandises.

Pour la correspondance des œufs et des coquetiers par exemple, on dispose de 9 coquetiers et de 12 œufs. L'épreuve se déroule en plusieurs parties :

1re partie : On demande à l'enfant de réaliser une correspondance exacte (autant) entre les œufs et les coquetiers, ceux-ci étant alignés à intervalles de 4 cm environ.

2e partie : En laissant les coquetiers en ligne, on serre les œufs en les rapprochant les uns des autres et on demande s'il y a toujours « la même chose d'œufs et de coquetiers ».

3e partie : On demande ce qui se passerait si on replaçait les œufs comme avant, puis on fait réaliser la correspondance terme à terme.

4e partie : On laisse les œufs en place et on espace les coquetiers.

Trois stades sont distingués dans le comportement des enfants :

1er : la comparaison est qualitative et globale sans correspondance terme à terme ni équivalence durable.

2e : la correspondance terme à terme s'effectue, mais elle est intuitive et sans équivalence durable.

3e : la correspondance est opératoire, qualitative ou numérique et les équivalences des ensembles obtenus sont durables.

Pour la correspondance spontanée de multiples situations expérimentales ont été réalisées dont la correspondance entre grains de haricot ou entre jetons de couleurs différentes. Par exemple, on dispose sept jetons blancs en ligne légèrement espacés (environ 4 cm). On demande à l'enfant de prendre autant de jetons rouges (« la même chose beaucoup de jetons rouges) dans une boîte à proximité et de les placer en ligne sous la première. On remarque alors que les plus petits construisent une ligne identique à celle des blancs mais en comblant totalement les intervalles, réalisant une correspondance linéaire entre les deux rangées, mais non quantitative ou terme à terme. Ils se contentent d'une évaluation globale fondée sur la correspondance figurale et non sur la correspondance cardinale. Ils jugent de la quantité par l'espace occupé.

Au stade suivant les enfants établissent une correspondance terme à terme, mais purement optique : chaque rouge est placé sous un blanc. Mais si l'on espace légèrement l'une des rangées, la correspondance est détruite pour l'enfant : il n'y a plus d'équivalence ni en quantité ni en quotité (en nombre). Au niveau opératoire (vers 7 ans), la correspondance se maintient. L'enfant déclare qu'il y a la même chose de jetons dans les deux rangées, que l'on espace l'une des deux ou que l'on range les rouges en rond, en un cercle ou en forme de croix, etc. Une fois l'équivalence admise, elle se maintient.

Ces conservations numériques ne signifient pas que l'enfant possède la notion du nombre, mais expriment le fait qu'il s'agit de conservation de correspondance ou d'équivalence de deux ensembles quant à leur quantité globale. On remarquera que les tout petits (4-5 ans) ont une notion d'équivalence purement optique, figurale, se contentant d'affirmer la correspondance en fonction de l'égalité des deux rangées. Peu importe pour eux qu'il y ait plus d'éléments dans la seconde, ce qui compte, c'est la correspondance linéaire, figurale. Quelque chose de cette attitude demeure chez les enfants plus âgés (5-6 ans) pour autant que la correspondance terme à terme qu'ils établissent avec application se détruit dès que l'on déplace au moins un élément de la seconde rangée ou que l'on détruit la correspondance en décalant légèrement chaque jeton. La correspondance est encore intuitive, fondée sur une équivalence de la longueur, mais il s'y ajoute une correspondance élément par élément. Enfin, à partir de 7 ans, on accède à une conservation de type opératoire parce que dès la reconnaissance de l'équivalence, celle-ci se maintient quelles que soient les déformations figurales que l'on opère. Cette conservation est opératoire, d'une part parce qu'elle repose sur la constitution d'un invariant (ici l'équivalence) et donc sur le fait que quelles que soient les transformations opérées, une propriété, et au moins une seule, n'est pas altérée. D'autre part elle comporte l'opération inverse à savoir la possibilité de retour à la situation initiale en pensée.

La constitution des conservations s'effectue, secteur par secteur, selon un ordre qui comporte des décalages et par conséquent dans une succession temporelle. Pour PIAGET ces décalages sont horizontaux parce que les mêmes structures s'appliquent à des contenus différents. Il existe donc pour lui des structures qu'il appelle structures de groupement (par analogie avec les structures de groupe) mais qui, s'appliquant à des contenus différents, conduisent à des conservations décalées dans le temps. Par ailleurs, nous le verrons, ces structures logico-arithmétiques poursuivent une évolution qui les conduit à une réunion dans les classifications multiplicatives vers 9-10 ans. C'est pourquoi, en fonction de cette évolution propre aux structures logico-arithmétiques, certaines acquisitions concernant les conservations sont plus tardives. Mais nous y reviendrons. Retenons donc l'ordre d'apparition des différentes conservations :

7 ans : conservation des équivalences quantitatives
conservation des longueurs
conservation des surfaces
7-8 ans : conservation de la substance
8-9 ans : conservation du poids
première conservation du volume spatial ,« volume intérieur »
conservation des verticales et des horizontales (voir plus loin).
11-12 ans : conservation du volume (physique)
conservation du volume spatial

b) *Les structures de classification, de relation et de nombre*

Les structures logiques que nous allons étudier constituent *les formes les plus générales des opérations* en œuvre dans les conservations. PIAGET n'a cessé de répéter que les opérations prolongent l'action et que par conséquent leur origine n'est pas à rechercher dans le langage ou dans le milieu social, dans l'apprentissage ou dans la perception. Elles sont « reliées, par une évolution étonnamment continue, à un certain nombre d'actions élémentaires (mettre en tas, dissocier, aligner, etc.) et ensuite aux régulations de plus en plus complexes qui préparent puis assurent leur intériorisation et leur généralisation » (G.S.L.E., p. 290). Nous avons déjà analysé les structures sensori-motrices dans cette perspective en notre conclusion du chapitre troisième (sous 2). Nous allons les retrouver ici transposées au niveau des opérations concrètes. Mais leur élaboration (ou leur réélaboration) au niveau représentatif s'opère dès le stade de l'intelligence symbolique ou préopératoire. C'est pourquoi cette période est considérée comme une période de préparation.

- Les classifications

Les opérations de classification groupent les objets selon leurs équivalences. Effectuer une classification c'est donc grouper des objets selon leurs critères communs. La classification la plus simple apparaît ainsi comme une suite linéaire d'emboîtements : Soit, par exemple, chiens < animaux < êtres vivants

ou A < B < C

d'où

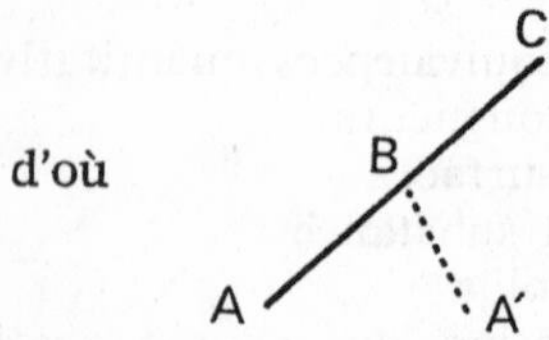

mais A possède une complémentaire sous B ou A' comportant tous les animaux non-chiens (ce qui revient à dire tous les êtres vivants non-chiens), etc.

Il y a plusieurs structures de classe qui s'organisent en groupement. On y retrouve les propriétés du groupe : opération identique (ou nulle, appelée dans l'*Essai de logique opératoire* identique générale), opération inverse et opération associative. Ce qui différencie le groupement du groupe mathématique c'est l'existence d'une identique spéciale appelée tautologie ou résorption car toute classe additionnée par exemple « à elle-même et à une classe de rang supérieur et de même signe laisse celle-ci invariante » (E.L.O., p. 104).

On distinguera donc les groupements additifs de classes, les vicariances (concernant les classes secondaires A, B, etc.), la multiplication co-univoque de classes (intersection de classes, correspondance un à plusieurs) et la multiplication bi-univoque des classes (tables à double entrée).

Toute classe comporte « deux sortes de caractères ou relations, tous deux nécessaires et suffisant à sa constitution :
(1) Les qualités communes à ses membres et à ceux dont elle fait partie, ainsi que les différences spécifiques distinguant ses propres membres de ceux d'autres classes (compréhension).
(2) Les relations de partie à tout (appartenances et inclusions) déterminées par les quantificateurs « tous » et « quelques » (y compris « un ») et « aucun » appliqués aux membres de la classe considérée et à ceux des classes dont elle fait partie mais en tant que qualifiés sous (1) (extension de la classe) » (G.S.L.E., p. 25).

Plus simplement nous pouvons dire qu'une classe quelconque se caractérise toujours par :
(1) sa *compréhension* qui rassemble les caractères communs s'appliquant aux individus qui la composent,
(2) son *extension* qui concerne l'ensemble des individus auxquels s'appliquent les qualités ou caractères communs.

Expériences

« Les conduites de classification peuvent donner lieu à des expériences destinées à déterminer simplement la hiérarchie des structures élaborées spontanément ainsi que le niveau de l'enfant par rapport à cette hiérarchie. On présentera par exemple au sujet un certain nombre de petits objets usuels, ou encore un jeu de cartons découpés en formes géométriques et différant entre eux par la forme, la grandeur et la couleur ; et l'on utilisera des consignes pouvant s'étager, selon le but poursuivi, entre les plus indéterminées (« bien arranger », « mettre de l'ordre », « mettre ensemble ce qui va ensemble ») ou les plus limitatives (« mettre les mêmes avec les mêmes », « mettre ensemble ceux qui se ressemblent le plus », etc.) selon qu'on désire observer les tendances les plus spontanées ou établir le rendement *maximum* de la classification au sens strict » (T.P.E., VII, p. 126). On remarque trois types essentiels de comportement qui se distribuent en stades :

1er stade (2 à 5 ans) : Les collections figurales

- L'enfant ayant à classer des formes géométriques à deux dimensions selon la consigne : mettre ensemble ce qui est pareil, réalise :
1) des petits alignements partiels : par exemple les rectangles suivis des triangles, des arcs de cercle, etc. On remarque alors que l'alignement se fait selon un critère de ressemblance qui joue de proche en proche mais sans plan préétabli d'alignement.
2) des alignements continués, mais avec changement de critères : un carré bleu est suivi par un triangle bleu puis par un autre élément bleu ; puis on passe à un autre critère : la forme par exemple, etc.
3) des intermédiaires entre les alignements et les objets collectifs ou complexes. L'enfant commence par exemple par mettre à plat les rectangles en plaçant le petit côté face à lui puis il continue la série en superposant les carrés pour leur donner la même forme qu'aux rectangles. Ensuite, il fait de même avec les cercles, etc.
4) des objets collectifs : des carrés sont rassemblés en un grand carré superposé d'un triangle « pour faire une maison ».
5) des objets complexes à formes géométriques et empiriques : l'enfant donne à la collection une forme géométrique, par exemple une croix placée au centre d'où partent des rayons formés par trois rectangles et par un carré bleu ou encore deux rectangles accolés sont affublés à droite d'un carré, à gauche d'un rond.

- Un matériel géométrique permettant de réaliser deux grandes classes (curvilignes et rectilignes) avec des sous-classes : carrés, triangles, cercles, demi-cercles, etc. On remarque que l'enfant rassemble et entasse avant de s'intéresser à la collection ; ensuite, il réalise des assemblages ou alignements, des petits tas, etc. comme précédemment.

- Un matériel constitué d'objets quelconques : bonshommes, animaux, plantes, habitations et outils, révèle que l'enfant groupe les objets selon leur convenance : le bébé avec le berceau, le marteau avec le clou, etc.

Dans leurs commentaires généraux PIAGET et INHELDER rappellent qu'un système de classes logiques est « d'abord fondé sur un ensemble de relations de ressemblances et de différences qui constituent les compréhensions des diverses classes emboîtantes ou emboîtées (les prédicats tels que « vert » ou « solide » ne consistant qu'en qualités communes, c'est-à-dire en relations de ressemblances : « co-vert » ou « co-solide »). Les éléments ou individus ainsi qualifiés par ces relations sont, d'autre part, quantifiés au moyen des quantificateurs intensifs « tous » et « quelques » (y compris « un ») et « aucun », et aux compréhensions correspondent ainsi des extensions univoquement déterminées par elles. La compréhension et l'extension une fois construites donnent donc lieu à une correspondance telle que connaissant l'une on peut reconstituer l'autre et réciproquement » (G.S.L.E., p. 51).

L'enfant de ce niveau cherche à construire la collection qui correspond à ses assimilations successives étant capable de constituer les ressemblances et les différences. Mais comme il ne possède pas le réglage « tous » et « quelques », il procède soit de l'extension à la compréhension, soit de la compréhension à l'extension par indistinction. En mettant les mêmes avec les mêmes, la compréhension détermine l'extension ; en ajoutant un élément, l'extension détermine la compréhension. Par conséquent l'extension et la compréhension existent bien mais elles ne sont pas dissociées ni correctement ajustées l'une à l'autre. De plus, ayant l'habitude de manipuler, depuis le stade sensori-moteur « tantôt des collections discrètes (tas, empilements, etc.) tantôt des objets totaux dont il peut dissocier ou réajuster les parties », sous l'influence des configurations perceptives, « il attribue une figure d'ensemble aux collections discontinues comme aux objets continus » (*idem*, p. 52). Aux raisons précédentes s'ajoutent donc des raisons qui tiennent à la pré-logique propre à cet âge.

2e stade : Les collections non-figurales (5-7 ans)

A ce niveau on parlera de collections plutôt que de classes parce que les réalisations opérées manquent de hiérarchie inclusive. On obtient surtout des petits agrégats, des petits tas d'objets fondés seulement sur les ressemblances mais non emboîtés ou inclus dans des classes plus générales. Par conséquent, les collections obtenues à ce stade ignorent encore l'inclusion.

- Dans les collections figurales portant sur des objets à formes géométriques les sujets procèdent d'abord de proche en proche, sans plan d'ensemble. Puis, chemin faisant, ils rectifient, par corrections successives et rétroactives, leurs réalisations initiales. Par ces divers tâtonnements avec rétroaction, ils parviennent à certaines anticipations grâce auxquelles ils finissent par dégager un critère unique et à subdiviser les collections obtenues. Exemple : « Pib. 5;10, commence par une juxtaposition de petits tas, puis, en présence de trois boîtes, met en (a) les cercles, secteurs, arcs et triangles, en (b) les carrés sériés par trois collections d'éléments égaux, mais ordonnés en ordre croissant et en (c) les anneaux, demi-cercles et cercles. Après une série de nouveaux essais et tâtonnements il parvient à une dichotomie : (a) tous les curvilignes, avec sous-collections (anneaux à part, etc.) et (b) tous les rectilignes avec deux sous-collections : carrés en trois piles sériées et triangles superposés » (G.S.L.E., p. 59).

- Dans les collections non-figurales portant sur des objets quelconques, l'enfant procède exactement de la même façon que dans les classifications de formes géométriques.

D'une manière générale, on remarque un emploi de plus en plus fréquent du quantificateur « tous », ce qui laisse entendre qu'il y a un progrès dans le sens de la coordination de la compréhension et de l'extension car, au fur et à mesure, on assiste à la différenciation des collections et à l'intégration des petites collections, à titre de sous-collections, dans de plus grandes. Ces conduites sont déjà classificatoires parce qu'elles révèlent un début d'emboîtement. Mais il ne s'agit pas encore de « classes » parce que le sujet procède, soit par une *méthode ascendante* réalisant d'abord les grandes collections pour parvenir peu à peu aux petites, soit par une *méthode descendante* en réunissant progressivement les petites collections dans une plus grande, mais *sans combinaison mobile des procédés ascendants et descendants.*

De plus, si l'inclusion des classes est liée à un schème anticipateur : passage des opérations directes $B = A + A'$ à leurs inverses $A = B - A'$, ce schème apparaît nécessaire à l'exercice de la réversibilité, au réglage du « tous » et du « quelques » et à la compréhension des rapports quantitatifs de type $B > A$. En conséquence, les sujets, faute d'anticiper suffisamment, ne parviennent pas à dominer l'inclusion des classes.

3e stade : Inclusion des classes et classifications hiérarchiques (8 ans environ)

A ce niveau, les enfants construisent d'emblée des classifications hiérarchiques en combinant de façon mobile les procédés ascendants et descendants et parviennent à quantifier l'inclusion. Deux types d'expériences ont été retenues :

1 - Classification des fleurs mêlées à des objets :

On dispose de 20 cartes dont 4 comportent des objets coloriés

et 16 des fleurs. Parmi les fleurs on relève 8 primevères (dont 4 jaunes et les autres de couleur différente pour chacune). Les emboîtements inclusifs prévus sont les suivants :
A (primevères jaunes) $<$ B (primevères) $<$ C (fleurs) $<$ D (objets et fleurs). Différents types de questions sont posées aux enfants :
a) classification spontanée
b) quantification de l'inclusion
ba) Le bouquet de toutes les primevères jaunes est-il plus grand ou plus petit que le bouquet de toutes les primevères ? (par exemple).
bb) Y a-t-il plus de primevères ou plus de fleurs ?
bc) Si tu cueilles toutes les primevères, restera-t-il des fleurs ?
bd) Si tu cueilles toutes les fleurs restera-t-il des primevères ?
La même expérience peut se réaliser avec des perles :
A (rouges carrées) $<$ B (toutes rouges mais carrées et rondes) $<$ C (perles en bois avec d'autres couleurs) $<$ D (perles en bois et en verre), et avec bien d'autres matériels encore.

Sans examiner les réactions des enfants des stades antérieurs, retenons que, à partir de 8 ans, l'enfant est capable de classer correctement le matériel, selon le principe du groupement additif : $A + A' = B$; $B + B' = C$; $C + C' = D$, etc. De plus, il est en mesure de comparer un tout B (ou C, etc.) à l'une de ses parties selon le rapport d'extension $A < B < C < D$, etc. Ce dernier rapport implique la conservation du tout malgré la dissociation mentale des parties ($A = B - A'$ ou $B = C - B'$, etc.). Par conséquent l'extension s'ajuste à la compréhension.

2 - Classification des animaux

Les mêmes questions que celles posées précédemment (sous 1) sont posées à propos d'animaux. Mais on remarque un décalage par rapport aux fleurs. Ce décalage tient au fait, déjà signalé plus haut, que, au niveau des opérations concrètes, on ne peut dissocier les opérations du contenu sur lequel elles portent. Il est en effet plus difficile à cet âge d'admettre que les canards sont des oiseaux et que les oiseaux sont des animaux sans recourir aux concepts du langage parce qu'il n'y a plus les mêmes supports perceptifs. Les opérations concrètes de classification « n'ont encore rien d'un mécanisme formel applicable à n'importe quel contenu : il suffit que la matière à classer soit dépourvue des caractères intuitifs ou perceptifs facilitant la constitution de classes emboîtables pour que les sujets, au lieu de chercher à appliquer des structures qu'ils connaissent par ailleurs lorsqu'ils les utilisent en présence d'autres contenus, retombent dans les procédés par juxtaposition et dans les erreurs systématiques caractéristiques des niveaux inférieurs » (G.S.L.E., p. 118).

- La quantification de l'inclusion et le réglage de « tous » et « quelques »

Nous avons pu remarquer que les rapports entre l'extension et la compréhension impliquaient le réglage des quantificateurs « tous » et « quelques ». Nous savons maintenant que c'est au stade III (vers 8 ans) que les enfants sont capables non seulement d'effectuer des classifications hiérarchiques par combinaison mobile des procédés ascendants et descendants, mais de quantifier correctement l'inclusion. Deux types de recherches ont donc été entreprises pour examiner respectivement le réglage de tous et de quelques et le réglage de l'inclusion proprement dite.

• Tous et quelques

On présente par exemple à l'enfant une rangée de carrés et de ronds mélangés selon la forme et la couleur et comportant soit 5 ronds bleus, 2 carrés rouges, 2 carrés bleus, soit 6 ronds bleus et 2 carrés rouges, etc. Les questions suivantes sont posées aux enfants :
- tous les ronds sont-ils bleus ? (Rb ?)
- tous les bleus sont-ils ronds ? (bR ?)
- tous les carrés sont-ils rouges ? (Cr ?)
- tous les rouges sont-ils carrés ? (rC ?)

Au premier stade l'erreur la plus fréquente est celle-ci : « Est-ce que tous les ronds sont bleus ? - Non - Pourquoi ? - Parce qu'il y a des carrés rouges ». Les enfants se bornent à considérer l'ensemble figural constitué par la collection des jetons bleus et rouges. Frappés par exemple par la qualité bleue dominante, ils répondent en quelque sorte : « tout mon objet collectif n'est pas bleu puisque j'ai des carrés rouges ». Aussi bien « tous » désigne pour l'enfant le tout ou la série entière. Ceci ne veut pas dire que l'enfant ne sache pas désigner et distinguer les formes et les couleurs. Le problème pour lui est de retrouver de telles collections dans une réunion où elles sont mêlées.

Au second stade les erreurs présentent un caractère plus

subtil : « Tous les ronds sont-ils bleus ? - Non, parce qu'il y a des carrés bleus ». En général à ce stade l'enfant manie « plus facilement le quantificateur « tous » lorsque la collection B présente deux sous-collections différenciées A et A' caractérisées par les prédicats a et a' et que l'on demande si « tous les B sont des a (ou sont des A) ? » Le sujet sait alors en général nier qu'il en soit ainsi en invoquant avec raison les A' (ou le caractère a') ... ». Mais au contraire lorsque les A et les A' sont caractérisés par une même qualité commune b, l'enfant nie fréquemment que tous les A sont b pour cette raison que les A' le sont aussi » (G.S.L.E., pp. 72-73). Soit B = les carrés, a = rouge, a' = bleu ; A = carrés rouges, A' = carrés bleus, ou encore : B = bleus, A = ronds bleus et A' = carrés bleus. L'erreur la plus fréquente réside dans la confusion entre tous les B sont des A avec tous les A sont des B ou, tous les bleus sont ronds avec tous les ronds sont bleus, ou encore tous les carrés sont rouges avec tous les rouges sont carrés.

Distinguer tous les B sont (a) de tous les A sont (b), c'est comprendre que tous les B sont quelques A est *incompatible* avec tous les A sont quelques B comme l'inclusion $B < A$ l'est avec $A < B$, alors que confondre les deux expressions conduit à les réduire l'une et l'autre à tous les B sont tous les A donc $B = A$ par substitution de la coïncidence à l'inclusion.

Il serait possible d'attribuer ce fait à l'inattention si l'erreur suivante ne revenait pas généralement chez les mêmes sujets : ils traduisent la question tous les A sont-ils b en tous les A sont-ils tous les B ? Soit A les carrés, A les carrés rouges et A' les carrés bleus ou B = les objets bleus, A = les ronds et A' les carrés (A > A'), on a :

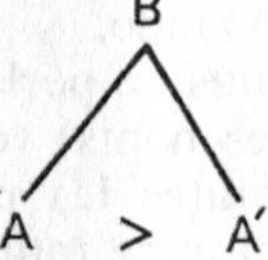

Pour ces enfants « tous les ronds sont bleus » signifie « tous les ronds sont tous les bleus » et non pas « tous les ronds sont quelques bleus ».

En fait, les enfants, bien capables de distinguer deux sous-classes A et A' sous une classe emboîtante B et de reconnaître que $A > A'$ et que $B = A + A'$, sont encore prisonniers de leur perception et oublient en quelque sorte la classe B emboîtante, abstraite, parce que n'existant pas à titre de collection visible. D'où la non distinction entre B > A et A < B entraînant A = B et l'absence d'inclusion A = B — A'.

En conclusion, le « tous » préopératoire se caractérise par une indistinction entre l'extension et la compréhension. Le « tous » n'est pas encore une pure quantité et le « quelques » ne présente aucun sens aussi longtemps qu'il n'est pas une quantité relative à ce tous quantifié.

• Quantification de l'inclusion

Le réglage de « tous » et « quelques » est compris dans le langage et véhiculé par lui dans toutes sortes d'expressions courantes. Mais de l'expression verbale à la maîtrise logique, il y a une grande distance : c'est que la maîtrise verbale de tels quantificateurs est dépendante de l'acquisition de la structure d'inclusion. En dépassant donc le plan verbal par la manipulation directe on pourra voir comment et à quel moment se constitue la structure d'inclusion. « Pour déceler cette compréhension de l'inclusion, il faut donc atteindre une relation directe entre A et B et la moins verbale est la relation quantitative (intensive) A < B, « y a-t-il plus de A ou plus de B ? » ; relation si immédiate en apparence qu'on pourrait la croire donnée à la simple inspection perceptive. Or, tout en laissant naturellement l'ensemble des objets sous les yeux de l'enfant, on s'aperçoit qu'en fait elle n'est pas résolue plus précocement que les précédentes (...) dont elle ne constitue d'ailleurs qu'une autre présentation (si tous les A sont les B sans que tous les B soient des A, alors A < B » (T.P.E., VII, p. 128).

On présente alors aux enfants des perles en bois comprenant 8 jaunes et 2 rouges et on leur demande,
s'il y a plus de perles en bois ou plus de perles jaunes
si deux petites filles (on donne des noms) voulaient faire un collier et que la première prenne toutes les perles jaunes et que, ayant défait le collier, la seconde prenne toutes les perles en bois, quelle serait celle qui aurait fait le plus long collier
si l'enfant donne toutes les perles en bois est-ce qu'il restera des perles dans la boîte ?

On présente également des fleurs artificielles (ou des fruits) et l'on pose le même genre de questions aux enfants, mais dans la perspective de faire un bouquet.

Généralement les questions relatives aux perles sont résolues un peu plus tardivement que les questions relatives aux fleurs. Cela tient au fait que les formes logiques, au niveau des opérations concrètes, ne sont pas encore indépendantes du contenu sur lequel elles s'appliquent ce qui, en tout état de cause, peut s'exprimer autrement en disant qu'il est plus naturel ou plus habituel de tenir des fleurs rassemblées dans sa main en un bouquet que des perles. C'est donc autour de huit ans que les enfants sont en mesure de résoudre le problème de la quantification de l'inclusion.

- Les opérations de sériation

Les opérations de sériation groupant les objets selon leurs différences ordonnées, on pourrait penser que celles-ci, pour autant qu'elles se présentent comme des bonnes formes, pour reprendre la formulation gestaltiste, doivent être acquises antérieurement aux classifications. Mais il se trouve que tel n'est pas le cas et qu'elles se constituent en même temps vers sept-huit ans. Déjà, au niveau sensori-moteur on pouvait constater l'existence de sériations sous forme d'emboîtements de gobelets ou d'encastrements, etc. Au niveau des opérations concrètes, on assiste à une reconstruction de ces sériations, mais sur le plan de la représentation.

Différentes expériences ont été tentées pour discriminer dans la sériation ce qui relève de la perception (les facteurs figuraux) et ce qui relève des opérations proprement dites. Elles ont montré que les structures sériales « sont dues à une organisation progressive des actions qui structure les perceptions elles-mêmes » (G.S.L.E., p. 269).

L'expérience mettant en évidence les opérations de sériation consiste en un matériel composé de 10 réglettes étagées de 9 à 16,2 cm et en un jeu de réglettes à intercaler après coup dans la série une fois réalisée. On demande à l'enfant de faire un escalier en commençant par la plus petite des réglettes. « Nous avons trouvé trois stades, écrit PIAGET. Au cours du premier de ces stades, l'enfant échoue à la sériation des 10 éléments initiaux : il procède par couples ou par séries de 3 ou 4 qu'il ne peut coordonner après coup. Au cours du second stade, le sujet réussit la sériation, mais par tâtonnement empirique, et ne parvient à placer les éléments intercalaires qu'avec nouveaux tâtonnements et en général qu'en recommençant le tout. Au cours du troisième stade, par contre, qui débute vers 7-8 ans, le sujet utilise une méthode systématique consistant à chercher d'abord le plus petit élément (ou le plus grand) de tous, puis le plus petit de tous ceux qui restent, etc. : seule une méthode est à considérer comme opératoire puisqu'elle témoigne du fait qu'un élément quelconque E est à la fois plus grand que les précédents (E > D, C, etc.) et plus petit que les suivants (E < F, G, etc.). Cette réversibilité opératoire du troisième stade s'accompagne, d'autre part, d'une capacité d'intercaler directement (sans tâtonnement) les éléments supplémentaires » (G.S.L.E., p. 251).

On avait déjà remarqué (A. BINET) que la sériation du poids de grandeur croissante n'était réalisée que vers 9-10 ans. REY avait noté pour sa part que, en faisant dessiner sur une feuille des carrés les plus petits possibles puis après un certain nombre de réalisations de ce genre le plus grand carré possible, les enfants de 7-8 ans dessinaient d'emblée un petit carré au centre de la feuille puis un carré longeant les bords, mettant ainsi en évidence l'existence d'un schème anticipateur. PIAGET reprend l'idée d'anticipation et en fait l'étude systématique en demandant aux enfants d'anticiper l'ordre d'un jeu de réglettes de différentes couleurs par le dessin. Ensuite, il vérifie par la sériation effective pour voir la différence existant entre l'anticipation et la réalisation. Si les enfants réussissent l'anticipation graphique légèrement plus tôt que l'anticipation effective cela tient au fait que celle-ci n'implique pas la réversibilité. L'anticipation graphique n'est donc qu'une semi-anticipation qui se fonde sur la reconstitution graphique selon une suite de gestes imitateurs comportant en eux-mêmes une sériation. D'autres recherches ont été entreprises consistant en sériations tactilo-kinesthésiques comparées à des sériations visuelles où l'on constate encore l'avance de l'anticipation sur la sériation effective. Reste que la sériation opératoire est acquise vers 7-8 ans.

- Les groupements multiplicatifs

Les classes et les relations (sériations ou structures d'ordre) sont les deux plus importants groupements qui se constituent vers l'âge de 7-8 ans et marquent le début des opérations concrètes portant directement sur les objets. Mais dans le courant de la période opératoire concrète (entre 7 et 11-12 ans) se constituent ce que PIAGET appelle des groupements multiplicatifs portant sur plusieurs classifications et sur plusieurs sériations à la fois.

La plus simple de ces structures multiplicatives est la correspondance sériale. En présentant aux enfants des bonshommes de grandeurs croissantes (ou décroissantes), des cannes correspondantes, des sacs à dos, on remarque que l'enfant série en correspondance les bonshommes, les cannes et les sacs à dos correspondants, dès le niveau des opérations concrètes.

Les classifications multiplicatives sont un peu plus difficiles et se manifestent plus tard de façon opératoire. On demande par exemple à l'enfant de classer des cercles et des carrés bleus et rouges, soit A_1 les carrés et A'_1 les cercles, A_2 les rouges et A'_2 les bleus. La classe B_1 englobe les formes : $B_1 = A_1 + A'_1$; la classe B_2 désigne les couleurs : $B_2 = A_2 + A'_2$. On demande aux enfants d'effectuer un classement le plus complet possible, sachant que ce qui est visé, c'est le tableau à double entrée suivant :

		B_1	
		A_1	A'_1
B_2	A_2	A_1A_2	A'_1A_2
	A'_2	$A_1A'_2$	$A'_1A'_2$

Ce tableau à double entrée ou matrice multiplie B_1 par B_2 et réciproquement de telle manière que

$$B_1 \times B_2 = A_1A_2 + A'_1A_2 + A_1A'_2 + A'_1A'_2$$

On remarque que, spontanément, après 7 ans, les enfants trouvent des solutions analogues. Or, ce groupement « marque à la fois l'achèvement de la logique des classes et le point de départ de celle des proportions et de celle des ensembles » (E.L.O., p. 119). En effet, l'ensemble multiplicatif $A_1A_2 + A'_1A_2 + A_1A'_2 + A'_1A'_2$ correspond à l'affirmation tautologique en logique des propositions ainsi que nous le verrons dans le chapitre suivant et qui s'écrit $p . q \vee p . \bar{q} \vee \bar{p} . q \vee \bar{p} . \bar{q}$. Par conséquent, il est au point de départ des 16 opérations propositionnelles (opérations binaires de la logique bi-propositionnelle). Nous verrons qu'il comporte deux limites inférieure : $A_1 + A_2$ et supérieure : A_1A_2.

Les classifications multiplicatives sont logiquement plus complexes que les classifications additives, mais comme elles s'appuient sur des présentations à caractère figuratif, elles sont acquises à peu près en même temps que les classifications additives, c'est-à-dire vers 7-8 ans. Le problème est donc de dissocier le caractère figuratif du caractère opératif dans le matériel que l'on propose aux enfants et qui prend l'aspect de matrices à compléter. Le matériel est constitué de 14 matrices de 4 à 6 objets (dont un à déterminer) et qui sont groupés selon la forme, la couleur, la grandeur, le nombre, l'orientation (animaux dont la tête est dirigée vers la gauche ou vers la droite). On remarque que les épreuves comportant deux qualités donnent lieu à une réussite croissante avec l'âge, alors que les épreuves à trois qualités donnent une réussite meilleure à quatre-cinq ans qu'à 6-7 ans, avant de remonter à 8-9 ans.

Les petits du stade figural (4-5 ans) emploient une méthode opposée à celle des grands en ce sens qu'ils « raisonnent moins qu'ils ne regardent et se fondent sur la configuration comme telle, par opposition aux éléments ou objets. Choisissant alors le quatrième élément en fonction des symétries figurales et non pas des relations conceptuelles, ils ne sont pas gênés par la présence de trois qualités au lieu de deux, car il n'est pas plus malaisé de percevoir trois caractères que deux, tandis qu'il est moins facile de raisonner sur les trois que sur les deux. Au contraire, la présence d'une troisième qualité renforce les symétries figurales, et ceci à tel point que ces petits de 4-5 ans, qui réussissent donc aux 50-60 % les épreuves à trois qualités n'atteignent que le 43-46 % dans les épreuves à deux qualités (sauf celui qui fait intervenir les nombres figuraux, c'est-à-dire un facteur spécialement puissant de symétrie) » (G.S.L.E., p. 158). Les difficultés des enfants du stade des collections non-figurales (5-6 ans) s'expliquent donc par le fait qu'ils mêlent des procédés figuraux à de premiers éléments de raisonnement. Les autres (8-9 ans) se fondent sur le raisonnement, résolvant le problème par ce moyen.

Afin de cerner au plus près l'apparition des procédés les plus authentiquement opératoires, PIAGET reprend la même expérience en sériant davantage les types de matrices et en proposant des figures à choix dont un nombre important identiques à ceux de la matrice. Trois types de questions sont posées :
- trouver l'image manquante
- justifier le choix de l'image retenue
- indiquer si l'une ou l'autre des cartes non-choisies irait bien ou même mieux.

L'analyse des résultats montre que les solutions figurales décroissent à partir de 6 ans. Il y a donc une discontinuité « entre deux sortes de solutions à résultats également corrects (par rapport aux données objectives), les unes fondées sur les simples symétries perceptives et les autres sur la compréhension proprement dite des correspondances » (G.S.L.E., p. 168).

La richesse des expériences est considérable et non moins riches les analyses qu'en donnent PIAGET et INHELDER. Mais la place nous manquant dans les limites de ce petit ouvrage, nous ne pouvons que renvoyer le lecteur à la lecture détaillée de la *Genèse des structures logiques élémentaires.*

L'idée essentielle à retenir est que, parmi les groupements qui se constituent au cours de la période des opérations concrètes, le groupement multiplicatif des classes (et des sériations) constitue une sorte de synthèse qui prépare les opérations formelles ultérieures. S'il apparaît vers 7 ans, ce n'est qu'autour de 8-9 ans qu'il est à peu près achevé parce qu'alors il repose entièrement sur des mécanismes opératoires.

- Le nombre

De même qu'on peut considérer la logique comme axiomatisation des structures opératoires du sujet, de même les mathématiques peuvent être considérées comme un système de constructions qui s'appuient initialement sur les coordinations des actions et les opérations du sujet en procédant à des abstractions réfléchissantes de niveaux de plus en plus élevés. Les nombres naturels (entiers positifs) relèveraient ainsi des structures opératoires construites par le sujet.

Avant sept ans, l'enfant ne parvient pas à une notion opératoire du nombre. S'il apprend verbalement la suite des nombres, il n'accède pas à la conservation des ensembles numériques ainsi que nous l'avons vu. Ayant mis en correspondance 5 jetons avec 5 autres jetons, il dira que l'une des rangées répartie en 3 + 2 fera plus que l'autre. Ou bien le nombre a changé, ou bien la quantité a augmenté. Les recherches de P. GRECO sur *les structures numériques élémentaires* confirment ce point. C'est après 7 ans que l'enfant parvient à l'idée opératoire du nombre mais en s'appuyant sur deux structures opératoires qui se constituent en même temps : les structures logiques de classification et de sériation. Par conséquent, ces deux structures conduisent à la constitution de la série des nombres entiers. Le nombre, à cet égard, peut être considéré comme la synthèse des structures de classe et de sériation en un système unique.

Le nombre n'est donc pas une donnée primitive correspondant à une intuition initiale, mais il se construit de façon opératoire à partir d'un niveau de non-conservation. Dans les épreuves de correspondance il arrive un moment où psychologiquement l'enfant fait abstraction des qualités, c'est-à-dire élimine les différences entre éléments pour n'admettre que l'équivalence entre ceux-ci. Les éléments sont alors des unités juxtaposées telles que $A \rightarrow A \rightarrow A \rightarrow A$, ce qui signifie que, en perdant leurs qualités différentielles, les classes ne perdent pas leur position dans le système. Une seule propriété demeure : l'énumération $(A \rightarrow A \rightarrow A \rightarrow A)$ ce que les enfants traduisent par « un et puis un, et puis un, et puis un, etc. » sur le plan verbal. En se trouvant en présence d'éléments ainsi équivalents (les jetons de même taille et de couleur identique), les enfants n'ont d'autre moyen pour les distinguer que de les considérer l'un après l'autre dans l'espace (rangés) et dans le temps (l'un après l'autre).

Avec l'abstraction des qualités, on assiste donc à une fusion des deux systèmes de classes et de relations en un seul système dit des nombres naturels qui lève les limitations propres aux précédents. Des recherches sur le nombre ont montré que la genèse du nombre engendre en même temps les nombres cardinaux et les nombres ordinaux.

« Le nombre suppose donc une synthèse nouvelle, écrit Piaget, bien que tous ses éléments soient empruntés aux « groupements » : 1) il retient des classes leur structure d'inclusion (1 inclus dans 2 ; 2 dans 3 ; etc.) ; 2) mais, comme il fait abstraction des qualités, pour transformer les objets en unités, il fait aussi intervenir un ordre sérial, seul moyen pour distinguer une unité de la suivante : 1 puis 1, puis 1, etc. (ordre spatial, temporel, ou de simple énumération). C'est alors la synthèse de cet ordre sérial des unités avec l'inclusion des ensembles résultant de leur réunion (1 inclus dans 1 + 1 ; 1 + 1 inclus dans 1 + 1 + 1, etc.), qui constitue le nombre, synthèse nouvelle et originale, mais empruntant tous ses éléments aux structures plus simples des groupements logiques » (T.P.E., VII, p. 136).

Nous avons vu qu'à partir de sept ans les actions de l'enfant devenaient des opérations, c'est-à-dire des actions exécutables en pensée et réversibles. Or, si toute opération est une transformation d'un état A à un état B, elle suppose au moins une propriété invariante dans le cours de la transformation, c'est-à-dire quelque chose qui se conserve. Nous avons donc étudié les différentes conservations actuellement repérables selon les secteurs de l'activité opératoire. Ces conservations sont solidaires des transformations ou opérations qui sont régies par des structures logiques ou *formes les plus générales des opérations.* Nous avons étudié ces formes les plus générales qui consistent en classifications et relations (sériations). Ces structures logiques obéissent aux propriétés des « groupements » des opérations concrètes dont les plus importants sont les groupements additifs de classes et les groupements multiplicatifs constituant l'achèvement de la logique des classes. Le nombre a un statut particulier que nous n'analyserons pas ici, mais il se construit à partir des groupements additifs de classes et des groupements de relations.

Nous avons dit par ailleurs que la réversibilité apparaissait dès le niveau des opérations concrètes. Mais les structures de groupements de classes et de relations qui la comportent en présentent deux formes distinctes et complémentaires : *la réversibilité par inversion* caractérise les groupements de classes, *la réversibilité par réciprocité* caractérise les groupements de sériation. Mais les structures de groupement ne parviennent pas à réunir ces deux formes de réversibilité dans un système unique et par conséquent demeurent incomplètes. Elles consistent simplement en systèmes d'emboîtements ou d'enchaînements simples ou multiples mais sans une combinatoire. Par conséquent, et selon le cas, l'enfant applique l'une ou l'autre de ces structures ou les deux juxtaposées, mais sans composition permettant de passer de l'une à l'autre.

L'équilibre atteint avec le niveau des opérations concrètes est donc un équilibre infiniment plus mobile que l'équilibre sensori-moteur antérieur. Mais il est *limité aux opérations sur le réel.* « En effet, l'équilibre atteint par la pensée concrète présente encore un champ relativement restreint et demeure par conséquent instable aux frontières de ce champ (...). Le champ d'équilibre des opérations concrètes est limité en ce sens que, comme tout équilibre, celui qui caractérise de telles opérations se définit par la compensation des travaux virtuels compatibles avec les liaisons du système : or, ces liaisons sont restreintes à la fois par la forme que présentent les opérations en jeu et par le contenu même des notions auxquelles elles s'appliquent » (L.E.L.A., p. 128).

Au regard de la période opératoire concrète, il apparaît que la période pré-opératoire est plutôt définie négativement : absence de conservations, de réversibilité, collections figurales ou non figurales par absence de classification, pas de sériations, etc. Par rapport à la richesse des descriptions concernant l'intelligence sensori-motrice et la période opératoire concrète elle paraît assez pauvre. Cela tient au peu de recherches qui ont été entreprises à ce sujet. Comme nous n'en pouvons rien dire, remarquons simplement qu'il ne faudrait pas croire que l'intelligence sensori-motrice est définitivement acquise et qu'elle cesse de ce fait de continuer à se développer au cours de la période considérée. Bien au contraire ! Appelée diversement selon les auteurs :intelligence des situations (WALLON) ou intelligence pratique (REY et d'autres), elle poursuit une ligne de développement que l'on a tendance à négliger depuis les travaux de PIAGET. Bien des acquisitions sont à mettre au compte de cette intelligence dite pratique notamment en ce qui concerne la résolution de problèmes. La possibilité de construire des instruments pour atteindre des objets éloignés, ou pour retirer un objet placé dans un bocal et n'en pouvant sortir par tout moyen ordinaire (expériences de REY), ou, plus généralement pour structurer l'instrument (travaux de P. MOUNOUD), ou la capacité de résoudre des problèmes de mécanique, n'apparaissent qu'à 4 ans, 6 ans, ou même quelques fois plus tard. Il y a donc là tout un secteur de l'activité dont le développement n'est pas très connu et qui peut donner lieu à des recherches multiples et variées. Et il y a fort à parier que les conservations dont nous avons parlé sont acquises beaucoup plus tôt, au niveau des activités pratiques. Les deux aspects continuité et discontinuité dans le développement génétique trouvent là une illustration nouvelle pour autant qu'un changement de niveau, tel que le passage du sensori-moteur au représentatif, signifie certes intégration et dépassement du niveau antérieur, mais aussi conservation et développement de celui-ci dans ses caractéristiques initiales. En conséquence la dialectique de l'action et de l'intelligence présente des voies et des formes complexes de développement et d'interaction qu'il est bon de ne pas négliger si l'on veut cerner au plus près le réel psychologique.

4. L'ESPACE

En décrivant l'espace sensori-moteur PIAGET effectuait une lecture du réel au travers de POINCARÉ, notamment de ses fameux « groupes de déplacements ». De la relation que nous en avons nous pouvons retenir que l'espace passe par une phase pratique, pour devenir subjectif, puis objectif, avant d'atteindre le niveau de la représentation. Mais en étudiant l'espace représentatif et sa genèse PIAGET semble se fonder sur le cadre axiomatique donné par le groupe BOURBAKI ; en particulier il paraît retenir les trois structures-mères fondamentales déterminées par cette école :
1 - Les structures algébriques dont le prototype est le « groupe »
2 - Les structures d'ordre dont l'une des formes principales est le réseau (ou lattice) et qui porte sur les relations
3 - Les structures topologiques relatives au continu et étudiant entre autres les relations de voisinage, limite, continuité, etc.
Ainsi les structures logico-mathématiques comporteraient 1) les structures algébriques avec les classifications, 2) les structures d'ordre avec les relations (sériations). Ces structures s'appliqueraient aux structures topologiques, c'est-à-dire à l'infra-logique : conservations et espace.

Certes, POINCARÉ a lui aussi étudié la topologie, mais le groupe BOURBAKI l'intègre dans un ensemble plus vaste qui rejoint les préoccupations de PIAGET et lui permet une appréhension peut-être plus cohérente, dans le cadre de ce modèle mathématique, de la genèse de l'espace. Dans cette perspective PIAGET relit ses observations premières sur l'espace sensori-moteur et montre que celui-ci se développe à partir d'une espace topologique vers un espace qui devient à la fois projectif et euclidien. D'où le schéma

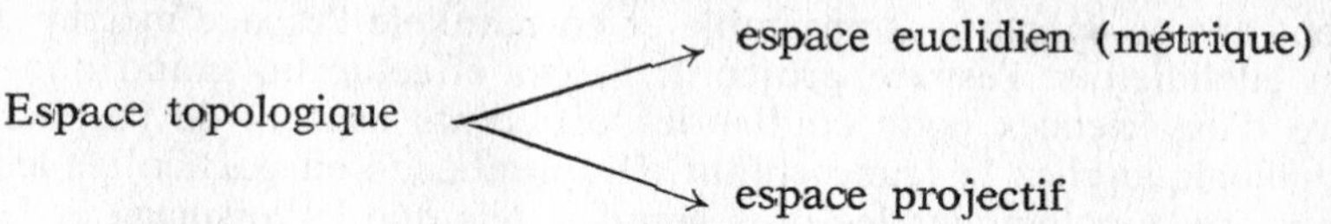

La topologie « constitue le chapitre le plus élémentaire de la géométrie. Elle ignore les droites, les distances, les angles, etc., et ne porte que sur les corps élastiques et déformables mais sans déchirures ni recouvrements ». Ces caractères s'appliquent bien à l'espace primitif du jeune enfant qui est fait de telles déformations mais où quelques propriétés se remarquent néanmoins. Ainsi l'espace enfantin des deux premiers stades est topologique.

En effet, les divers espaces sensoriels ne sont pas coordonnés entre eux. Il n'y a pas de constance perceptive des formes ou des grandeurs et l'objet solide n'a aucune permanence. Mais, par la succion, le toucher, la vision de taches lumineuses, l'enfant peut appréhender perceptivement des rapports de voisinage, de séparation, d'ordre ou de succession temporelle, d'entourage, d'enveloppement, de continuité. Si donc, psychologiquement, l'espace enfantin se fait et se défait, il comporte néanmoins un certain nombre de propriétés. Aux stades 3 et 4 où la coordination entre la vision et la préhension est acquise, on voit s'élaborer, jusqu'à douze mois, simultanément l'espace euclidien et l'espace projectif. L'enfant acquiert la constance de l'objet (objet permanent) et par conséquent la constance des formes, des volumes, des figures, etc. En même temps il se situe lui-même dans un espace homogène par un effort de décentration par rapport au point de vue propre qui cesse d'être absolu. La position du sujet dans l'espace devient relative aux cadres de référence. En d'autres termes, les figures euclidiennes se construisent par la constance des dimensions de l'objet demeurant relativement invariantes au cours des déplacements. Les figures projectives se construisent aussi par la coordination des points de vue sur l'objet ou la coordination des perspectives, d'où l'établissement de la constance de la forme et de la grandeur. C'est enfin aux 5ᵉ & 6ᵉ stades que débute l'espace représentatif (entre le onzième et le vingt quatrième mois).

Génétiquement, l'espace topologique est le premier à se constituer. De lui dérivent et l'espace métrique ou euclidien et l'espace projectif. Ceux-ci se construisent parallèlement l'un à l'autre. Ils sont à la fois distincts et solidaires. Cet ordre génétique se reproduit au niveau de la représentation grâce à des moyens supérieurs. Entre deux et sept ans domine l'espace topologique. A partir de sept ans se constituent ensemble et en parallèle l'espace métrique ou euclidien et l'espace projectif. Piaget effectue un grand nombre d'expériences pour étudier les différents aspects de l'espace topologique chez le jeune enfant. Il appréhende en particulier les rapports topologiques les plus simples, tels que le voisinage et la séparation, dans l'espace graphique du dessin spontané, dans la copie de figures géométriques. A partir de quatre ans l'enfant distingue les formes rectilignes et les formes curvilignes, puis le carré, le rectangle, le triangle et l'ellipse, puis, peu à peu apparaît, vers cinq-six ans le losange. C'est à sept ans que toutes les épreuves de copie de figures sont réussies.

La notion d'ordre qui constitue une troisième intuition topologique est étudiée avant celle d'enveloppement car, selon PIAGET « la relation « entre », qui exprime un enveloppement à une dimension est elle-même une relation d'ordre (B situé entre A et C dans la suite A B C) ». Il demande alors à l'enfant de reproduire un ordre linéaire : enfiler des perles de couleurs différentes sur une tige dans un ordre identique au modèle ou bien reproduire « la lessive » (cadre avec deux cordes superposées où sont alignés des petites pièces de papier figurant la lessive à reproduire exactement, mais avec décalage, sur la deuxième corde, puis dans l'ordre inverse). Il demande également de traduire un ordre cyclique en un ordre linéaire simple en faisant correspondre aux 7 à 9 perles d'un collier de perles de mêmes couleurs, 7 à 9 perles sur une tige rigide, ou bien à traduire l'ordre inverse d'une série de perles selon le rapport A B C D E

E D C B A, etc

Avant quatre ans, il n'y a aucune correspondance. Après cet âge, on remarque une correspondance d'éléments mais sans respect de l'ordre de placement, puis, ensuite, apparaissent quelques couples selon le principe du voisinage, mais sans coordination entre eux. Entre 4 et 6 ans, on assiste à une mise en corespondance optique, c'est-à-dire par mise en correspondance des objets en regard les uns des autres. Mais aussitôt que le dispositif ne permet plus cette mise en correspondance visuelle le sujet ne peut plus reproduire l'ordre. La relation « entre » n'est pas du tout comprise. Puis, vers le milieu de cette période, une grande mobilité se fait jour dans les correspondances d'ordre qui deviennent possibles sans identité de configuration perceptive entre le modèle et la copie. Si l'ordre cyclique peut être traduit en ordre linéaire, l'inverse se constitue par tâtonnement mais sans sûreté.

A partir de 6-7 ans les correspondances prennent un caractère opératoire. L'ordre inverse est construit grâce à la réversibilité de la pensée ; un collier en forme de 8 peut être traduit en ordre linéaire ce qui n'était pas possible auparavant. Toutefois les rangées espacées constituent une difficulté qui néanmoins est assez vite surmontée. Les rapports d'enveloppement sont étudiés à l'aide de nœuds : on présente à l'enfant un nœud ordinaire (nœud plat, etc.) et on lui demande de faire la même chose avec une ficelle. La forme des nœuds est de plus en plus complexe, mais respecte toujours les rapports d'enveloppement. L'étude des notions de point et de continu termine l'appréhension des aspects de l'espace topologique chez l'enfant.

C'est donc à partir de l'âge de sept ans que l'enfant accède à l'espace métrique ou euclidien et à l'espace projectif. La différence qui sépare les rapports topologiques des rapports projectifs « tient au mode de coordination des figures entre elles » (R.E., p. 183). « Les relations de voisinage, de séparation, d'ordre, d'enveloppements et de continuité se constituent de proche en proche entre éléments d'une même figure ou d'une même configuration structurée par elles, et sont indépendantes de l'étirement ou de la contraction des formes en jeu, lesquelles ne comportent par conséquent de conservation ni des distances, ni même des droites, angles, etc. Ces relations topologiques ne conduisent donc nullement à la construction de systèmes d'ensemble réunissant une multiplicité de figures en fonction soit d'un jeu de perspectives soit d'axes de coordonnées, et c'est bien pourquoi elles sont psychologiquement élémentaires » (R.E., p. 183). L'espace topologique est donc *intérieur à la figure* ; il en exprime les propriétés intrinsèques. Cet espace n'est donc pas un espace total englobant toutes les figures. La construction de l'espace commence donc par la constitution des objets eux-mêmes avec leur espace intérieur avant de s'étendre jusqu'aux relations des objets entre eux dans un cadre plus vaste ou espace proprement dit.

« Avec l'espace projectif et euclidien, le problème est au contraire de situer les objets et leurs configurations les uns par rapport aux autres, selon des systèmes d'ensemble consistant, soit en projections ou perspectives, soit en « coordonnées » dépendant de certains axes (..). Impliquant la conservation des droites, des angles, des courbes, des distances ou de certains rapports définis subsistant au travers des transformations, ces structures se réfèrent toujours, en effet, et celà même lorsqu'il s'agit de l'analyse d'une figure isolée par abstraction, à une organisation totale, explicite ou sous-entendue » (R.E., pp. 183-184).

L'espace projectif débute donc lorsque l'objet ou sa figure ne sont plus envisagés en eux-mêmes, mais *selon un point de vue : point de vue du sujet, point de vue d'autrui.* Il suppose donc une coordination entre objets distincts les uns des autres sur le plan spatial.

L'espace euclidien qui, comme l'espace projectif, dérive de l'espace topologique, se construit en parallèle avec l'espace projectif. Il coordonne les objets entre eux par rapport à un cadre d'ensemble ou par rapport à un système de référence stable exigeant dès le départ la conservation et des surfaces et des distances.

En outre, il existe des points de passage de l'espace projectif à l'espace euclidien.

a) *L'espace projectif*

Si donc l'espace représentatif devient opératoire et situe les objets dans un système d'ensemble consistant en projections ou perspectives et en coordonnées selon certains axes, « la manifestation la plus simple de la recherche d'une organisation d'ensemble reliant les objets spatiaux entre eux selon des systèmes soit de points de vue projectifs, soit de coordonnées, est la découverte de la droite représentative » (R.E., p. 185). Cette dernière est loin d'être élémentaire. L'enfant en effet sait bien reconnaître une droite perceptivement, depuis longtemps, mais la percevoir est une chose, se la représenter ou la construire mentalement au plan représentatif en est une autre. A l'aide d'expériences très pertinentes vérifiées au Canada par LAURENDEAU et PINARD, PIAGET montre que c'est à 7 ans que la droite projective est construite de façon opératoire selon la technique de la visée. On donne à l'enfant de petites allumettes fichées sur une base de pâte à modeler que l'on place sur des surfaces rectangulaires ou circulaires. On raconte une histoire où il sera question de jouer à l'installation de lignes téléphoniques ou électriques. On place le premier et le dernier poteau, près du bord, en sécante sur le cercle et en sécante sur le rectangle de façon que l'un se trouve sur un côté et l'autre sur un autre. Curieusement les petits suivent le bord des surfaces et ce n'est qu'à sept ans que quelle que soit la disposition des deux extrémités, les poteaux intermédiaires se répartissent selon une ligne tout à fait droite. Par conséquent, contrairement à ce que croyait la géométrie élémentaire, il n'y a pas d'intuition primitive de la ligne droite.

D'autres expériences cherchent à faire apparaître quelle est la forme apparente d'objets tels que aiguilles ou disques inclinés à 75°, à 90°, etc., et de représenter graphiquement la forme qu'ils prennent. Même expérience avec la projection des ombres. On note que la forme correcte est reconnue sur des images à choix, plus précocement que ne s'effectue la représentation graphique adéquate. La découverte de la perspective est imputable à une différenciation et à une coordination réunies des points de vue qui atteste d'un détachement à l'égard de l'objet doublé d'une prise de conscience du rapport qui le lie au sujet. Pour ces deux expériences la différenciation des points de vue est nette vers 7 ans, mais c'est vers 8-9 ans que la perspective intervient systématiquement dans le dessin.

La coordination des perspectives entre plusieurs objets a été étudiée avec l'expérience des trois montagnes (voir chap. 1 sous b).

D'autres expériences enfin consistent à opérer mentalement une section dans des volumes (cube, pyramide, cône, etc., selon des inclinaisons différentes (parallèle à la base, transversale, à 75°, etc.) et à dessiner la surface de coupe que l'on obtiendrait. C'est entre 7 et 8 ans que les enfants y parviennent de même qu'ils sont capables aux mêmes âges du dépliement des mêmes volumes mais réalisés en carton collé bord à bord.

b) *Passage de l'espace projectif à l'espace euclidien*

Si l'espace euclidien et l'espace projectif dérivent tous deux et indépendamment l'un de l'autre de l'espace topologique, entre eux une série de termes de passage peuvent être relevés qui sont constitués par les affinités et les similitudes. Pour les mettre en évidence, PIAGET étudie les transformations affines du losange au moyen des « ciseaux de Nüremberg », délimitant des séries de losanges articulés que l'on peut plier comme un ressort. C'est entre 7 et 9 ans que les problèmes sont résolus.

Corrélativement à la construction des points de vue (espace projectif), il se construit une coordination des objets comme tels aboutissant à l'espace euclidien : la construction des parallèles, des angles, des proportions ou similitudes effectuant la transition entre les deux. Pour PIAGET « les coordonnées de l'espace euclidien ne sont pas autre chose, en leur point de départ, qu'un vaste réseau étendu à tous les objets et consistant en relations d'ordre appliquées aux trois dimensions à la fois : chaque objet situé dans ce réseau est donc coordonné par rapport aux autres selon les trois ordres de rapports simultanés gauche x droite, dessus x dessous et devant x derrière, le long de lignes droites parallèles entre elles quant à l'une de ces dimensions et se croisant à angle droit avec celles orientées selon les deux autres » (R.E., p. 444). C'est pourquoi une étude pour savoir à quel moment la verticale et l'horizontale se constituent s'imposait.

L'étude de la verticale et de l'horizontale s'effectue dans les conditons suivantes :
1 - verticale : sur un flotteur en liège on plante verticalement une allumette et on dépose le tout dans un bocal à demi-rempli d'eau en demandant à l'enfant de prévoir la position de l'allumette selon l'inclinaison.
- Dans le bouchon d'un bocal circulaire on fixe un fil à plomb : prévoir l'inclinaison de celui-ci selon l'inclinaison correspondante du bocal.
- sur une « montagne » en pâte à modeler planter des allumettes figurant des arbres.
2 - horizontale : un bocal carré à demi-rempli d'eau et un bocal-ballon à demi rempli d'eau : on fait constater l'inclinaison du bocal par rapport à la surface du liquide, on enveloppe le bocal dans un morceau d'étoffe ne laissant passer que le bouchon et on demande, selon les inclinaisons, de dessiner sur des figures toutes prêtes quelle est l'inclinaison de la surface du liquide.

Jusqu'à 4-5 ans, il n'y a ni horizontale, ni verticale. Entre 5 et 6 ans, la surface de l'eau est parallèle à la base du bocal sans compréhension de l'inclinaison et les arbres sont plantés perpendiculairement aux flancs de la montagne. Entre 6 et 7 ans, on assiste à un déplacement de l'eau dans la direction de l'inclinaison, mais sans parallélisme : c'est un compromis entre deux positions planes de la surface. Puis, peu à peu, le niveau de l'eau cesse d'être conçu comme parallèle à la base du bocal. Il y a déjà une dissociation entre la base du bocal et l'horizontale ou la verticale. C'est entre 7 et 8 ans que l'horizontale et la verticale sont réellement découvertes. Mais c'est à partir de *9 ans* seulement que l'horizontale et la verticale sont appliquées systématiquement et logiquement à toutes les situations.

c) *L'espace métrique et euclidien*

L'espace métrique ou euclidien repose sur la notion du déplacement « et les déplacements constituent mathématiquement un « groupe » tel qu'ils puissent être représentés dans un espace à trois dimensions structuré par un système de coordonnées » (G.S., p. 11). L'étude des déplacements conduit à la mesure. Il apparaît alors que celle-ci n'est possible qu'intégrée dans un système de coordonnées. Pour qu'il y ait mesure, il faut qu'il y ait itération (ou déplacement) d'une unité sur la chose à mesurer, d'où la nécessité de la conservation des longueurs durant la mesure. Mais la conservation des longueurs repose elle-même sur celle des distances acquises à partir de 7 ans (voir plus haut sous IIIb). La métrique toutefois n'est pas à une seule dimension ; elle s'étend selon les cas à 2 ou à 3 dimensions. C'est pourquoi PIAGET étudie les coordonnées rectangulaires, les angles, etc. (mesure des angles, des triangles, somme des angles du triangle, etc.), problèmes infiniment plus difficiles et qui nous conduisent bien souvent au seuil du niveau formel. Enfin, la conservation des surfaces acquise vers 7 ans se complète par la conservation des volumes spatiaux à partir de 9 ans.

5. CONCLUSION

Nous avons pu remarquer que la reconstruction des structures du niveau sensori-moteur au plan de la représentation demandait une période de temps infiniment plus longue, en même temps qu'elle apparaissait infiniment plus complexe. Mais la période de l'intelligence symbolique ou pré-opératoire nous est apparue comme période préparatoire, car les expériences mises en œuvre pour déceler les structures diverses dont nous avons parlé paraissent putôt destinées à caractériser la période opératoire concrète que celle-ci. Période de préparation sans doute, mais sans que l'on voie nettement, ni pourquoi, ni comment, en ce sens que, si toutes les expériences présentent des conduites dont la dominante est leur aspect négatif par rapport aux conduites achevées ou en voie d'achèvement, elles ne montrent pas avec assez de pertinence en quoi elles sont préparatoires. Elles n'ont ce caractère que dans la mesure où elles revêtent un caractère d'échec au pire, d'approximation au mieux. Mais ce en quoi ce stade est préparatoire de la réversibilité par exemple, des conservations, etc. n'apparaît pas. Il est vraisemblable que des recherches s'imposent encore dans le domaine de l'intelligence dite pratique, recherches dans la lignée de celles qu'a entreprises P. MOUNOUD par exemple. Car la période préopératoire est certainement une période préparatoire tout en étant une période d'épanouissement des structures déjà acquises, et en l'espèce du sensori-moteur. Il n'est pas inconcevable que les structures qui vont se faire jour au niveau des opérations concrètes ne soient déjà en œuvre dans la plupart des activités pratiques. Mais ce n'est là encore que supposition ; du point de vue des faits d'expérimentation retenons que la période préopératoire se caractérise négativement par toutes les absences signalées : absence de conservations, absence de réversibilité, et, positivement, par l'exaltation de la pensée symbolique, du jeu, de la fantaisie, etc.

Pour ce qui est des structures du niveau des opérations concrètes, nous pouvons remarquer qu'à partir de sept ans l'infralogique se dissocie du logico-mathématique jusque-là confondus. L'opératif qui recouvre l'infra-logique et le logico-mathématique nourrit des rapports avec le figuratif. Mais, compte-tenu des dimensions réduites de cet ouvrage, il ne nous est pas possible de nous étendre sur cet aspect du développement de l'intelligence représentative. Remarquons simplement que c'est toujours l'opératif qui structure toute représentation. Le plus souvent, la représentation ou pensée s'accompagne d'images. Quel est leur rôle ? C'est à répondre à cette question que PIAGET et ses collaborateurs se sont attachés dans un ensemble d'études rassemblées dans « *L'image mentale chez l'enfant* ». Il apparaît que l'image est nécessaire pour la représentation des états, mais qu'elle est insuffisante pour la compréhension des transformations. Ainsi, au niveau de l'espace - et contrairement à ce qui se passe pour l'opératif seul - les images jouent un rôle très important qu'il serait bon d'étudier plus avant dans la mesure où elles ont tantôt un rôle adjuvant, tantôt un rôle perturbant pour la construction géométrique par exemple. Mais là se pose tout le problème de l'intuition dans la découverte ou l'invention et que bien des savants invoquent sans que l'on sache, ni quelle est sa nature, ni quel est son rôle dans les rapports de la pensée et de l'image.

BIBLIOGRAPHIE DU CHAPITRE IV

Paragraphes 1 et 2.

PIAGET (J.), *La formation du symbole chez l'enfant,* Delachaux et Niestlé, 1945 (abrégé : F.S.).

PIAGET (J.), *Psychologie et pédagogie,* Médiations, 1969 (abrégé : PS.P.).

PIAGET (J.), *La naissance de l'intelligence chez l'enfant,* Delachaux et Niestlé, éd. 1963 (abrégé : N.I.).

PIAGET (J.) et INHELDER (B.), in *Traité de psychologie expérimentale* de Fraisse et Piaget, Paris, P.U.F. 1963, chap. XXIV, tome VII, *Les opérations intellectuelles et leur développement* (abrégé : T.P.E. VII).

PIAGET (J.), *La psychologie de l'enfant,* P.U.F., 1966 (abrégé : P.E.).

PIAGET (J.), *Psychologie de l'intelligence,* A. Colin, 1956.

Paragraphes 3 et 4.

INHELDER (B.), *Le diagnostic du raisonnement chez les débiles mentaux,* Delachaux et Niestlé, éd. 1963 (abrégé : D.R.).

FRAISSE (P.) et PIAGET (J.), *Traité de psychologie expérimentale,* tome VII.

Etudes d'épistémologie génétique, tome IX, *L'apprentissage des structures logiques* par A. Morf, J. Smedslund, Vinh Bang, J.F. Wohlwill, Paris, P.U.F., 1959.

Encyclopaedia Universalis, Paris, 4e éd., 1972, tome VI, P. Greco, *Opérations et structures intellectuelles,* p. 217 (abrégé : E.U.).

INHELDER, PIAGET, SZEMINSKA, *La géométrie spontanée de l'enfant,* Paris, P.U.F., 1948 (abrégé : G.S.), rééd. 1974.

BANG (V.) et LUNZER (E.), *Les conservations spatiales,* E.E.G. XIX, P.U.F., 1965.

PIAGET (J.) et SZEMINSKA (A.), *La genèse du nombre chez l'enfant,* Delachaux et Niestlé, 3e éd., 1964 (abrégé : G.N.).

PIAGET (J.) et INHELDER (B.), *La genèse des structures logiques élémentaires,* Delachaux et Niestlé, 1959 (abrégé : G.S.L.E.).

PIAGET (J.) et GRIZE (B.), *Essai de logique opératoire,* Paris, Dunod, 1972 (abrégé : E.L.O.).

PIAGET (J.) et INHELDER (B.), *De la logique de l'enfant à la logique de l'adolescent,* Paris, P.U.F., 1955 (abrégé : L.E.L.A.).

PIAGET (J.) et INHELDER (B.), *La représentation de l'espace chez l'enfant,* Paris, P.U.F. 1948, (abrégé : R.E.).

Autres références non-citées

LAURENDEAU (M.) et PINARD (A.), *Les premières notions spatiales de l'enfant*, Delachaux et Niestlé, 1968.

Sous la direction de J. PIAGET, *Logique et connaissance scientifique*, La Pleïade, 1967.

PIAGET (J.), *La construction du réel chez l'enfant*, Delachaux et Niestlé, 1963.

PIAGET (J.), *Les mécanismes perceptifs*, Paris, P.U.F., 1961.

Etudes d'épistémologie génétique publiées sous la direction de J. Piaget

VII - *Apprentissage et connaissance*, P. GRECO et J. PIAGET, P.U.F., 1959.

IX - *L'apprentissage des structures logiques*, MORF, SMEDSLUND, Vinh BANG, WOHLWILL, 1959.

X - *La logique des apprentissages*, GOUSTARD, GRECO, MATALON, PIAGET, 1959.

XI - *Problèmes de la construction du nombre*, GRECO, GRIZE, PAPERT, PIAGET, 1960.

XIII - *Structures numériques élémentaires*, GRECO, MORF, P.U.F., 1962.

XIV - *Epistémologie mathématique et psychologie*, BETH, PIAGET, 1961.

XVIII - *L'épistémologie de l'espace*, BANG, GRIZE, HATWELL, PIAGET, SEAGRIM, VURPILLOT, 1964.

DOLLE (J.M.), *La genèse de la représentation chez l'enfant d'après Jean Piaget, La Pensée*, n° 168, avril, 1973.

MOUNOUD (P.), *Structuration de l'instrument chez l'enfant*, Delachaux et Niestlé, 1970.

MOUNOUD (P.), *La construction de l'objet par le bébé*, Communication au Colloque international d'audiophonologie de Besançon (7-11 nov. 1973) sur le thème du « prélangage », à paraître dans les actes du Colloque.

MOUNOUD (P.), *Les conservations physiques chez le bébé*, texte ronéoté, à paraître.

MOUNOUD (P.), *Le développement des systèmes de représentation chez l'enfant. Bulletin de Psychologie*, XXV, 296, 1971-1972, 5 - 7 (pp. 261-272).

CHAPITRE V

L'intelligence opératoire formelle

Dans la perspective piagétienne où l'intelligence est conçue comme une des formes qu'a prises l'adaptation, nous avons vu se constituer, avec les structures correspondantes, deux paliers principaux d'équilibre : l'intelligence sensori-motrice dans un premier temps, l'intelligence opératoire concrète dans un deuxième temps. A chaque niveau se sont élaborées des structures particulières en rapport avec les moyens essentiels d'appréhension du réel. Ainsi la perception, instrument d'ancrage dans le milieu, joue un rôle prépondérant dans les deux premières années. Puis ce rôle, tout en se maintenant, est pris en relais par la fonction symbolique ou sémiotique permettant l'élaboration de la représentation ou pensée. On assiste donc à un élargissement du champ de l'activité en même temps qu'à une augmentation des moyens qu'elle met en œuvre. Mais si la perception tend à limiter l'activité à toute situation présente, la représentation, avec ses structures opératoires et figuratives, l'étend bien au-delà. Cette fois la perception n'est plus qu'un moyen d'appréhension du réel parmi d'autres, dont notamment les opérations. Mais celles-ci sont encore limitées à la manipulation du concret d'où leur mobilité relative.

Avec les opérations formelles, le rapport au monde change complètement. Cette fois l'intelligence accède à un niveau tel qu'elle se situe au plan des relations entre le possible et le réel mais dans une inversion de sens tout à fait remarquable. Car, au lieu que, « le possible se manifeste simplement sous la forme d'un prolongement du réel ou des actions exécutées sur la réalité, c'est au contraire le réel qui se subordonne au possible » (L.E.L.A., p. 220). Autrement dit, ce qui caractérise la pensée opératoire formelle c'est qu'elle est essentiellement *hypothético-déductive.* Une telle inversion de sens entre le possible et le réel a donc bien pour conséquence une inversion corrélative dans le rapport au monde ou au réel : « au lieu d'introduire sans plus un début de nécessité dans le réel, comme c'est le cas des inférences concrètes, elle effectue dès le départ la synthèse du possible et du nécessaire, en déduisant avec rigueur les conclusions de prémisses dont la vérité n'est admise d'abord que par hypothèse et relève ainsi du possible avant de rejoindre le réel » (L.E.L.A., p. 220). Cela signifie que le champ de l'équilibre est infiniment plus étendu qu'aux niveaux antérieurs et que les instruments de coordination sont plus souples. Cette fois la « lecture » de l'expérience ne s'effectue plus seulement par une appréhension de ses propriétés et des propriétés des actions de transformation relevant d'une logique de classification et d'ordre ; elle procède en formulant des hypothèses posant les données à titre de données, c'est-à-dire indépendamment de leur caractère actuel. Puis elle les combine entre elles selon les exigences d'une nouvelle logique ou logique des propositions, ce qui revient à dire selon une logique de toutes les combinaisons possibles. Par conséquent, ne partant plus seulement d'éléments classés et sériés, mais d'éléments pris à titre de propositions, la pensée formelle opère sur celles-ci, c'est-à-dire agit à un niveau encore supérieur à celui des opérations concrètes. Les opérations formelles sont donc des opérations à la seconde puissance. Elles obéissent à une logique dite des propositions ou logique propositionnelle régie par une combinatoire. De ce point de vue, la logique des opérations concrètes peut être considérée comme une logique intra-propositionnelle pour autant qu'elle consiste à décomposer une proposition en ses éléments. « Par exemple, en une proposition telle que « cette rose est rouge », on peut remplacer « cette rose » par d'autres termes (« ce drapeau », « toutes les roses », etc.), ou remplacer « rouge » par d'autres prédicats (« jaune », « noir », etc.), ou encore modifier le rapport « est » (« cette rose l'emporte en beauté sur celle-ci », etc.) » (E.L.O., pp. 34-35). En décomposant ainsi les propositions en leurs éléments, on peut obtenir d'autres propositions que l'on détermine par les transformations mêmes de ces éléments. Les ronds rouges et les ronds bleus peuvent être classés selon la forme ou selon la couleur avec sous-classes ; mais ils peuvent être rangés sous la rubrique des carrés ou des ronds si l'on a des carrés rouges et bleus et des ronds rouges et bleus. Mais on voit que de telles transformations sont finies pour autant qu'elles portent sur des « possibles » limités aux propriétés inscrites dans les éléments mêmes pris en tant que tels. C'est pourquoi une logique intra-propositionnelle n'est qu'une logique des classes et des relations.

Au contraire, dès l'instant où l'on n'envisage plus que les propositions comme telles, cessant par conséquent de les décomposer en leurs éléments, on passe d'une logique intra-propositionnelle à une logique inter-propositionnelle. Connaissant donc simplement les valeurs de fausseté et de vérité des propositions, p, q, r, par exemple, on peut construire d'autres propositions bien déterminées qui se caractérisent par les diverses combinaisons possibles de ces seules valeurs de vérité. Si l'on dispose par exemple de tiges en métal de qualité différente (acier, laiton), de sections différentes (carrées, rondes, triangulaires), de longueurs différentes, etc., pour trouver celles qui sont flexibles et celles qui ne le sont pas, il n'y a que deux possibilités, compte-tenu qu'elles sont fixées sur le bord d'une cuve et que l'on visse à leur extrêmité des personnages d'un poids donné :
1 - faire l'essai, empiriquement, de toutes les situations où la flexibilité ou la rigidité apparaîtront. Par conséquent, classer, sérier les propriétés selon une lecture systématique de l'expérience. Ce procédé est long et coûteux et laisse de toute façon des combinaisons même s'il procède par classifications multiplicatives.
2 - faire varier tous les facteurs en jeu selon un ordre consistant, pour chaque série de variations, à ne laisser varier qu'un seul facteur à la fois, tous les autres demeurant inchangés, selon des hypothèses ; ce peut être la longueur de la tige, le métal, la forme de section, etc. et selon le principe « toutes choses égales d'ailleurs », afin de mettre en évidence les liaisons réelles parmi toutes les liaisons possibles.

Or, pour faire varier les facteurs, il est nécessaire de recourir à une logique combinatoire. Pour PIAGET, l'enfant du niveau des opérations concrètes parvient bien dans les meilleurs cas à réaliser les classifications multiplicatives, soit

$$B_1 \times B_2 = A_1A_2 + A_1A'_2 + A'_1A_2 + A'_1A'_2$$

Il se trouve que, si cette opération correspond bien à la réalisation de quatre classes en composition, elle équivaut à la formulation de l'affirmation complète en logique propositionnelle soit :

$$p * q = p.q \vee p.\bar{q} \vee \bar{p}.q \vee \bar{p}.\bar{q}$$

Mais, pour aller au-delà de cette répartition des classes, il faut une combinatoire. La différence séparant ainsi un système de classes multiplicatives d'une combinatoire n à n réside dans le fait que, dans le premier cas il n'existe pas de transformations générales permettant de passer de l'un des groupements de classes ou de relations à l'autre alors que dans le second on a affaire à un système unique et tel que l'on puisse passer de l'un des éléments à chacun des autres. La combinatoire comporte donc 16 combinaisons obtenues par la combinaison initiale de deux propositions p et q (en logique bi-valente ; on en obtiendrait 256 en logique tri-valente, etc.). Chacune peut être vraie ou fausse, indépendamment l'une de l'autre, au point que l'on peut avoir les quatre propositions suivantes : p.q (se lit p et q) ; p.$\bar{q}$ (se lit p et non-q) $\bar{p}$.q (non-p et q) ; $\bar{p}$.$\bar{q}$ (non-p et non-q). Mais si on les prend : 0, 1 à 1, 2 à 2 ; 3 à 3, ou les quatre à la fois (affirmation complète) on obtient ainsi les 16 combinaisons dont nous parlions et non plus seulement quatre. Ces 16 combinaisons constituent des opérations nouvelles toutes distinctes ou opérations propositionnelles consistant à combiner les propositions du seul point de vue de leur vérité ou de leur fausseté. Si l'on regroupe alors ces opérations deux à deux (la première avec la dernière, la deuxième avec l'avant-dernière, etc.) on remarque qu'elles s'opposent : un est la complémentaire de 16, 2 de 15, etc. Chaque opération a donc une complémentaire ou inverse qui la nie, d'où le tableau ci-contre :

En suivant la lecture de ce tableau dans l'ordre des chiffres, on remarque sans peine que les combinaisons se font d'abord à 0, puis 1 à 1, 2 à 2, etc., éléments. Chaque fois on obtient une proposition nouvelle qui correspond à une opération : la conjonction, l'implication, l'équivalence, etc. Dès l'opération 6, on possède et le nom de l'opération et sa formule nécessairement différente de son énoncé simple. Enfin, en passant de l'opération 8 à l'opération 9, on observe que l'on a les deux opposés ou inverses : p ≡ q a pour inverse p w q et réciproquement, c'est pourquoi ce tableau peut se lire dans plusieurs sens.

Soit par exemple le groupement multiplicatif p.q (par exemple : cet animal est un cygne et est blanc), $\bar{p}$.q signifiera : ce n'est pas un cygne et il est blanc ; p.$\bar{q}$: c'est un cygne et il n'est pas blanc ; $\bar{p}$.$\bar{q}$: il n'est ni cygne ni blanc. Les 16 combinaisons étant des propositions combinées seulement du point de vue de leur vérité ou de leur fausseté, on pourra dire : « si les quatre associations indiquées sont toutes vraies, cela signifie qu'il n'y a pas de rapport nécessaire entre les cygnes et la blancheur. Mais avant la découverte des cygnes noirs d'Australie on eût dit que l'association p.$\bar{q}$ est fausse : il serait donc resté « p.q v $\bar{p}$.q v $\bar{p}$.$\bar{q}$ », c'est-à-dire une implication (cygne implique blancheur, parce que si c'est

1 - Négation absolue	$0 = 0$	$p.q \vee p.\bar{q} \vee \bar{p}.q \vee \bar{p}.\bar{q}$	$= p{*}q$	Affirmation complète	16
2 - Conjonction	$p.q = p.q$	$p.\bar{q} \vee \bar{p}.q \vee \bar{p}.\bar{q}$	$= p/q$	Incompatibilité	15
3 - Non-implication	$p.\bar{q} = p.\bar{q}$	$p.q \vee \bar{p}.q \vee \bar{p}.\bar{q}$	$= p \supset q$	Implication	14
4 - Non-implication réciproque	$\bar{p}.q = \bar{p}.q$	$p.q \vee p.\bar{q} \vee \bar{p}.\bar{q}$	$= q \supset p$	Implication réciproque	13
5 - Négation conjointe	$\bar{p}.\bar{q} = \bar{p}.\bar{q}$	$p.q \vee p.\bar{q} \vee \bar{p}.q$	$= p \vee q$	Disjonction	12
6 - Affirmation de p	$p[q] = p.q \vee p.\bar{q}$	$\bar{p}.q \vee \bar{p}.\bar{q}$	$= \bar{p}[q]$	Négation de p	11
7 - Affirmation de q	$q[p] = p.q \vee \bar{p}.q$	$p.\bar{q} \vee \bar{p}.\bar{q}$	$= \bar{q}[p]$	Négation de q	10
8 - Equivalence	$p \equiv q = p.q \vee \bar{p}.\bar{q}$	$p.\bar{q} \vee \bar{p}.q$	$= p \mathrm{w} q$	Exclusion réciproque	9

formes normales disjonctives

les 16 combinaisons binaires en logique bivalente

(La symbolique est celle de Piaget : le signe v se lit « ou », le signe . se lit « et », etc.)

un cygne, il est blanc) mais un objet peut être blanc sans être un cygne ($\bar{p}.q$) ou n'être ni l'un ni l'autre ($\bar{p}.\bar{q}$) » (P.E., p. 107, note 2).

Une telle combinatoire est le prolongement de la logique des opérations concrètes en même temps que sa généralisation. Par conséquent elle est une classification de classifications. Mais elle est aussi une opération à la seconde puissance puisqu'elle porte sur des opérations concrètes données dans chaque proposition.

Si la logique de l'adolescent est une logique de type combinatoire qui dépasse la logique des opérations concrètes, elle comporte également un système de réversibilité qui combine les deux réversibilités du niveau concret, par inversion et par réciprocité. Ce système de double réversibilité constitue un groupe dit de quaternalité ou groupe de Klein. Soit par exemple le foncteur $p \supset q$ (implication) dont la forme normale disjonctive est (cf. tableau) $p.q \vee \bar{p}.q \vee \bar{p}.\bar{q}$, on appellera inversion sa négation (N) autrement dit son inverse, soit la non-implication $p . \bar{q}$. Mais cette implication possède une réciproque, c'est-à-dire une opération qui peut nier les propositions élémentaires intervenant dans sa forme normale mais en conservant les foncteurs . et v sans changement. Autrement dit :

$R (p \supset q) = \bar{p}.\bar{q} \vee p.\bar{q} \vee p.q = q \supset p.$

La réciproque de $p \supset q$ est donc $q \supset p$ (q implique p). Corrélativement une troisième opération peut être effectuée qui consiste à permuter les v et les . d'où $C (p \supset q) = (p \vee q) . (\bar{p} \vee q) . (\bar{p} \vee \bar{q}) = \bar{p} . q$. Il y a enfin une quatrième opération de transformation ou identité (I) qui laisse l'expression inchangée

$I (p \supset q) = p \supset q$

Par conséquent

N $(p \supset q) = p.\bar{q}$ (non implication)
R $(p \supset q) = q \supset p$ (implication réciproque)
C $(p \supset q) = \bar{p}.q$ (non-implication réciproque)
I $(p \supset q) = p \supset q$ (implication)

On obtient donc un tableau de transformations tel que :

	I	N	R	C
I	I	N	R	C
N	N	I	C	R
R	R	C	I	N
C	C	R	N	I

soit, pour l'exemple considéré :

	I	N	R	C
I	$p \supset q$	$p . \bar{q}$	$q \supset p$	$\bar{p} . q$
N	$p . \bar{q}$	$p \supset q$	$\bar{p} . q$	$q \supset p$
R	$q \supset p$	$\bar{p} . q$	$p \supset q$	$p . \bar{q}$
C	$\bar{p} . q$	$q \supset p$	$p . \bar{q}$	$p \supset q$

où l'on peut lire que NxR = NR = C

NxC = NC = R
RxC = CR = N
NRC = I

Il s'agit donc bien d'un groupe de Klein, groupe commutatif à quatre transformations (Vierergruppe) incluant la réversibilité par inversion (N) et la réversibilité par réciprocité (R) en une totalité composable.

Si les 16 opérations propositionnelles constituent un ensemble E, on peut dire : « La présence d'un groupe de transformations, qui portent sur les seize éléments de E, marque bien que ceux-ci ne sont pas réunis n'importe comment, mais qu'ils constituent une structure d'ensemble, une structure psychologiquement équilibrée » (L.C.S., p. 285, J.B. GRIZE).

Outre l'apparition d'une logique combinatoire et d'un groupe de double réversibilité, on remarque la constitution de schèmes nouveaux tels que les proportions, la coordination de deux systèmes de référence, la notion d'équilibre mécanique, la notion de probabilité, de corrélation, etc. Or, ces schèmes dérivent à la fois des deux structures fondamentales sus-décrites : la structure de réseau ou lattice (combinatoire propositionnelle) et le groupe des quatre transformations.

Si donc l'inversion de sens opérée par la pensée entre le réel et le possible est fonction d'une combinatoire, du groupe de double réversibilité et de schèmes logiques nouveaux, une transformation de la pensée s'est opérée qu'il convient de décrire en référence aux niveaux antérieurs.

L'étude de la pensée opératoire formelle a été effectuée par collaboration entre PIAGET et B. INHELDER. Mais cette collaboration mérite qu'on en donne les conditions parce qu'il y a là un point d'histoire et de méthode qui vaut aux auteurs à la fois des louanges et des reproches aussi fondés les uns que les autres. D'une part, B. INHELDER effectue des recherches sur une population d'adolescents d'un établissement secondaire pour appréhender le passage de la logique de l'enfant à celle de l'adolescent du point de vue du raisonnement expérimental. D'autre part PIAGET « théorise » et formule en quelque sorte l'appareil logique susceptible de caractériser la pensée adolescente. « Que l'on veuille bien nous croire ou que l'on mette en doute la valeur de cette déclaration, c'est après coup seulement, c'est-à-dire au moment des comparaisons d'ensemble et des interprétations finales, que les auteurs de la présente étude se sont aperçus de la convergence frappante qui s'imposait entre les faits recueillis par l'un d'eux et les mécanismes formels analysés par l'autre... » (L.E.L.A., avant-propos, pp. 2-3). Mais on peut toujours craindre que les faits répondent trop bien à la théorie, pour autant que c'est surtout à travers elle qu'ils sont interprétés. Peu importe d'ailleurs, à tout le moins quant à notre propos actuel. Essayons donc de suivre la description de PIAGET et de relater quelques expériences parmi les plus caractéristiques.

En étudiant les structures d'ensemble de la pensée formelle, PIAGET se situe à deux points de vue : celui de l'équilibre d'une part, celui des structures d'autre part.

1. DU POINT DE VUE DE L'ÉQUILIBRE

D'emblée, PIAGET affirme que ce qui caractérise le plus nettement la pensée formelle du point de vue de l'équilibre c'est le rôle « qu'elle fait jouer au possible par rapport aux constatations réelles » (L.E.L.A., p. 215). Or, nous savons que l'équilibre sensori-moteur consiste à coordonner des actions. Le groupe pratique des déplacements comporte une forme de réversibilité limitée aux actions pratiques donc mieux définie si on la nomme renversabilité. Au niveau préopératoire il n'y a pas de réversibilité mais des systèmes d'ensemble consistant en régulations perceptives et représentatives. La pensée préopératoire porte sur des situations statiques qu'elle explique en fonction de leur configuration actuelle plus qu'en fonction des transformations conduisant de l'une à l'autre. Et lorsqu'elle porte sur ces transformations, elle les assimile à l'action propre, donc aux régulations de l'action et pas encore à des opérations réversibles. Par conséquent, pour la pensée préopératoire, la configuration tient lieu d'explication et les régulations apparaissent sous la forme de corrections et d'ajustements dus à l'action propre. Si par exemple les deux fléaux de la balance ne s'équilibrent pas, l'enfant opère cet équilibre du geste, donc par une intervention de son action corporelle, mais ne cherche pas à opérer des compensations de poids en fonction de la longueur du bras de l'appareil. En cherchant ainsi à rectifier la position des bras de la balance il croit que celle-ci conservera l'effet de son intervention.

Au niveau des opérations concrètes une première forme d'équilibre stable apparaît au niveau représentatif avec la réversibilité. Ainsi les opérations se coordonnent en structures (classes, relations, etc.), mais elles sont limitées à l'organisation du réel concret, ou des données immédiates. On ne rencontre plus les oppositions entre situations statiques et transformations, toute situation statique est subordonnée aux transformations, chaque état étant considéré en quelque sorte comme le résultat de celles-ci. Le système des transformations est en équilibre parce que d'une part celles-ci

sont réversibles et parce que d'autre part elles sont coordonnées entre elles par des lois de composition (groupements). Enfin, « la pensée opératoire concrète (...) est caractérisée par une extension du réel dans la direction du virtuel. Par exemple, classer des objets signifie construire des emboîtements tels que de nouveaux objets puissent être rattachés dans la suite aux objets actuellement classés et que de nouvelles inclusions demeurent ainsi possibles » (L.E.L.A., p. 218). On en pourrait dire autant pour les sériations. Autrement dit, le champ du réel est dépassé par un champ du possible limité à une sorte d'anticipation en direction de la classe complète ou de la série complète, sans plus. En conséquence, le champ de l'équilibre est limité pour deux raisons :
1 - les opérations concrètes se bornent à classer, sérier, mettre en correspondance, etc., *les données actuelles* ;
2 - elles comportent des *décalages* de telle sorte que les mêmes structures appliquées à des contenus différents ne permettent pas de les maîtriser. Il faut quelques années pour que cela soit possible (cas des conservations par exemple). S'il y a équilibre, cet équilibre est stable à l'intérieur des frontières du champ des opérations concrètes, mais il est instable à ses frontières-mêmes, pour autant que la coordination entre opérations hétérogènes ou entre domaines n'est pas encore possible.

« En bref, la pensée concrète demeure essentiellement attachée au réel et le système des opérations concrètes, qui constitue la forme finale d'équilibre de la pensée intuitive, ne parvient qu'à un ensemble restreint de transformations virtuelles, donc à une notion du « possible » qui prolonge simplement (et de peu) le réel » (L.E.L.A., p. 219).

La pensée opératoire formelle au contraire est hypothético-déductive. Elle opère donc une inversion entre le réel et le possible au point que *le réel « se subordonne au possible »*. Cette fois la déduction logique ne s'effectue plus sur le réel perçu mais sur hypothèses « c'est-à-dire sur des propositions formulant les hypothèses ou posant les données à titre de simples données, indépendamment de leur caractère actuel : la déduction consiste alors à lier entre elles ces assomptions en tirant leurs conséquences nécessaires même lorsque leur vérité expérimentale ne dépasse pas le possible. C'est cette inversion de sens entre le possible et le réel qui, plus que toute autre propriété subséquente, caractérise la pensée formelle : au lieu d'introduire sans plus un début de nécessité dans le réel, comme c'est le cas des inférences concrètes, elle effectue dès le départ la synthèse du possible et du nécessaire, en déduisant avec rigueur les conclusions de prémisses dont la vérité n'est admise d'abord que par hypothèse et relève ainsi du possible avant de rejoindre le réel » (L.E.L.A., p. 220).

Si la subordination du réel au possible constitue le caractère essentiel de la pensée formelle, on peut relever trois autres caractères qui en permettent l'explicitation :
1 - *La pensée formelle porte sur des énoncés verbaux*, ce qui ne signifie pas que la pensée verbale soit formelle, ni que la pensée formelle soit verbale. Au contraire, si l'on reprend le problème d'Edith qui est plus claire que Suzanne et plus foncée que Lili, une telle sériation n'est possible qu'après 12 ans parce qu'auparavant la pensée ne porte que sur le concret alors que maintenant, elle peut raisonner sur de telles propositions.
2 - La substitution des énoncés verbaux aux objets correspond à l'*intervention d'une logique nouvelle ou logique des propositions.* Par rapport à la logique opératoire concrète qui, ainsi que son nom l'indique, porte directement sur les objets, la logique propositionnelle permet un nombre infiniment plus grand d'opérations. Elle se révèle alors comme une logique de toutes les combinaisons possibles.
3 - « *Elle constitue un système d'opérations à la seconde puissance* » (L.E.L.A., p. 222). Les opérations antérieures portaient directement sur les objets ; les opérations formelles portent sur des propositions ou des énoncés qui sont déjà des opérations, mais au premier degré.

Dire que la pensée opératoire formelle subordonne le possible au réel suppose en toute rigueur que l'on sache exactement ce que l'on entend par possible. C'est pourquoi il convient de s'arrêter quelque peu sur le sens de cette expression.

- Le possible dont on parle dans ce contexte n'est pas l'arbitraire, pas plus que l'imaginaire s'affranchissant de toute règle et de toute objectivité. PIAGET pense qu'il faut envisager l'avènement du possible sous la double perspective physique et logique « comme la condition indispensable de l'arrivée à une forme générale d'équilibre et comme la condition non moins indispensable de la constitution des connexions nécessaires utilisées par la pensée » (L.E.L.A., p. 224).

• *Du point de vue physique,* « un état d'équilibre est caractérisé par la compensation entre toutes les modifications virtuelles compatibles avec les liaisons du système en jeu » (L.E.L.A., p. 224). Si l'on prend par exemple la balance dans une situation d'équilibre, on peut dire qu'elle constitue un système en équilibre dans la mesure où tous les travaux qui peuvent s'exercer sur lui sont entièrement compensés. *Virtuellement,* il est possible d'élever un bras, d'ajouter un poids, de raccourcir la distance du point d'attache d'un poids sur un des leviers, etc. *Réellement,* tant que l'ensemble de ces travaux virtuels ne s'exerce pas, le système demeure en équilibre. On pourrait également réaliser d'autres formes d'équilibre du système, différents du système actuel, en plaçant, par exemple, un poids de 2 Kg à 10 cm de l'axe pour compenser un poids de 1 Kg à 20 cm de ce même axe. L'ensemble de ces travaux virtuels marque l'avènement du possible ; mais ils n'existent, en tant que possibles, que dans l'esprit du physicien ou de l'expérimentateur. On dit que le système est équilibré parce que tous les travaux virtuels pouvant s'exercer sur lui sont actuellement compensés dans un équilibre réalisé. L'équilibre constitue donc, compte tenu du système considéré, la réalisation d'un possible parmi un ensemble d'autres. Les forces qui s'exercent actuellement sur le système sont actuellement en équilibre parce qu'elles compensent l'ensemble des forces qui pourraient s'exercer sur lui.

On voit donc que le possible joue un rôle dans la physique expérimentale. Cette considération permet de dire à PIAGET que, a fortiori, la notion du possible doit en jouer un en psychologie, pensant que l'usage du terme possible a du sens dans le langage des opérations intellectuelles. C'est pourquoi, la subordination du réel au possible signifie en premier lieu que le sujet ne se contente pas d'enregistrer simplement les relations qui s'imposent à lui mais que, au contraire, il les insère dans l'ensemble de celles qui sont possibles. « En d'autres termes, pour équilibrer ses affirmations successives (ce qui revient à éviter d'être contredit par les faits ultérieurs), le sujet tend de lui-même à insérer les liaisons supposées au premier abord réelles dans l'ensemble de celles qu'il connaît possibles, de manière à choisir ensuite les vraies par l'examen de certaines transformations effectuées au sein précisément de ces liaisons possibles » (L.E.L.A., p. 225). En second lieu concevoir, en toute situation donnée, l'ensemble des transformations possibles suppose leur déduction au moyen d'opérations logiques. Or, celles-ci constituent un système d'opérations virtuelles dont les unes sont réalisées dans la situation concrète, alors que les autres sont simplement disponibles. En conséquence l'ensemble des opérations virtuelles est nécessaire aux opérations engagées dans la situation concrète ; il assure leur réversibilité tout autant qu'il permet le développement des opérations réelles au fur et à mesure des besoins.

Si donc la pensée formelle conçoit le possible, il apparaît qu'elle dispose, en chaque situation donnée, d'un clavier étendu d'opérations virtuelles, plus large que celui qui s'y avère nécessaire. Ce clavier correspond aux transformations virtuelles et assure l'équilibre par la compensation qu'il opère. Autrement dit, l'esprit dispose d'un système d'opérations virtuelles, système en équilibre grâce au jeu des compensations obtenu par la réversibilité de ses opérations toutes coordonnées entre elles.

• *Du point de vue logique* le possible apparaît donc comme le corrélatif du nécessaire. En effet, toute affirmation ou jugement porté sur le réel est vrai ou faux ; il n'est pas nécessaire. Au contraire, une déduction opérée à partir d'une hypothèse (quelle que soit sa valeur par ailleurs) est, du point de vue formel, nécessairement vraie si elle est correcte. « La connexion marquée par les mots « si... alors... » (implication inférentielle) consiste ainsi à relier une conséquence nécessaire à une affirmation simplement possible : c'est cette synthèse du nécessaire et du possible qui caractérise l'emploi de ce possible dans la pensée formelle, par opposition au possible - extension - du - réel de la pensée concrète et aux possibilités non réglées propres aux fictions de l'imagination » (L.E.L.A., p. 226). Du point de vue formel, *est* donc *possible tout ce qui n'est pas contradictoire.* Or, la non-contradiction est l'ensemble des opérations réversibles, la composition d'une opération et de son inverse aboutissant à un produit identique ou nul ($p . \bar{p} = 0$). Ainsi la réversibilité formelle, dans la perspective logique, acquiert la signification de la nécesssté déductive. Régie par un système d'ensemble la pensée formelle se présente comme une organisation tendant vers un équilibre à la fois mobile et stable.

- A propos de l'exemple de la balance, nous pouvons dire que, physiquement, le système est en équilibre lorsque l'ensemble des travaux virtuels est entièrement compensé. Tant que l'on n'intervient pas le système ne change pas et demeure en équilibre. D'un côté on a donc la réalité temporo-causale et de l'autre des possibilités « extemporanées » existant dans l'esprit du physicien. On retrouvera cette opposition au plan psychologique, mais peut-être plus délicate ou plus difficile à marquer que sur le plan physique. Il faut donc revenir au sens du terme possible.

• *Du point de vue du sujet,* le possible concerne les opérations et les relations conçues comme possibles par le sujet et qu'il sait pouvoir effectuer sans qu'il soit nécessaire qu'il les effectue réellement. On désigne alors *le matériellement possible.*

• *Du point de vue de l'observateur,* il y a en revanche un ensemble d'opérations que le sujet pourrait effectuer, dont il ne prend pas conscience ou dont il ne pense pas à se servir. Il s'agit du *structuralement possible.*

Pour raisonner sur le matériellement possible, nous pouvons dire que le sujet peut, en constatant qu'un poids de 2 kg situé à 10 cm de l'axe équilibre un poids de 1 kg situé à 20 cm de l'axe, déduire que, par un déplacement du poids de 2 kg de 5 cm vers la gauche, il faudra déplacer le poids de 1 kg de 10 cm vers la droite pour rétablir l'équilibre, et ainsi de suite. Sans dépasser par conséquent le cadre du pur virtuel, le sujet sait de façon certaine que ce déplacement (et d'autres) respectera l'équilibre parce qu'il respecte un ordre de proportions comprenant les poids et les distances. Sans donc être effectuées, ces opérations sont néanmoins *matériellement possibles* et « effectuables » avec certitude.

Mais à côté de telles opérations réellement effectuées ou réalisables parce que matériellement possibles, il en existe d'autres auxquelles le sujet n'a pas eu recours ni en action ni en pensée. Il aurait pu, par exemple, diminuer une distance et un poids proportionnellement à l'autre côté au lieu de les augmenter, etc. De plus, il peut fort bien user du schème des proportions sans y recourir explicitement. Par conséquent, en plus des opérations en œuvre dans une situation donnée ou dans une opération matériellement possible, existe un ensemble d'autres opérations *structuralement possibles.* Il s'agit d'opérations que le sujet n'effectue pas ou d'opérations qu'il pourrait effectuer.

Après avoir posé le problème de la légitimité d'une influence causale du structuralement possible sur le matériellement possible - en redonnant au vieux problème aristotélicien du passage de la puissance à l'acte un regain d'actualité -, PIAGET conclut que « dans un état d'équilibre physique, le réel seul est efficient, tandis que le possible demeure relatif à l'esprit du physicien qui déduit ce réel ; au contraire, en un état d'équilibre mental ce ne sont pas seulement les opérations réellement exécutées qui jouent un rôle dans le déroulement des actes de la pensée, mais aussi l'ensemble des opérations possibles en tant qu'orientant la recherche vers la clôture de la déduction, puisqu'en ce cas c'est le sujet qui déduit et puisque les opérations possibles font partie du même système déductif que les opérations réelles effectuées par ce sujet » (L.E.L.A., p. 234).

2. Du point de vue des structures

Après avoir appréhendé les formes d'équilibre caractérisant les opérations concrètes et les opérations formelles, Piaget effectue une comparaison des structures correspondantes que nous relaterons au risque de nous répéter quelque peu.

Ce qui caractérise une forme d'équilibre, c'est la réversibilité ou possibilité permanente de retour au point de départ. Ce retour est possible de deux manières, soit en annulant l'opération effectuée, ce qui constitue une inversion (négation), soit en annulant une différence, ce qui constitue une réciprocité. Bien que l'on rencontre ces deux formes de réversibilité aux niveaux inférieurs, la comparaison entre le niveau concret et le niveau formel sera plus éclairante pour comprendre la double réversibilité.

Nous savons déjà qu'au niveau concret les enfants agissent directement sur les objets pour les réunir en classes et établir des relations entre eux. Seulement les structures d'ensemble auxquelles obéissent les classes et relations sont limitées dans la mesure où les classifications et les relations s'effectuent de proche en proche par emboîtements ou enchaînements contigus. Aux structures de classes correspond la réversibilité par inversion ; aux structures de relations, la réversibilité par réciprocité. Mais ces deux réversibilités sont en quelque sorte juxtaposées sans pouvoir se réunir en un système unique.

Les structures du niveau concret consistent donc en systèmes d'emboîtements ou en systèmes d'enchaînements simples ou multiples et présentent une réversibilité qui consiste soit en inversion, soit en réciprocité.

Au niveau formel, les emboîtements et enchaînements simples

ou multiples (classifications additives ou classifications multiplicatives) s'intègrent dans un ensemble plus vaste où l'enfant, considérant l'ensemble des parties, relie les éléments *n* à *n* dans une combinatoire. En outre, les deux réversibilités par inversion et réciprocité s'intègrent dans une structure de groupe ou structure I.N.R.C. et le fonctionnement des 16 opérations binaires suppose cette structure I.N.R.C.

En outre, des notions bien différentes des notions expérimentales mises en œuvre par les expériences réalisées par B. INHELDER, et pourtant acquises au niveau formel se font jour et interviennent dans les situations les plus variées ou à l'occasion des problèmes les plus divers. L'analyse de telles notions révèle trois caractères qui leur sont communs :

1 - Elles constituent « des schèmes opératoires susceptibles d'applications variées plutôt que des notions proprement dites ».

2 - « Elles sont moins découvertes dans les objets que déduites ou abstraites à partir des structures opératoires du sujet ».

3 - « Elles présentent toutes quelque parenté avec les structures de réseau et de groupe et, pour plusieurs d'entre elles, avec le groupe des inversions et réciprocités (INRC) » (L.E.L.A., p. 274).

L'apparition de ces schèmes est simultanée et se manifeste dès le début de la période opératoire formelle.

a) *Les opérations combinatoires*

On observe une convergence frappante à partir de 12-13 ans entre « l'apparition spontanée des opérations combinatoires mathématiques (non enseignées par l'école aux âges considérés) et la constitution également spontanée de la combinatoire propositionnelle » (L.E.L.A., p. 275). PIAGET pense que les opérations combinatoires constituent un schème opératoire général, c'est-à-dire une manière de procéder tantôt employée spontanément tantôt de façon intentionnelle « en présence de problèmes dont la solution exige un tableau systématique de combinaisons » (L.E.L.A., p. 277). La différence entre le stade concret et le stade formel résidant dans la présence ou l'absence de ce schème il semble que les opérations combinatoires constituent la condition de l'élaboration des opérateurs propositionnels (les 16 opérations, cf. tableau supra), et qu'elles peuvent être généralisées à toute situation où elles servent à l'élaboration de ces opérateurs. Les opérations combinatoires auraient elles-mêmes des racines plus profondes qui résideraient dans la structure d'ensemble.

b) *Les proportions*

Selon PIAGET, le schème des proportions fait la transition entre les schèmes issus du réseau (combinatoire propositionnelle) et ceux qui relèvent de la structure de groupe (INRC notamment). Il se présente sous deux aspects : logique et mathématique. Etudiant la forme logique générale des proportions, PIAGET pense que la notion de proportion logique est inhérente à la structure d'ensemble qui domine les acquisitions du niveau formel. C'est pourquoi il y a lieu de croire que tant dans sa forme logique que dans sa forme mathématique la notion de proportion s'explique par sa connexion avec ces structures. Il semblerait en effet qu'en tout rapport numérique le sujet se détermine par « une sorte de schéma anticipateur de proportionnalité qualitative « qui conduirait à la découverte des proportions métriques. Ainsi, dans l'expérience de la balance assiste-t-on d'abord à la découverte qu'une augmentation de poids peut être compensée par une augmentation de la longueur à partir du centre. Cette proportionnalité qualitative serait le point de départ à partir duquel le sujet construirait les rapports de proportions. Par conséquent, pour PIAGET, « l'acquisition du schème opératoire des proportions numériques ou métriques suppose des anticipations qualitatives sous forme de compensations par équivalences et de proportions logiques, celles-ci participant elles-mêmes de la structure d'ensemble dont dérivent les opérations propositionnelles ».

c) *Les doubles systèmes de références*

Soit par exemple le mouvement de déplacement d'un escargot sur une planchette à qui des mouvements sont imprimés dans le même sens ou en sens inverse. Le système est situé par rapport à un repère fixe sur une table par exemple. Le problème consiste à combiner et à distinguer deux sortes de transformations :

a) l'annulation du déplacement de l'escargot de A vers B et de B vers A

b) la compensation lorsque le déplacement de l'escargot de A vers B est compensé par le mouvement de la planchette de B vers A.

« La question est donc de coordonner deux systèmes comportant chacun une opération directe et une inverse mais l'un des systèmes étant à l'égard de l'autre dans une relation de compensation ou de symétrie » (L.E.L.A., p. 282). Il apparaît nettement que cette coordination s'opère dans le système INRC.

d) *La notion d'équilibre mécanique*

Cette notion suppose « simultanément la distinction et la coordination intime de deux formes complémentaires de réversibilité : l'inversion et la réciprocité » (L.E.L.A., p. 284). Si l'on prend encore une fois l'exemple de la balance comme référentiel expérimental, on trouve que « l'interprétation des systèmes mécaniques au moyen du schème opératoire de l'équilibre revient ainsi à assimiler les modifications distinctes et solidaires du système physique aux transformations fondamentales INRC sur lesquelles repose la structure d'ensemble des opérations formelles dont se sert l'intelligence pour comprendre ce système » (L.E.L.A., p. 286).

e) *La notion de probabilité*

Elle est directement liée à la combinatoire et au schème des proportions. « En effet, pour juger, par exemple, de la probabilité de couples ou de trios tirés au sort dans une urne comprenant 15 boules rouges, 10 bleues, 8 vertes, etc., il faut être capable d'opérations dont deux au moins sont propres au présent niveau : une combinatoire permettant de tenir compte de toutes les associations possibles entre les éléments en jeu, et un calcul de proportions, si élémentaire soit-il, permettant de saisir (ce qui échappe aux sujets des niveaux précédents) que des probabilités telles que 3/9 ou 2/6, etc., sont égales entre elles » (P.E., p. 114).

f) *La notion de corrélation*

Cette notion procède de la notion de probabilité et d'une structure apparentée aux proportions.

g) *Les compensations multiplicatives*

Elles se rattachent à la notion de proportions. On rencontre déjà cette notion au niveau de la conservation du volume. En effet, lorsque le volume spatial change de forme le sujet doit comprendre que ce qu'il perd ou gagne selon l'une de ses dimensions est compensé par ce qu'il perd ou gagne selon les deux autres. Or, cette découverte est contemporaine de celle des proportions et s'effectue sans calcul métrique. « Tout se passe donc comme si, un schème opératoire étant construit, le sujet découvrait simultanément les diverses conséquences qu'il comporte, même sans relier explicitement ces divers aspects du schème entre eux (...), il découvre simultanément les notions de proportions, d'équilibre, de corrélations, de compensations multiplicatives, etc., sans soupçonner qu'elles présentent un fonds opératoire commun et en ignorant encore davantage la nature de groupe (le groupe INRC) dont elles dérivent les unes les autres » (L.E.L.A., pp. 290-291).

Enfin PIAGET fait état de l'existence de notions de conservation difficilement vérifiables par l'expérience. Si la conservation du volume est la première conservation formelle, elle est vérifiable par l'expérience parce qu'elle ne la contredit jamais. Mais il y a en particulier la conservation du mouvement rectiligne et uniforme, « qui se heurte à ces difficultés fondamentales de contrôle expérimental » puisque « tout mouvement accessible à l'expérimentation est ralenti tôt ou tard par des obstacles extérieurs et que son observation est bornée dans l'espace et dans le temps. Le principe d'inertie se déduit donc avec nécessité, et se vérifie par les conséquences qu'il entraîne, mais ne donne pas lieu, à proprement parler, à une constatation de fait.

« Or, en relation avec la structure de groupe des 4 transformations INRC qui explique déjà la formation de la notion d'équilibre les sujets du niveau IIIB parviennent à découvrir une forme fruste du principe d'inertie. Et, chose intéressante, ils aboutissent à ce résultat non pas précisément par expérimentation directe, mais par déduction à partir des obstacles qui s'opposeraient à cette vérification, c'est-à-dire à partir des causes de ralentissement. Le raisonnement des sujets est alors extrêmement simple, mais d'autant plus significatif : du fait que tout ralentissement (énoncé par p) implique l'intervention de facteurs observables (énoncés par q v r v s ...) ils en viennent à l'hypothèse qu'en supprimant tous ces facteurs (soit $\bar{q} . \bar{r} . \bar{s}$.) on supprimerait du même coup tout ralentissement, ce qui équivaudrait alors à la conservation du mouvement (m) avec sa vitesse... » (L.E.L.A., p. 292).

Les analyses précédentes ont conduit PIAGET à affirmer que les possibilités opératoires impliquées dans la structure d'ensemble de réseau (combinatoire) et de groupe (INRC) caractérisant la pensée formelle donnent lieu à la construction de schèmes opératoires aussi différents que ceux dont nous avons parlé. Or, le sujet ne les reliant pas les uns aux autres, ceux-ci n'apparaissent pas moins en même temps et solidairement.

A quoi correspond donc, sur le plan psychologique, une telle structure d'ensemble alors que le sujet n'en prend pas conscience et que cependant elle agit sans cesse dans ses comportements ? Pour répondre à cette question, PIAGET rejette d'abord quelques thèses explicatives non satisfaisantes. On n'a pas affaire à un produit de l'expérience si le sujet n'en prend pas conscience, pas plus qu'à l'expression d'une forme a priori de l'esprit, étant donné qu'elle n'apparaît qu'à l'adolescence pour se conserver ensuite toute la vie. Elle n'est pas davantage issue de la seule maturation nerveuse car en ce cas on ne comprend pas pourquoi elle se limiterait à des manifestations partielles. Reste l'hypothèse la plus vraisemblable selon laquelle cette structure d'ensemble constitue une forme d'équilibre. C'est alors que « son mode d'existence consiste en un ensemble de possibilités dont seules sont réalisées les opérations et les schèmes opératoires effectivement construits, le reste se réduisant aux transformations virtuelles pouvant se produire à partir de ces réalités effectives » (L.E.L.A., p. 293). On comprend alors et pourquoi le sujet ne peut en prendre conscience puisque, comme structure de totalité, elle est formée en grande partie de possibilités, et pourquoi une telle totalité peut exercer une action causale puisque le possible comporte psychologiquement le pouvoir d'orienter les constructions effectives.

Cette forme d'équilibre est rendue nécessaire par toute l'évolution mentale antérieure selon le passage d'un niveau d'équilibre à un autre toujours plus stable mais plus mobile et de niveau supérieur. La différence entre les niveaux d'équilibre atteints antérieurement et celui-ci tient à ce que « la forme de ces systèmes opératoires n'étant pas encore entièrement dissociée du contenu, on reste en présence de paliers successifs d'équilibration, en fonction des domaines hétérogènes qui sont à structurer sans que se constitue encore une forme générale d'équilibre entre les diverses opérations indépendamment des contenus ». Alors qu'avec la forme d'équilibre atteinte au niveau formel, « se constitue une telle forme, dont la nécessité tient à la double exigence d'une coordination d'ensemble des opérations de diverses variétés et d'une libération de la forme eu égard aux contenus » (L.E.L.A., p. 294).

Si l'expression de cet équilibre et des structures qui s'y rattachent s'effectue dans le langage de la logistique, ce n'est pas parce que le psychologique se réduit à du logique ; c'est au contraire que pour caractériser ces formes d'équilibre, la psychologie est obligée de recourir « à un instrument de calcul lui permettant d'en déduire les possibilités et d'en prévoir les effets » (L.E.L.A., p. 295). En conséquence l'algèbre logistique n'est qu'un instrument d'expression, une traduction symbolique qui trouve son utilité essentielle dans le calcul.

En suivant Piaget dans son commentaire général nous avons décrit la pensée opératoire formelle selon deux points de vue : le point de vue de l'équilibre et le point de vue des structures. Nous avons ainsi mis en évidence l'existence de la double réversibilité dans une structure d'ensemble de groupe (groupe INRC) et de la combinatoire propositionnelle (logique bivalente) en montrant que d'une façon générale la pensée opératoire formelle subordonne le réel au possible, celui-ci devant être compris selon deux perspectives : le structuralement possible et le matériellement possible. Raisonnant donc sur des hypothèses, l'adolescent connaît une période où, découvrant son nouveau pouvoir, il se met à élaborer des théories religieuses, philosophiques, esthétiques, morales, etc., comme s'il était impatient d'user de son nouveau pouvoir et comme s'il croyait que les idées à elles seules suffisent pour penser le réel. En d'autres termes, découvrant le pouvoir déductif que lui donnent ses nouvelles structures, il est en quelque sorte pris au piège de ce pouvoir croyant que le réel se plie aux décisions de la seule raison. Si l'on a pu parler d'âge métaphysique pour caractériser la pensée adolescente, c'est bien à cause de cette sorte de pouvoir étonnant qu'a l'esprit de se prendre au jeu de ses propres possibilités. Il y a là, toutes choses égales d'ailleurs, le resurgissement, au plan rationnel, de l'égocentrisme que nous connaissons bien et en fonction duquel le sujet s'enferme dans sa perspective propre. Partant, quelle que soit la cohérence ou la pertinence des systèmes élaborés, il leur manque l'épreuve des faits ou du réel, pierre de touche indispensable et critère de vérité. Quelle que soit donc la tentation à l'idéalisme à laquelle cède la pensée adolescente, il lui reste à faire l'expérience de la confrontation avec le réel sans quoi il n'y a pas seulement de connaissance possible, mais pas de vie du tout. Le sens et la destination de la pensée apparaît bien ainsi comme la forme supérieure qu'a prise l'adaptation. Une grande leçon peut être tirée de cette évolution c'est que l'intelligence est le moyen que l'espèce humaine s'est donné pour s'adapter au monde. Il serait peut-être urgent qu'elle en tirât les conséquences pratiques nécessaires à sa survie, mais ceci est un autre problème...

Expériences

Quinze expériences ont été réalisées sous la direction de B. Inhelder pour mettre en évidence l'apparition des structures d'une part, des schèmes opératoires d'autre part. Nous nous proposons de n'en exposer que deux pour valoir à titre d'illustration des données d'ensemble que nous venons de rapporter.

Les résultats de ces expériences effectuées sur des enfants et des adolescents se décomposent en niveaux ou stades :
1er niveau : jusque vers 7-8 ans
2e niveau : de 7-8 ans à 11-12 ans, l'enfant est incapable de penser selon la logique propositionnelle.
3e niveau : 1er sous-stade (III A) de 11-12 à 14-15 ans, 2e sous-stade (III B) à partir de 14-15 ans. On voit apparaître des opérations nouvelles portant sur les propositions elles-mêmes et non plus seulement les choses et les relations qui en constituent le contenu.

a) *Constitution de la logique des propositions :* étude de la flexibilité et des opérations intervenant dans la dissociation des facteurs.

On présente au sujet un bassin d'eau sur les bords duquel il est possible de fixer, en position horizontale, un jeu de tiges différant par la matière (laiton, acier, bois, etc.), la longueur, l'épaisseur et la forme de section (ronde, carrée, rectangulaire, etc.). Des bonshommes d'un poids donné (100 g, 200 g, 300 g...) peuvent être vissés (ou fixés) à l'extrêmité de chaque tige de manière qu'elle vienne effleurer la surface de l'eau.

La flexibilité d'une tige dépend évidemment de sa matière, de sa longueur, de son épaisseur, de sa forme de section, et, bien entendu, à conditions égales, ses inclinaisons varient selon le poids que l'on place à son extrêmité. Cette situation expérimentale faisant intervenir cinq facteurs distincts est bien propre à faire apparaître la dissociation de ces facteurs et leur rôle respectif par la vérification, autant qu'à mettre en évidence l'importance du schéma « toutes choses égales d'ailleurs » ; autrement dit, la méthode qui consiste à faire varier un seul facteur à la fois, tous les autres demeurant inchangés. Bien entendu, il existe des formes simplifiées où seulement quatre facteurs sont en jeu, le poids demeurant constant. Les résultats obtenus sont fort éclairants :

<u>Stade I</u> Jusqu'à 7 ans, les enfants du niveau préopératoire se bornent généralement à décrire ce qu'ils voient. Ne disposant encore ni des classifications ni des sériations, ils se livrent à des explications précausales, par animisme, finalisme, etc.

« Huc. (5,5), après quelques essais met 100 grammes sur une baguette et attend comme si elle allait descendre après un moment. - Pourquoi les baguettes ne descendent pas toutes la même chose ? - *Parce que le poids doit aller dans l'eau* -. Il place ensuite 200 grammes sur une grosse tige et 100 grammes sur une fine. - Quelle est celle qui plie le plus ? - *Celle-là* (la fine) - Pourquoi ? - *Le poids est plus gros ici* (il montre 200 grammes sur l'autre), *ça doit aller dans l'eau.* (On met alors 200 grammes sur la fine qui touche alors l'eau. Il rit.) - Pourquoi ça a touché maintenant ? - *Parce que ça doit* » (L.E.L.A., p.44).

On retrouve donc la causalité morale déjà décrite par PIAGET autrefois dans *La causalité physique chez l'enfant,* effet d'une pensée animiste et artificialiste.

<u>Stade II</u> Une évolution intra-stade se remarque qui permet de relever deux types d'attitudes :

<u>Sous-stade II A</u> : L'enfant devient capable d'une lecture de l'expérience systématique en effectuant des classifications, des séria-

tions, des égalisations, des mises en correspondance en comparant les longueurs, les épaisseurs, les poids, etc. Mais les observations mélangent tous les facteurs. « On demande au sujet de résumer ce qu'il a trouvé jusque là en sériant les baguettes par ordre de flexibilité : Laquelle plie le plus ? - *Celle-ci parce qu'elle est plus mince.* - Et puis ? - *Celle-là* (épaisse en métal) ; *elle n'allait pas dans l'eau parce qu'il fallait faire ça* (rallonger) » (L.E.L.A., p. 46). On assiste en quelque sorte à une lecture au coup par coup, de proche en proche, mais avec classification (les flexibles, les non-flexibles) et sériations (plus longues et plus minces).

Sous-stade II B : Les enfants utilisent les classifications multiplicatives (tables à double entrée) en effectuant des sériations orientées en sens différents ainsi que des groupements co-univoques : « Hae (10;9) découvre le rôle de la matière, de l'épaisseur et de la longueur : Peux-tu, sans essayer, me dire si ça touchera l'eau avec cette tige ? - *On pourrait, mais en la reculant* (seulement) *un peu : c'est du même métal que celle-là, mais elle est plus grosse, alors il faudra la reculer moins que l'autre.* Donc (A même métal que B) x (plus épais) x (plus long) = (même inclinaison). Il y a en outre compréhension de la compensation entre deux relations de sens contraires : (moins mince) x (plus long) = (plus mince) x (moins long) » (L.E.L.A., p. 48).

Or, malgré ces progrès remarquables par rapport aux comportements antérieurs, les enfants de ce niveau ne sont pas en mesure de vérifier l'action d'un facteur en laissant inchangés tous les autres facteurs connus. Si l'on appelle A_1 la classe des tiges ayant plus de 50 mm, A'_1 celles qui ont moins de 50 mm, X la classe des tiges touchant l'eau, et X' celle des tiges trop rigides pour cela, l'enfant saura vite trouver $A_1X + A_1X' + A'_1X + A'_1X'$ par multiplication logique. En présence d'un seul facteur et de son résultat X ou X' l'enfant pourra établir un rapport entre ce facteur et son résultat A_1 et X si l'expérience réalise A_1X et A'_1X' et si A_1X' et A'_1X' ne sont pas donnés dans l'expérience. Mais si l'on obtient $A_1X + A'_1X + A'_1X'$, il faudra invoquer un autre facteur que A_1. Or, on remarque que pour un nombre réduit de facteurs les sujets savent en général s'en sortir. Ce que sait faire le sujet, c'est construire des tables de plus en plus complexes, c'est-à-dire répertorier les situations. S'il interprète la table dans les situations où les correspondances immédiates suffisent, il ne parvient pas à dissocier les facteurs lorsqu'ils sont trop nombreux.

En conséquence, l'enfant de ce niveau peut établir des correspondances, c'est-à-dire faire l'inventaire des situations où la flexibilité se réalise ou pas, mais il ne sait pas combiner les situations pour faire apparaître les situations réelles parmi les situations possibles pas plus que raisonner par implication pour comparer les diverses données de fait qu'il observe. « L'implication, par exemple, reviendra à tirer de la combinaison $A_1X + A'_1X + A'_1X'$ cette affirmation que $p \supset q$ (si p = l'affirmation de A_1 et q = celle de X), car si l'on a seulement $(p . q) \vee (\bar{p} . q) \vee (\bar{p} . \bar{q})$ et jamais $p . \bar{q}$ (correspondant à A_1X'), alors q est toujours vraie quand p est vraie » (L.E.L.A., p. 51).

Stade III

Sous-stade III A : On voit apparaître le raisonnement hypothético-déductif en même temps qu'une recherche active de vérification, mais le sujet ne possède pas encore l'ensemble des opérations propositionnelles. S'il parvient à organiser une preuve systématique selon le schéma « toutes choses égales d'ailleurs », il ne sait le faire que dans certains cas limités.

« Kra (14;1) - Pouvez-vous me montrer qu'une grosse plie moins qu'une mince ? - (Il met 200 g sur la tige d'acier ronde de 50 cm de longueur et 10 mm² de section ; et 200 gr sur la tige de laiton carrée de 50 cm de long et 16 mm²). *Celle-ci* (acier mince) *descend plus* - Pourquoi ? - *Elle est ronde, plus flexible, l'acier est moins lourd, elle est ronde et plus mince.* - (Il place 200 g sur la tige d'acier ronde, de 50 cm et 10 mm²). *Voilà : celle-ci plie plus parce qu'elle est moins grosse.* » (L.E.L.A., p. 53).

On voit donc que l'enfant est capable d'agir en fonction d'une hypothèse pour apporter la preuve qu'elle est conforme à l'expérience. Si le sujet du niveau précédent comparait n'importe quelle tige à n'importe quelle autre, le sujet de ce stade « comprend que pour dégager un rapport déterminé il importe de choisir certains couples de tiges plutôt que certains autres » (L.E.L.A., p. 54). Mais aussi, l'opération qui oriente la recherche paraît être l'implication : un facteur déterminé entraîne toujours la conséquence perçue. Ce facteur est établi par simple correspondance au niveau II : plus la tige est longue, plus elle est flexible. Mais au niveau III, le sujet, cherchant à dissocier le facteur, cherche à voir ce qui se passe quand on supprime ou diminue ce facteur : « il constate alors, en certains cas, que l'effet X est lui-même supprimé ou diminué (d'où l'association A'X') et en certains autres que l'effet est conservé parce que pouvant être produit par des facteurs étrangers à A (association A'X). La réunion AX + A'X + A'X' (ou en propositions $(p \, . \, q) \vee (\bar{p} \, . \, q) \vee (\bar{p} \, . \, \bar{q})$ constitue ainsi un système d'interprétation plus large que la simple correspondance AX parce que portant simultanément sur trois possibilités (ou AX ou A'X ou A'X') et parce que pouvant relier de cette manière en un seul tout les résultats de plusieurs groupements différents de classes et de relations » (L.E.L.A., p. 84). Il s'agit, avec l'implication d'un premier exemple, de combinaison portant sur « l'ensemble des parties ». Dans la disjonction, l'incompatibilité, les parties sont liées autrement.

Sous-stade III B : « Dei (16;10) - Dites-moi d'abord (après essais) quels facteurs interviennent - *Le poids, la matière, la longueur de la baguette, peut-être la forme.* - Pouvez-vous le prouver ? - (Elle compare les deux poids de 200 et 300 g sur la même baguette d'acier). *Voilà : le rôle du poids du bonhomme est prouvé. Pour la matière je ne sais pas* - Prenez celles-ci en acier et celles-là en laiton - *Je crois que je dois prendre deux baguettes de même forme. Alors, pour prouver le rôle du métal, je compare ces deux* (acier et laiton, carrées de 50 cm et de 16 mm² de section, avec 300 g sur chacune) *ou ces deux-là* (acier et laiton, rondes de 50 et 22 cm et 16 mm²) : *pour la longueur, je raccourcis celle-là* (50 cm ramenés à 22). *Pour* (prouver le rôle de) *la forme, je compare ces deux* (laiton ronde et laiton carrée de 50 cm chacune et 16 mm²) - Pourrait-on prouver la même chose avec ces deux ? (laiton, ronde et carrée, 50 cm de long et 16 et 7 mm² de section) - *Non, parce que celle-ci* (7 mm²) *est bien plus mince* - Et l'épaisseur ? - Je compare ces deux (laiton rondes, 50 cm de long avec 16 et 7 mm² de section) » (L.E.L.A., p. 55).

Le sujet procède d'abord comme au niveau des opérations concrètes par des mises en correspondance :

soit A_2A_3X = 300 g laiton, inclinaison maximale

et A_2A_3X' = 300 g laiton, pas d'inclinaison parce que longueur trop courte.

Puis il fait varier 1 à 1, 2 à 2, 3 à 3, etc. chacune des associations initiales et en tire un ensemble d'opérations nouvelles correspondant à l'ensemble des parties initiales. Ces opérations permettent la dissociation des facteurs. Si les 5 facteurs sont p;q;r;s;t ; et le résultat x et x', pour trouver un facteur, il faudra réaliser les deux combinaisons : $(p.q.r.s.t.x) \vee (\bar{p}.q.r.s.t.\bar{x})$,

« ce qui revient à dire que pour deux tiges supportant 300 g (= q), en laiton (= r), minces (= s), et de formes de section rondes (= t), il suffit de raccourcir suffisamment la longueur initiale de 50 cm (p transformé en $\bar{p}$) pour modifier le résultat (x transformé en $\bar{x}$) ». C'est ce que fait Dei. pour chaque situation.

L'évolution des conduites de dissociation des facteurs paraît donc bien illustrer les indications théoriques que nous avons rapportées en premier et en tout cas correspondre au calcul logistique opéré théoriquement par Piaget. De plus, l'expérience de dissociation des facteurs semble constituer une contre-preuve pour la description des stades pré-opératoires et opératoires concrets. En effet, ce que l'enfant réalise avant 7 ans, se rapporte tout à fait aux descriptions de l'égocentrisme. En revanche, au niveau des opérations concrètes, il classe et série les données actuelles selon leurs propriétés et parvient à comparer entre elles ces différentes données dans des opérations multiplicatives à deux ou plusieurs éléments comme les recherches antérieures nous l'avaient appris. Mais, borné à cette lecture des données actuelles, il est incapable de parvenir à comparer les éléments pour dissocier les facteurs en jeu, c'est-à-dire envisager quelles situations il faudrait réaliser pour épuiser toutes les possibilités concrètes où la flexibilité apparaît. C'est ce que parvient à obtenir l'adolescent en opérant sur l'ensemble des parties selon une combinatoire.

b) *Les schèmes opératoires de la logique formelle*

La constitution des opérations propositionnelles n'est pas la seule transformation s'opérant au cours de la période de l'intelligence formelle. En effet, en liaison étroite avec l'établissement de la logique des propositions, des notions nouvelles se font jour qui sont apparentées aux structures d'ensemble caractérisant cette logique. Il s'agit de schèmes opératoires intervenant dans les situations les plus variées, supposant les raisonnements formels pour se constituer et dérivant des caractères les plus généraux des structures dont procède la pensée formelle. Nous avons énuméré plus haut ces schèmes ; qu'il nous suffise de relater une expérience pour voir, par exemple, comment apparaît le schème de la proportionnalité.

L'équilibre de la balance

Soit une balance composée d'un bras vertical sur un socle et d'un fléau horizontal auquel on suspend des poids inégaux. Pour réaliser l'équilibre il faut que les poids P et P' inégaux soient situés à des distances L et L' inégales de l'axe. Or, cet équilibre équivaut à un déplacement en hauteur du bras de la balance correspondant au travail conjoint de PH et PH' nécessairement égal. Soit, schématiquement, le dispositif suivant :

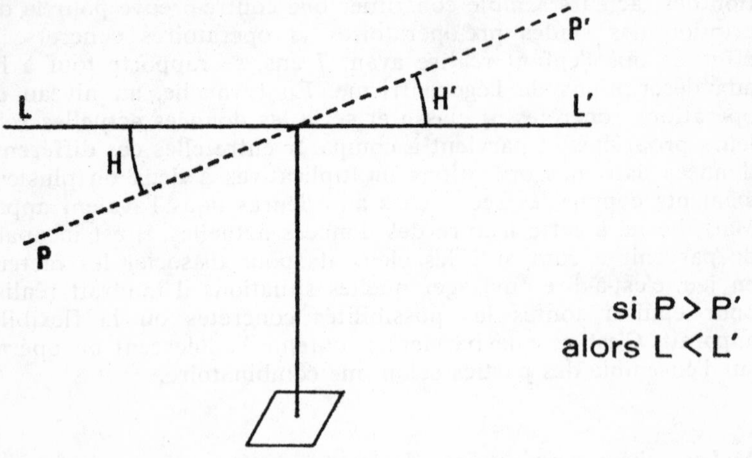

La loi de l'équilibre s'exprime par le rapport proportionnel inverse

$$\frac{P}{P'} = \frac{L'}{L}$$

son explication implique la compréhension de la proportion

$$\frac{P}{P'} = \frac{H'}{H}$$

Nous voyons qu'en cette expérience le schème de l'équilibre va être étudié en rapport avec celui des proportions. Si d'autres expériences (espace, vitesse, hasard notamment) avaient mis en évidence que la notion de proportion n'apparaissait qu'au stade des opérations formelles, PIAGET pense pouvoir dire pourquoi à la faveur de l'équilibre de la balance.

Au stade I, l'enfant ne différencie pas l'action propre et le processus extérieur dans un premier temps. C'est pourquoi, ne parvenant pas à opérer la distribution des poids, le sujet intervient lui-même dans le dispositif et s'étonne que l'effet de son action ne se conserve pas. Il reproduit à certains égards ce qu'il sait faire lorsqu'il se trouve lui-même sur la balance où il compense, par son action, l'inégalité de poids de son partenaire et du sien pour obtenir le balancement.

Bien que reconnaissant au poids une certaine action, il ne sait pas le compenser par un autre du côté opposé ; le plus souvent, il en ajoute un nouveau du même côté. Ce qui est le plus frappant en tout cas c'est que la distance à l'axe n'est absolument pas prise en compte, encore que certains placent un poids de chaque côté par effet (ou souci) de symétrie.

Dans un deuxième temps les enfants placent symétriquement un poids de l'autre côté et se rendent compte qu'il faut que les poids soient égaux. Mais ils ne savent pas procéder à leur égalisation. Toutefois, ils remarquent bien qu'il faut enlever ou ajouter du poids. Par conséquent ils procèdent par corrections successives mais sans réversibilité. Quelques enfants aperçoivent que la distance joue un rôle, mais sans parvenir à une correspondance du type plus loin = plus lourd.

Au stade II, des progrès assez importants sont réalisés pour autant que les enfants parviennent à l'égalisation et à l'additivité exactes des poids autant qu'à la symétrie et à l'additivité exactes des distances. « Mais la coordination des poids et des distances ne donne encore lieu qu'à des régulations intuitives : le sujet découvre par tâtonnements que l'équilibre est possible entre un poids plus petit à plus grande distance et un plus grand poids à plus petite distance, mais il n'en tire pas encore de correspondances générales » (L.E.L.A., p. 147).

« Mas 7;7... - *J'aurais pu mettre un de chaque côté. Comme il n'y en a pas, j'ai dû en mettre trois d'un côté et deux de l'autre ; ça tient tout droit parce que c'est le même poids de chaque côté.* - Il prévoit que pour deux poids inégaux il faut des distances inégales mais sans trouver la loi : plus lourd ⇄ plus près. Si on met C et E, où faut-il les poser ? (note : PIAGET appelle A, B, C, etc., des poupées de poids croissants et 1, 2, 3, etc., des crochets équidistants sur le bras de la balance) - *Je dirais un trou et un autre trou* (= deux distances différentes), *mais il ne faut pas que ça fasse la même chose* (= distances égales), *sinon ça ne fait pas le même poids.*

« Nem 7;4, trouve empiriquement que C à gauche, à distance de 10, équilibre E à droite, à distance de 5. On lui demande de placer C à droite et E à gauche, mais il ne parvient pas à inverser les rapports de distance. Après expérience il s'écrie : *Ah ! Il faut faire la même chose qu'avant, mais à l'envers !* » (L.E.L.A., p. 148).

Plusieurs opérations sont donc accessibles à l'enfant à ce niveau. D'abord il peut sérier les poids et les égaliser, il peut également les additionner de façon réversible et comparer deux réunions de poids. Ensuite, il est capable d'utiliser la transitivité des relations d'inégalité ou d'égalité des poids. Ces opérations, on les retrouve enfin dans les comparaisons de distances.

Pratiquement, l'enfant réalise les situations suivantes :

a - deux poids égaux à distances s'équilibrent

$(B_1 \times Lx) = (B_2 \times Lx)$ (et réciproquement).

b - en corollaire, deux poids égaux à distances inégales ne s'équilibrent pas

$(B_1 \times Lx) \gtrless (B_2 \times Lx)$, si $x \gtrless y$

c - d'où, deux poids inégaux à distances égales ne s'équilibrent pas

$(A_1 \times Lx) < (B_2 \times Lx)$

d - par additivité, le sujet peut substituer à un objet un ensemble d'autres

$C_1 = A_2 + A'_2 + B'_2$

et faire la même chose pour les distances.

Mais le sujet ne sait pas effectuer la coordination entre des poids inégaux situés à des distances inégales. C'est au niveau suivant (*stade II A*) qu'il parvient, par correspondance qualitative, à la loi « plus c'est lourd, plus c'est proche du milieu ».

« Rol (10;10) : *Il faut changer le sac de place parce qu'au bout ça fait plus de poids ;* (il éloigne le plus léger de l'axe) - *Maintenant il est plus lourd.* On présente G à 2 et A à 14 : ils s'équilibrent : « *parce que celui-là est là* (A à 14), *il est moins lourd* » (L.E.L.A., p. 149).

A ce niveau, et contrairement au stade précédent où il procède par substitutions, adjonctions ou suppressions, le sujet, en présence de poids inégaux obtient l'équilibre par un déplacement orienté « dans l'hypothèse que le même objet pèsera plus en s'éloignant de l'axe et moins en s'en rapprochant ». PIAGET en conclut qu'il est « engagé dans la direction de la loi, mais sans proportions métriques et par simples correspondances qualitatives » (L.E.L.A., p. 150).

Ce qui s'ajoute en fait d'opérations au niveau de ce sous-stade II A, c'est :

a - une double sériation et des poids et des distances, avec correspondance bi-univoque inverse

$$\begin{array}{ccccccc} A & < & B & < & C & < & \dots \\ \updownarrow & & \updownarrow & & \updownarrow & & \\ L_1 & > & L_2 & > & L_3 & > & \dots \end{array}$$

b - En multipliant les relations on traduit les réciprocités :
$(A \times L_1) = (B \times L_2) = (C \times L_3)$

c - Toutefois ces opérations qualitatives ne permettent pas d'énoncer la loi car si de telles multiplications permettent certaines inférences, elles laissent certains cas indéterminés. En effet, si
plus lourd × même distance = plus grande force
moins lourd × même distance = moins grande force
même poids × plus loin = plus grande force
même poids × moins loin = moins grande force
il reste que
plus lourd × plus loin et
moins lourd × moins loin } demeurent indéterminés.

<u>Au stade III,</u> le sujet découvre et la loi et son explication (avec réserve toutefois car nombreux sont ceux qui n'y parviennent pas). *Au stade III A,* les sujets découvrent spontanément la loi

$$\frac{P}{P'} = \frac{L'}{L}$$

qui leur paraît évidente. « Mais lorsqu'on procède par suspensions successives et alternatives des poids, l'attention du sujet se porte sur les inclinaisons et les chemins à parcourir en hauteur, ce qui peut le conduire à une explication par l'égalité des travaux (déplacement des forces). Cette explication, déjà possible au niveau III A, n'apparaît il est vrai qu'exceptionnellement encore au niveau III B ... » (L.E.L.A., p. 151).

« Rog (12;11) pour un poids placé à l'extrêmité d'un bras (28 trous) met C + E au milieu de l'autre bras, mesure la distance et dit : *Ça fait 14 trous. C'est la moitié de la longueur. Si le poids* (C + E) *est à la moitié, ça fait le double pour ça* (P) - Comment sais-tu qu'il faut rapprocher le poids du centre (pour faire plus lourd) ? - *Ça m'est venu à l'idée, j'ai voulu essayer : si je rapproche à la moitié, la valeur du poids diminue de moitié. Je sais, mais je ne peux pas expliquer : je n'ai pas appris* (...) » (L.E.L.A., p. 151).

« Tis (13;8) découvre la proportion 1 à 2 et dessine les hauteurs : *Si je remplaçais ce poids* (une unité) *par celui-là* (deux unités) *ça ne monterait* (à l'extrémité) *que la moitié...* (Le chemin en hauteur) *est beaucoup plus long quand c'est au milieu* (d'un bras) - Il y a aussi compensation ? - *Oui, entre la force et la hauteur.* - Comment mesurer ? - *C'est plus commode la hauteur, mais au fond, ça revient au même* (que la distance horizontale). (L.E.L.A., p. 152).

Dans son commentaire, PIAGET dit que l'on se trouve en présence du groupe INRC d'une part et que, d'autre part, on voit se différencier le schème général de l'équilibre par la construction des proportions P/P' = L'/L = H'/H.

Le groupe INRC se retrouve lorsqu'un bras descend sous l'influence d'un poids à distance donnée et que l'autre descend sous l'influence d'un poids à même distance. Il s'agit d'une réciprocité car si p et q sont les énoncés des montées des leviers, on a $p \supset \bar{q} = R\ (q \supset \bar{p})$. Ainsi donc pour le schème de l'équilibre, à quoi s'ajoute le schème des proportions en ce sens que deux facteurs interviennent et se compensent, P à distance L produit la même inclinaison qu'un poids P' à distance L'.

Mais INRC intervient encore : deux sortes d'opérations rétablissant l'équilibre peuvent correspondre à l'opération consistant à mettre des poids sur l'un des bras à des distances données, l'inverse (N) = enlever ces poids, la réciproque (R) = mettre des poids égaux à distances égales sur l'autre bras de la balance. Et si (N) annule l'opération, (R) la compense sans l'annuler, même si N et R aboutissent au même résultat : l'horizontalité.

Les proportions dérivent du groupe INRC et n'apparaissent qu'au stade III des opérations formelles. Raisonner selon une structure INRC implique la compréhension NR = IC, RC = IN,

NC = IR écrit Piaget. D'où il tire l'idée que le groupe INRC équivaut à un système de proportions logiques

$$\frac{Ix}{Cx} = \frac{Rx}{Nx} \quad \text{ou} \quad \frac{Rx}{Ix} = \frac{Cx}{Nx} \quad \text{puisque IN = RC}$$

x étant l'opération transformée par I, N, R, ou C.

Si l'on appelle p une augmentation déterminée de poids et q une augmentation déterminée de distance, $\bar{p}$ et $\bar{q}$ seront les propositions énonçant les diminutions correspondantes et p' et q', $\bar{p}'$ et $\bar{q}'$ les correspondants sur l'autre bras. Les sujets peuvent réaliser :

I (p . q) = augmenter à la fois le poids et la distance sur l'un des bras.

N ($\bar{p}$ v $\bar{q}$) = (p . $\bar{q}$) v ($\bar{p}$. q) v ($\bar{p}$. $\bar{q}$) : diminuer la distance en augmentant le poids ou diminuer le poids en augmentant la distance ou diminuer les deux.

R (p' . q') = compenser I en augmentant à la fois le poids et la distance sur l'autre bras de la balance.

C ($\bar{p}'$ v $\bar{q}'$) = (p' . $\bar{q}'$) v ($\bar{p}'$. q') v ($\bar{p}'$. $\bar{q}'$) = annuler R de la même manière que N annule I.

Mais si R compense l'action I on peut écrire $\bar{p}$. $\bar{q}$ et si C compense l'action N on peut écrire p v q d'où :

I (p . q)
N ($\bar{p}$ v $\bar{q}$)
R ($\bar{p}$. $\bar{q}$)
C (p v q)

Un tel système exprimant l'équilibre des poids et des distances est équivalent à la proportionnalité. C'est pourquoi Piaget peut écrire :

$$\frac{p \cdot q}{\bar{p} \cdot \bar{q}} = \frac{p \vee q}{\bar{p} \vee \bar{q}} \quad \text{c'est-à-dire :} \quad \frac{Ix}{Rx} = \frac{Cx}{Nx} \quad \text{où } x = p.q$$

Comprenant le système des inversions et des réciprocités, le sujet « saisira par le fait même que d'augmenter le poids et la distance sur un bras de la balance est à l'augmentation symétrique sur l'autre bras comme d'augmenter l'un ou l'autre sur un bras est à l'opération réciproque sur l'autre bras.

« Or, de ce schéma qualitatif des proportions logiques, qui

correspond sans doute à l'intuition globale de proportionnalité dont part le sujet, il est facile de passer à des proportions logiques plus détaillées (à une seule proportion) et de là aux proportions numériques » (L.E.L.A., p. 156).

Des protocoles d'expérience qu'il relate, PIAGET tire donc la présence de la structure INRC dont est issu le schème de l'équilibre aboutissant au schème qualitatif des proportions puis au schème logique. Ainsi se trouve démontrée cette idée que de la structure de groupe découlent les schèmes opératoires formels qui s'appellent en quelque sorte les uns les autres. C'est pourquoi PIAGET fait des démonstrations comparables pour chaque expérience portant sur des schèmes différents.

La grande nouveauté apportée par le passage à l'intelligence opératoire formelle paraît donc bien être l'inversion de sens entre le possible et le réel. Au stade des opérations formelles, le sujet se détermine selon les possibles en forgeant des hypothèses. Du point de vue de l'équilibre, l'accession à cette pensée hypothético-déductive se traduit par la structure de groupe INRC qui combine en un système unique les deux formes de la réversibilité séparées au niveau des opérations concrètes : la réversibilité par inversion et la réversibilité par réciprocité. Du point de vue des structures, tout semble reposer sur une logique interpropositionnelle dont le type le plus simple est la logique bi-valente.

Du point de vue du développement génétique qui, des structures sensori-motrices, passe par les opérations concrètes pour aboutir à ce stade final des opérations formelles, on pourrait croire que l'on parvient enfin au niveau d'achèvement de l'intelligence et que son développement est ainsi arrêté. On remarquera certes qu'il y a une remarquable coïncidence entre l'achèvement des processus de myélinisation aux alentours de l'âge de seize ans et l'achèvement des structures de la pensée formelle. Si l'on ne sait pas expliquer cette coïncidence, il paraît qu'il ne faut pas en tirer des conséquences hasardeuses. Tout d'abord cet achèvement ne signifie pas le terme de l'évolution des processus d'adaptation qui ont pris la forme de l'intelligence dans notre espèce. Il y a des chances pour que l'humanité découvre que son intelligence continue à évoluer comme l'espèce évolue. Ensuite, la découverte des processus et des structures de l'intelligence formelle n'est qu'une explicitation provisoire. Il y a encore beaucoup de structures à découvrir dans ce long et pénible effort de connaissance de soi qu'a entrepris l'humanité depuis que SOCRATE a recommandé de se connaître soi-même. Autrement dit, la connaissance des structures et du fonctionnement de la pensée n'est encore qu'approchée. Si elle permet d'ores et déjà une meilleure compréhension de l'intelligence, elle laisse énormément de zones d'ombre. Bien plus, ce qui est acquis ne laisse de poser des problèmes.

On a, dans cet esprit, adressé beaucoup de reproches à PIAGET. Quelle que soit leur pertinence ou leur mauvaise foi (ce qui arrive quelques fois), nous relèverons, pour notre part, deux difficultés qui nous arrêtent et que des psychologues, des pédagogues, surtout lorsqu'ils sont mathématiciens, relèvent. La première concerne I dans le groupe INRC. PIAGET rappelle souvent que l'opération identique (I) laisse une expression inchangée quand on la multiplie avec celle-ci. Ainsi IN = N. Mais il dit également que I est le produit de l'opération directe et de l'opération inverse. Or, lorsqu'il passe à l'interprétation des faits, il appelle souvent I l'opération directe (exemple de l'escargot qui se déplace sur sa planchette dans le sens AB alors que la planchette se déplace dans le sens BA). Comme la plupart des psychologues manquent d'informations en logique il leur semble qu'il y a là une ambiguïté à tout le moins. Ce qui crée difficulté c'est donc ce passage de I pris dans la structure INRC à la traduction des faits car, eu égard aux définitions, quelque chose échappe. Sur le plan strictement logique, L. FREY (*Langages logiques et processus intellectuels* in *Les modèles et la formalisation du comportement,* Paris, CNRS, 1967) relève que « malgré sa simplicité apparente la transformation identique pose un problème qui peut conduire à deux solutions combinatoires distinctes quoiqu'équivalentes » (p. 336). Déjà G.G. CRANGER dans *Pensée formelle et sciences de l'homme* (Paris, Aubier, 1960) soulignait la difficulté de l'identique mais au niveau des groupements d'opérations concrètes. Il est possible que la formalisation de PIAGET ne soit pas totalement adéquate à son objet ; mais c'est tout le problème de la formalisation qui se trouve posé.

La seconde difficulté réside dans la logique combinatoire prise comme modèle de la pensée formelle. Correspond-elle bien aux opérations de la pensée courante ? Il semble à L. FREY (*Pour une logique des modalités,* in *Cahiers de psychologie du Sud-Est,* 1965, VII, n° 2-4) « qu'une logique modale paraît suivre de plus près les comportements observés que ne le fait la logique propositionnelle classique » (p. 223) selon l'hypothèse qu'il avoue lui être personnelle que « les enfants, comme les adultes, n'utilisent ni uniquement, ni entièrement la logique propositionnelle classique » (p. 228).

Ces difficultés n'enlèvent rien à la valeur inestimable des découvertes de PIAGET et de ses collaborateurs. Elles sont inhérentes à toute recherche scientifique. Les signaler contribue davantage à la recherche - dans ce qu'elles ont de stimulant - que les dénigrements fondés sur des *a priori.*

BIBLIOGRAPHIE DU CHAPITRE V

PIAGET (J.) et INHELDER (B.), *De la logique de l'enfant à la logique de l'adolescent,* P.U.F., 1955, (abrégé : L.E.L.A.).

PIAGET (J.) et INHELDER (B.), *La psychologie de l'enfant,* P.U.F., 1966 (abrégé : P.E.).

PIAGET (J.), *Essai de logique opératoire,* révision J.B. GRIZE, Donod 1972 (abrégé : E.L.O.).

BETH (E.) et PIAGET (J.), *Epistémologie mathématique et psychologie,* P.U.F., 1961 (abrégé : E.E.G. XIV).

FRAISSE (P.) et PIAGET (J.), *Traité de psychologie expérimentale,* P.U.F., 1963, tome VII (abrégé : T.P.E.).

GRANGER (G.G.), *Pensée formelle et sciences de l'homme,* Aubier, 1970.

FREY (L.), *Pour une logique des modalités, réflexions à propos d'une épreuve génétique,* in *Cahiers de psychologie du Sud-Est,* 1965, VII, n° 2-4, pp. 223 à 228.

FREY (L.), *Langages logiques et processus intellectuels,* in *Les modèles et la formalisation du comportement,* Paris, CNRS, 1967.

Logique et connaissance scientifique sous la direction de J. PIAGET, Gallimard, 1967 (abrégé : L.C.S.).

Conclusion

La genèse des structures logiques de la pensée que nous avons suivie du chapitre troisième au chapitre cinquième nous a permis de voir comment les structures du niveau sensori-moteur se réélaborent à des niveaux supérieurs pour réaliser des paliers d'équilibre toujours plus larges et plus mobiles. Ce passage s'effectue par intégration et dépassement de l'ensemble des structures antérieures sans pour autant que celles-ci soient détruites ou niées en tant que telles. Ce qui est acquis l'est pour toute la vie ; simplement, s'il se conserve, il est néanmoins réélaboré au palier d'équilibre supérieur.

Trois grands niveaux ou stades ont été distingués par PIAGET, le niveau sensori-moteur, le niveau des opérations concrètes et le niveau des opérations formelles. Nous avons décrit les structures essentielles de ces niveaux, mais en mettant surtout l'accent sur les aspects opératifs de la connaissance. La seule concession que nous ayons faite aux aspects figuratifs a concerné l'espace. Deux raisons ont présidé à ce choix : la première, la moins sérieuse, mais la plus contraignante, réside dans les dimensions réduites imposées à cet ouvrage ; la seconde, découlant des nécessités impérieuses de la première, se justifie par le fait, si souvent redit antérieurement, que l'opératif domine et règle le figuratif dans les processus cognitifs. En conséquence, bien connaître les aspects opératifs de la connaissance permet une appréhension plus aisée des aspects figuratifs. En relatant donc essentiellement la genèse des structures logiques de la pensée, nous avons donné au lecteur - du moins nous le croyons - la possibilité de structurer le champ de la genèse des processus cognitifs à partir de leurs structures fondamentales. L'exception faite à l'égard de l'espace tient autant à des raisons cognitives qu'à des raisons pédagogiques. En effet, l'espace entre pour une part importante sinon déterminante dans les conservations physiques et plus généralement dans l'infra-logique. Il permet donc de voir comment l'opératif structure le figuratif. Les raisons pédagogiques en découlent nécessairement parce que les difficultés rencontrées par les enfants au niveau des premiers apprentissages géométriques ne se peuvent expliquer que par une bonne compréhension des étapes de la genèse des constructions spatiales. Mais ces difficultés ne sont pas les seules car il y a, entre autres, du rapport entre les structurations spatiales et l'apprentissage de l'écriture. Psychologues et pédagogues en ont une expérience quotidienne. Bien entendu, l'étude du rôle de l'image mentale dans les activités cognitives, ou, plus généralement des rapports entre l'opératif et le figuratif présente un intérêt considérable, mais peut-être un peu éloigné des objectifs de cet ouvrage.

Mais ce n'est pas le seul problème que nous ayons dû laisser de côté. La perception, le temps, la causalité, l'apprentissage ont aussi un intérêt. Fallait-il donc écrire une somme ou donner les moyens au lecteur de s'orienter dans l'œuvre immense de Piaget en en restituant ce que l'on pourrait appeler l'épine dorsale ? Pour vouloir être complet, il eût fallu écrire un autre ouvrage mais ses dimensions auraient été de nature à rebuter le lecteur le plus courageux. Si l'on y réfléchit bien en effet, développer tous ces aspects de la connaissance ne présenterait d'intérêt que pour certains lecteurs spécialisés. Or, à partir de celui-ci, nous croyons que le lecteur possèdera les clefs qui lui permettront l'approche qu'il souhaite. C'est pourquoi ses dimensions réduites par des nécessités d'édition finissent par répondre à des exigences pédagogiques sérieuses.

A lire les résultats des recherches de Piaget et de ses collaborateurs on pourrait se demander si, connaissant ainsi les processus normaux du développement des structures cognitives, il n'y aurait pas lieu d'intervenir pour en accélérer le cours et permettre ainsi, par une action pédagogique appropriée, une maturation plus précoce ? Cette question n'est pas insensée, en droit du moins, car si l'on y pouvait répondre par l'affirmative tous les systèmes d'éducation seraient bouleversés, mais sur des bases scientifiques. Les Américains dont le souci d'efficacité est bien connu l'ont posée les premiers. Mais, depuis, elle revient périodiquement sous des formes détournées. Par exemple, les pédagogues pensent que l'introduction de la mathématique moderne dans les cycles élémentaires, voire maternels, va contribuer à hâter les processus cognitifs, dans la mesure où les exercices que l'on propose aux enfants correspondent aux structures qu'ils développent naturellement. D'autres, plus avisés, instruits des découvertes plus récentes concernant notamment les conservations dont certaines telles le poids par exemple ou même le volume sont acquises plus tôt que la moyenne, et souvent à des âges que l'on pourrait dire tendres (5-6 ans...), en sont convaincus. Ils prétendent qu'une éducation appropriée permettra d'abaisser les âges moyens donnés par les travaux de PIAGET. Toutes ces questions et opinions ont du sens tant que d'une part des expériences précises ne viendront pas apporter des confirmations ou des éléments de réponse, et que d'autre part on n'aura pas expliqué ces phénomènes de précocité autrement que par des opinions ou des observations ponctuelles.

Le problème de l'accélération des stades - on l'appelle à Genève, non sans sourire, la question américaine - renvoie, avec celui que posent les pédagogues, au problème plus fondamental de l'apprentissage opératoire. On pourrait le formuler en ces termes : peut-on faire apprendre aux enfants les structures logiques ? Le Centre d'Epistémologie génétique de Genève s'est livré à cet effet à un ensemble de recherches systématiques relatées dans les *Etudes d'épistémologie génétique* en quatre volumes [1] : *Apprentissage et connaissance,* vol. VII, 1959, P. GRÉCO, J. PIAGET ; *Logique, apprentissage et probabilité,* vol. VIII, 1959, L. APOSTEL, A.R. JONCKHEERE, B. MATALON ; *L'apprentissage des structures logiques,* vol. IX, 1959, A. MORF, J. SMEDSLUND, Vinh BANG, J.F. WOHLWILL ; *La logique des apprentissages,* vol. X, 1959, M. GOUSTARD, P. GRÉCO, B. MATALON, J. PIAGET. Il s'est interrogé pour savoir si, d'une part il était possible d'apprendre les structures logiques, et si, d'autre part, tout apprentissage comportait une logique. Des discussions théoriques reposant tout le problème de l'apprentissage étudié en particulier par les psychologues américains ont conduit PIAGET à des reformulations qui tiennent compte des développements opératoires. En particulier, si l'on retient le fait que l'enfant, dans son rapport au monde, effectue deux types

1. Au moment où nous corrigeons les épreuves de cet ouvrage, nous disposons d'un livre important sur ce sujet et relatant les recherches de B. Inhelder, H. Sinclair et M. Bovet et de plusieurs collaborateurs : Il s'agit de *Apprentissage et structures de la connaissance,* P.U.F., 1974, auquel nous renvoyons pour une information plus récente.

d'expériences, l'une physique, qui consiste à agir sur les objets pour en découvrir les propriétés, l'autre logico-mathématique qui consiste à agir sur les objets mais pour en découvrir les propriétés abstraites des actions du sujet (cf. notre deuxième chapitre), il pouvait être tentant de dire qu'il y a deux types d'expériences correspondant par conséquent à deux types d'apprentissages possibles. Mais ce serait compter sans les processus d'équilibration. C'est pourquoi PIAGET propose deux définitions de l'apprentissage. *Au sens strict,* on pourrait parler d'apprentissage dans la mesure où le résultat, que ce soit une connaissance ou une performance, est acquis en fonction de l'expérience (de type physique ou logico-mathématique ou des deux). Mais comme il existe des acquisitions qui ne sont pas dues à l'expérience, mais à *la déduction* que l'on peut voir en œuvre après 7-8 ans et qui est source d'acquisitions indépendantes de l'expérience, on peut dire qu'il y a des acquisitions dont l'enfant est redevable aux processus d'équilibre. Par conséquent l'apprentissage peut s'entendre en *un sens large* qui groupe et les apprentissages au sens strict et les processus d'équilibre.

Les conclusions tirées des recherches et des discussions théoriques concernant la possibilité d'un apprentissage des structures logiques d'une part et l'existence d'une logique des apprentissages d'autre part « indiquent que l'apprentissage d'une structure logique est réalisable non pas par des renforcements externes, mais par la différenciation et la généralisation des structures préalables. En ce qui concerne la logique de l'apprentissage, elle est impliquée dans l'organisation même du processus d'apprentissage du sujet et celui-ci dépend de son niveau opératoire » (Vinh BANG, *Méthode d'apprentissage des structures opératoires,* art. cit. in Bibl. Géné.). Par exemple, on présente l'épreuve des îles aux enfants. Dans un premier temps, on recueille les conduites spontanées. Ensuite, on crée une situation d'apprentissage en donnant la possibilité de réajuster les constructions déjà faites, c'est-à-dire en questionnant l'enfant de manière à l'amener, par des suggestions appropriées, aussi loin qu'il peut aller. Enfin, on compare les productions spontanées aux productions résultant de l'apprentissage. L'important est que l'apprentissage se situe dans le cadre du développement naturel de l'enfant. C'est pourquoi « l'apprentissage ne se propose pas comme but un meilleur rendement ou une performance plus grande, mais vise, par des renforcements internes, à provoquer une différenciation des réponses par l'élimination des contradictions et à assurer leur cohésion logique qui tend vers une structuration plus équilibrée. Dans cette forme d'apprentissage, le processus d'acquisition prime le résultat de l'acquisition » (Vinh Bang, *art. cit.*). Pour le dire en termes différents, la situation d'apprentissage où l'on peut placer les enfants, révèle les structures qu'ils sont en train d'acquérir.

Il en découle une modification importante du diagnostic opératoire qui comporte en quelque sorte deux temps : le premier permet de repérer les structures déjà acquises et de faire ainsi un bilan diagnostique ; le second permet de mettre à jour les structures en cours d'acquisition et de révéler ainsi le plafond auquel parvient l'enfant. La pratique de l'examen psychologique s'en trouve donc affinée.

La question de l'apprentissage des structures logiques se trouve donc résolue par la négative. Par conséquent, aucune intervention extérieure ne paraît pouvoir hâter la formation de ces structures. La seule possibilité qui s'offre est de permettre à l'enfant de différencier les structures qu'il est en train d'acquérir.

Les conséquences qui peuvent être tirées des recherches en psychologie génétique ne concernent pas seulement la pratique de l'examen psychologique traditionnel pour autant qu'il se contente de relever les performances des enfants au moyen de tests standardisés, sans tenter de voir quelles sont les possibilités structurales qu'ils recèlent et qu'il n'est pas possible de révéler par ce moyen, mais elle concerne également la pratique pédagogique. Si en effet l'enfant acquiert les structures logiques de la pensée surtout par l'effet de sa propre action sur le milieu, la pédagogie se doit de favoriser cette construction progressive. C'est pourquoi la tâche essentielle de la pédagogie ne peut consister qu'à créer des situations où l'enfant soit amené à opérer par lui-même, que le domaine d'activité soit la physique, la mathématique, les sciences naturelles, le français, etc. En ce sens les découvertes de la psychologie scientifique renvoient à l'esprit des méthodes actives élaborées par la pratique empirique et la réflexion de pédagogues géniaux, mais en en retenant le principe ou l'esprit. Piaget est explicite sur ce point quand il écrit : « *le principe fondamental des méthodes actives* ne saurait que s'inspirer de l'histoire des sciences et peut s'exprimer sous la forme suivante : *comprendre, c'est inventer, ou reconstruire par réinvention* » (*Où va l'éducation*, Médiations, 1972). En conséquence, la pédagogie ne peut être qu'active et non-directive. Nous entendons par non-directivité, non pas le laisser-faire comme on le croit à tort, mais le laisser-agir - l'enfant par lui-même sans lui imposer ou même lui proposer des cadres de solutions toutes faites. Le grand reproche que l'on peut faire à la pédagogie, c'est qu'elle cherche davantage à faire apprendre, donc à répéter, qu'à agir, pour comprendre et inventer. Ce qui importe avant tout, c'est de mettre les élèves en condition de découvrir par eux-mêmes. Cette nécessité de la recherche personnelle est valable à tous les niveaux, de l'école maternelle à l'Université inclusivement. Cela implique que tous les éducateurs - à commencer par nous-mêmes qui écrivons ces lignes - soient eux-mêmes des chercheurs. Il n'y a d'enseignement valable que dans une perspective de recherche. Si les enseignants sont eux-mêmes des chercheurs, les enfants le seront. En ce sens, il n'y aura de véritable réforme des institutions éducatives, des éducateurs et de la pratique pédagogique que dans une telle perspective. Mais d'ores et déjà bien des choses sont possibles. Car la recherche, bien qu'elle possède ses méthodes, toujours en rapport avec le domaine sur lequel elle porte, conduit à réinventer constamment tant le savoir que ses propres méthodes. Le pédagogue ne peut donc rien attendre des recettes, car la recherche n'en a pas.

La reconversion impliquée par les découvertes psychologiques piagétiennes comporte le passage d'une pédagogie de la réception à une pédagogie de l'invention. Mais il comporte davantage : pour autant en effet que l'on n'obtient rien de la contrainte dans la recherche psychologique, c'est à une reconversion des rapports du maître à l'élève et réciproquement, des rapports de l'élève à la matière scolaire, aux cadres scolaires ou à l'institution, des rapports des élèves entre eux, que la psychologie génétique nous conduit. C'est pourquoi la référence à l'esprit de la non-directivité n'est pas une coquetterie pour céder à la mode. Le climat pédagogique ne peut être que celui de la confiance et de l'ouverture à autrui. Au niveau des phénomènes de relation précités, toute l'affectivité est concernée. Cette remarque rejoint tout ce qu'ont dit à ce sujet les psychologues de l'affectivité. Quel objectif peut se proposer la pédagogie si ce n'est d'épanouir la personnalité de chacun ?

« Mais le plein épanouissement de la personnalité sous ses aspects les plus intellectuels, est indissociable de l'ensemble des rapports affectifs, sociaux et moraux qui constituent la vie de l'école (nous avons rappelé plus haut cette sorte d'inhibition affective qui bloque si fréquemment le raisonnement des élèves à la suite d'insuccès mathématiques). A première vue, l'essor de la personnalité semble même dépendre surtout des facteurs affectifs, et le lecteur aura peut-être été surpris que, pour illustrer cette notion du libre développement de la personne, nous ayons commencé par la logique et les mathématiques ! En réalité l'éducation forme un tout indissociable, et il n'est pas possible de former des personnalités autonomes dans le domaine moral si par ailleurs l'individu est soumis à une contrainte intellectuelle telle qu'elle doive se borner à apprendre sur commande sans découvrir par lui-même la vérité : s'il est passif intellectuellement, il ne saurait être libre moralement. Mais réciproquement, si sa morale consiste exclusivement en une soumission à l'autorité adulte, et si les seuls rapports sociaux constituant la vie de la classe sont ceux qui relient chaque élève individuellement à un maître détenant tous les pouvoirs, il ne saurait pas non plus être actif intellectuellement.

« Aussi bien, les méthodes dites « actives », qui sont seules à épanouir la personnalité intellectuelle, supposent-elles nécessairement l'intervention d'un milieu collectif à la fois formateur de personnalité morale et source d'échanges intellectuels organisés. Il ne saurait se constituer, en effet, d'activité intellectuelle véritable, sous forme d'actions expérimentales et de recherches spontanées, sans une libre collaboration des individus, c'est-à-dire en l'espèce des élèves eux-mêmes entre eux et non pas seulement du maître et de l'élève. L'activité de l'intelligence suppose non seulement de continuelles stimulations réciproques, mais encore et surtout le contrôle mutuel et l'exercice de l'esprit critique, qui seuls conduisent l'individu à l'objectivité et au besoin de démonstration. Les opérations de la logique sont, en fait, toujours des coopérations et impliquent un ensemble de rapports de réciprocité intellectuelle et de coopération à la fois morale et rationnelle. Or, l'école traditionnelle ne connaît d'autre rapport social que celui reliant un maître, sorte de souverain absolu détenant la vérité intellectuelle et morale, à chaque élève pris individuellement : la collaboration entre élèves et même la communication directe entre eux sont ainsi exclues du travail de la classe et des devoirs à domicile (à cause des « notes » à donner et de l'atmosphère d'examen...). L'école active suppose au contraire une communauté de travail, avec alternance du travail individuel et du travail en groupes parce que la vie collective s'est révélée indispensable à l'épanouissement de la personnalité, sous ses aspects même les plus intellectuels... » (Jean PIAGET, *Le droit à l'éducation*, in *Où va l'éducation ?*, Médiations, 1972, pp. 100-103).

Bibliographie générale

Nous n'inclurons dans cette bibliographie que les ouvrages ou articles non-cités dans les bibliographies placées en fin de chaque chapitre, ne conservant ici que les titres permettant une appréhension d'ensemble ou particulière de la psychologie génétique de Jean PIAGET.

BATTRO (A.M.), *Dictionnaire d'épistémologie génétique*, P.U.F., 1966.

BANG (V.), *Méthode d'apprentissage des structures opératoires*, *Revue suisse de psychologie pure et appliquée*, vol. XXVI, n° 2, 1962, pp. 107-124.

CELLERIER (G.), *Piaget*, P.U.F., coll. Philosophes, 1973.

DESBIENS (J.P.), *Introduction à un examen philosophique de la psychologie de l'intelligence de Jean Piaget*, Université de Fribourg, Suisse, 1968.

DROZ (R.) et RAHMY (M.), *Lire Piaget*, Dessart, 1972.

FERREIRO (E.), *Les relations temporelles dans le langage de l'enfant*, Genève, Droz, 1971.

FREY (M.), *L'examen opératoire en psychologie clinique*, *Cahiers de psychologie du Sud-Est*, 66-67, tome x, 3-4, pp. 161-173.

GOUIN-DÉCARIE (Th.), *Intelligence et affectivité chez le jeune enfant*, Delachaux et Niestlé, 2e éd., 1968.

LONGEOT (F.), *Psychologie différentielle et théorie opératoire de l'intelligence*, Dunod, 1968.

MORENO (M.) et SASTRE (G.), *Evolution des déficiences intellectuelles au cours d'un apprentissage opératoire*, in *La psychiatrie de l'enfant*, P.U.F., vol. xv, fasc. 2, 1972, pp. 461 à 540.

NASSEFAT (M.), *Etude quantitative sur l'évolution des opérations intellectuelles*, Delachaux et Niestlé, 1963.

ODIER (Ch.), *L'angoisse et la pensée magique*, Delachaux et Niestlé, 1966.

PIAGET (J.), *Etudes sociologiques*, Genève, Droz, 1967.

PIAGET (J.), *Psychologie et Pédagogie*, Médiations, 1969.

PIAGET (J.), *Où va l'éducation ?*, Médiations, 1972.

REYMOND-RIVIER (B.), *Le développement social de l'enfant et de l'adolescent*, Dessart, 1965.

SCHMID-KITSIKIS (E.), *L'examen des opérations de l'intelligence, psychopathologie de l'enfant*, Delachaux et Niestlé, 1969.

SINCLAIR DE ZWART, *Acquisition du langage et développement de la pensée* (sous-systèmes linguistiques et opérations concrètes), Dunod, 1967.

TRAN THONG, *Stades et concepts de stade de développement de l'enfant dans la psychologie contemporaine*, Vrin, 1967.

Vient de paraître (*début février* 1974) :

INHELDER (B.), SINCLAIR (H.), BOVET (M.), *Apprentissage et Structures de la Connaissance*, P.U.F., 1974.

Table des Matières

INTRODUCTION 9

CHAPITRE I : HISTOIRE ET MÉTHODE 13

1. LES ANNÉES DE FORMATION (1896-1920) 13

2. LES PREMIÈRES RECHERCHES SUR LA PENSÉE ENFANTINE (1920-1930) 18
   - a) *La méthode clinique* 19
   - b) *La description de la pensée enfantine* 26

3. L'INTELLIGENCE AVANT LE LANGAGE (1930-1940) 32

4. ÉPANOUISSEMENT DE LA MÉTHODE ET FORMALISATION (1940-1950) 36

5. LA MARQUE DE L'ÉPISTÉMOLOGIE GÉNÉTIQUE (depuis 1950) 43

BIBLIOGRAPHIE DU CHAPITRE I 47

CHAPITRE II : DONNÉES ÉPISTÉMOLOGIQUES 51

1. ASSIMILATION ET ACCOMMODATION 51

2. LES STADES 55

3. CRITÈRES DE DÉLIMITATION DES STADES 55

4. DÉCALAGES 56

5. ÉQUILIBRE 59

6. SCHÈMES 60

7. ASPECTS OPÉRATIFS ET ASPECTS FIGURATIFS DE LA CONNAISSANCE 63

8. EXPÉRIENCE PHYSIQUE ET EXPÉRIENCE LOGICO-MATHÉMATIQUE ABSTRACTION SIMPLE ET ABSTRACTION RÉFLÉCHISSANTE 65

9. CONNAISSANCE PHYSIQUE ET CONNAISSANCE LOGICO-MATHÉMATIQUE 68

10. OPÉRATIONS INFRA-LOGIQUES ET OPÉRATIONS LOGICO-ARITHMÉTIQUES 69

TABLEAUX RÉCAPITULATIFS SOMMAIRES 72

11. FACTEURS DU DÉVELOPPEMENT MENTAL 74

12. EN GUISE DE CONCLUSION 77

BIBLIOGRAPHIE DU CHAPITRE II 79

CHAPITRE III : L'INTELLIGENCE SENSORI-MOTRICE .. 83

1. LE DÉVELOPPEMENT DE L'INTELLIGENCE ET LA FORMATION DES STRUCTURES SENSORI-MOTRICES 84
- Stade I : l'exercice des réflexes 85
- Stade II : les premières adaptations acquises et la réaction circulaire primaire 86
- Stade III : les adaptations sensori-motrices intentionnelles 89
- Stade IV : la coordination des schèmes secondaires et leur application aux situations nouvelles 91
- Stade V : la « réaction circulaire tertiaire » et la découverte des moyens nouveaux par expérimentatation active 93
- Stade VI : l'invention des moyens nouveaux par combinaison mentale 96
- Tableau récapitulatif 98

2. LA CONSTRUCTION DU RÉEL 99

a) *La construction de l'objet permanent* 100
- Stades I et II : aucune conduite relative aux objets disparus 101
- Stade III : début de permanence prolongeant les mouvements d'accommodation 102
- Stade IV : recherche active de l'objet disparu, mais sans tenir compte de la succession des déplacements visibles 103

- Stade V : l'enfant tient compte des déplacements successifs de l'objet 103
- Stade VI : l'enfant se représente les déplacements invisibles 104

b) *La construction de l'espace sensori-moteur* 104
- Stades I et II : groupes pratiques et hétérogènes .. 105
- Stade III : coordination des groupes pratiques et constitution des groupes subjectifs 106
- Stade IV : passage des groupes subjectifs aux groupes objectifs et découverte des opérations réversibles .. 107
- Stade V : les groupes objectifs 109
- Stade VI : les groupes représentatifs 109

c) *La construction de la causalité* 110
- Stade I et II : la prise de contact entre l'activité interne et le milieu extérieur et la causalité propre aux schèmes primaires 110
- Stade III : la causalité magico-phénoméniste 111
- Stade IV : extériorisation et objectivation élémentaires de la causalité 112
- Stade V : l'objectivation et la spatialisation réelles de la causalité 113
- Stade VI : la causalité représentative 113

d) *La construction du temps* 114
- Stades I et II : le temps propre et les séries pratiques 114
- Stade III : les séries subjectives 115
- Stade IV : débuts de l'objectivation du temps 115
- Stade V : les séries objectives 115
- Stade VI : les séries représentatives 118

TABLEAU RÉCAPITULATIF DES STADES DU DÉVELOPPEMENT SENSORI-MOTEUR 116-117

3. CONCLUSION 118

BIBLIOGRAPHIE DU CHAPITRE III 123

CHAPITRE IV : LA GENÈSE DES OPÉRATIONS CONCRÈTES (DE L'INTELLIGENCE SYMBOLIQUE OU PRÉ-OPÉRATOIRE A L'INTELLIGENCE OPÉRATOIRE CONCRÈTE) 125

1. LE PASSAGE DE L'INTELLIGENCE SENSORI-MOTRICE A L'INTELLIGENCE REPRÉSENTATIVE 126

2. L'INTELLIGENCE SYMBOLIQUE 131

3. LA MISE EN PLACE DES STRUCTURES DES OPÉRATIONS CONCRÈTES 135

a) *Les conservations* 136

- Les conservations physiques de substances, poids et volume 136
  - Conservation de la substance 136
  - Conservation du poids 138
  - Conservation du volume 138
- Les conservations spatiales 141
  - Conservation des longueurs 141
  - Conservation des surfaces 142
  - Conservation des volumes spatiaux 143
- Les conservations numériques 144

b) *Les structures de classification, de relation et de nombre* 147

- Les classifications 148
  - 1er Stade : les collections figurales 150
  - 2e Stade : les collections non-figurales 151
  - 3e Stade : inclusion des classes et classifications hiérarchiques 152
    1) Classification des fleurs mêlées à des objets 152
    2) Classification des animaux 153
- La quantification de l'inclusion et le réglage de « tous » et « quelques » 154
  - Tous et quelques 154
  - Quantification de l'inclusion 156
- Les opérations de sériation 157
- Les groupements multiplicatifs 158
- Le nombre 161

4. L'ESPACE 165

a) *L'espace projectif* 169

b) *Passage de l'espace projectif à l'espace euclidien* 170

c) *L'espace métrique et euclidien* 171

5. CONCLUSION 172

BIBLIOGRAPHIE DU CHAPITRE IV 173

CHAPITRE V. L'INTELLIGENCE OPÉRATOIRE FORMELLE 177

1. DU POINT DE VUE DE L'ÉQUILIBRE 185

2. DU POINT DE VUE DES STRUCTURES 191

a) *Les opérations combinatoires* 192

b) *Les proportions* 193

c) *Les doubles systèmes de références* 193

d) *La notion d'équilibre mécanique* 194

e) *La notion de probabilité* 194

f) *La notion de corrélation* 194

g) *Les compensations multiplicatives* 195

LES EXPÉRIENCES 198

a) *Constitution de la logique des propositions* 198

b) *Les schèmes opératoires de la logique formelle (l'équilibre de la balance)* 203

BIBLIOGRAPHIE DU CHAPITRE V 212

CONCLUSION GÉNÉRALE 213

BIBLIOGRAPHIE GÉNÉRALE 221

TABLE DES MATIÈRES 223

Achevé d'imprimer le 8 avril 1974
sur les Presses des Ateliers Professionnels
de l'Orphelinat Saint-Jean à Albi, pour
le compte des Editions Edouard Privat,
14, rue des Arts, 31 - Toulouse
Dépôt légal 2e trimestre 1974